CB061092

# O caçador de lagostas

## SÉRGIO ROLIM MENDONÇA

Editora **Labrador**

Copyright © 2018 de Sérgio Rolim Mendonça
Todos os direitos desta edição reservados à Editora Labrador.

*Coordenação editorial*
Diana Szylit

*Projeto gráfico, diagramação e capa*
Felipe Rosa

*Ilustrações*
Flávio Tavares

*Preparação*
Leonardo do Carmo

*Revisão*
Nivaldo Rodrigues
Bonie Santos

Dados Internacionais de Catalogação na Publicação (CIP)
Andreia de Almeida CRB-8/7889

Mendonça, Sérgio Rolim
    O caçador de lagostas / Sérgio Rolim Mendonça. -- São Paulo : Labrador, 2018.
    432 p. : il.

ISBN 978-85-93058-93-6

1. Mendonça, Sérgio Rolim, 1944 – Biografia 2. Engenheiros – Brasil – Biografia I. Título.

18-0826                             CDD 926.2

Índices para catálogo sistemático:
1. Engenheiros – Brasil – Biografia

EDITORA
Labrador

**Editora Labrador**
**Diretor editorial:** Daniel Pinsky
Rua Dr. José Elias, 520 - Alto da Lapa
05083-030 - São Paulo - SP
+55 (11) 3641-7446
contato@editoralabrador.com.br
www.editoralabrador.com.br

A reprodução de qualquer parte desta obra é ilegal e configura uma apropriação indevida dos direitos intelectuais e patrimoniais do autor.

Para

*Dedé, Romualdo, Zuleida e Francisco* (in memoriam)

*Lucinha e Selda*

*Fábio, Luciana e Juliana*

*Thiago, Sérgio Neto, Gustavo, Caio e Théo*

*Feliz de quem chega a envelhecer
porque muitos não chegam lá.
É dádiva de Deus permanecer
perfeito e com memória chegar.*

Regina Rodriguez Bôtto Targino, "O Envelhecer".
In: *Representações sociais do idoso no mundo virtual*.
João Pessoa: Ideia Editora, 2014.

*Agradeço a José Humberto Espínola Pontes de Miranda, amigo de mais de seis décadas, pelas inúmeras correções, sugestões e recomendações durante o período de elaboração deste livro.*

# Conteúdo

11  Prefácio
14  Apresentação
21  Breves palavras
24  Coriolano e seu dicionário
37  Notas relativas ao sobrenome Rolim
52  Uma vida longa e útil: Romualdo de Medeiros Rolim
56  Romualdo de Medeiros Rolim, perpétuo diretor do Tesouro
75  Resumo da biografia de Moacyr Tavares Rolim
85  Primeiro acidente de automóvel na Paraíba
98  Francisco Mendonça Filho, outro arcanjo da medicina paraibana
113  Da infância aos setenta
135  As mulheres de minha vida
167  A escola de dona Tércia Bonavides
171  Minhas queridas professoras
179  Outros caminhos
183  Reminiscências do curso ginasial
193  Vicente Albuquerque de Souza, o irmão Olavo
197  Episódios da vida estudantil – o curso científico
204  Xiranha indecifrável
209  Paraíba-Rio-Bogotá
222  Escola de Engenharia da Universidade da Paraíba (EEUP) 1967 – discurso de 30 anos e um pouco de história

245 Vida esportiva
267 Estudos e treinamentos no exterior
287 O concurso
293 Consultoria em Salvador, Bahia
296 Consultoria em Chimbote, Peru
309 Santo de casa faz milagre, sim!
314 Ingresso na Opas/OMS
334 Fundação da Academia Paraibana de Engenharia
342 Momentos do livro *Sistemas sustentáveis de esgotos*
351 José Martiniano de Azevedo Netto, o baluarte da engenharia sanitária do século XX
360 Humberto Romero Álvarez, o engenheiro mexicano que mais promoveu a saúde pública nas Américas
368 Mateus Rosas Ribeiro
385 Teores elevados de zinco em águas de abastecimento
389 Uso da água – racionalização
392 O impacto ambiental dos praguicidas
398 Alternativas de saneamento para a cidade dos Reis Magos
402 Terremotos e a escala Richter
407 A origem do número $\pi$
413 O caçador de lagostas
425 Comentários sobre alguns livros do autor
430 Sobre o autor

# Prefácio

•————— ••• —————•

### Exemplário da plenitude de viver

Há quem defenda a ideia de que, na idade madura, não é mais tempo de fazer amizades. Resta-nos, apenas, cultivar as que sedimentamos ao longo da vida.

Mas o convite de Sérgio, fazendo-me prefaciadora de suas memórias, diz o contrário. Que todo tempo é tempo para "a arte dos encontros", para o compartilhamento que enriquece de experiência o existir, conferindo-lhe sentido e densidade.

Chego muito depois para participar do que não vivi, de um passado que a lembrança intenta reconfigurar pela simbologia das palavras e das imagens fotográficas, recursos da resistência humana contra a fugacidade do tempo.

Para mim, este livro de Sérgio assume um sentido particular. Preparo-me para ler esperando uma revelação. Como se o amigo me distinguisse com a oportunidade de preencher as lacunas de décadas em que permanecemos desconhecidos, embora frequentássemos o mesmo espaço-tempo, com destaque para o ambiente universitário de João Pessoa na década de 1960. Éramos poucos alunos, comparados com as matrículas de hoje, o que favorecia a convivência intensificada pela participação política, pelas Olimpíadas e pelo CEU (Clube do Estudante Universitário), divino ponto de encontro.

Agora, descobrindo as amizades comuns, vejo o quanto nos tangenciamos. E me pergunto por que não fomos apresentados por Arnaldo José Delgado, Horácio Antônio Ribeiro Neves, José Othon Soares de Oliveira, Cláudio José Lopes Rodrigues, Ronaldo Delgado Gadelha ou Paulo Bezerril Júnior. Mas a revelação maior foi encontrar Luiz Augusto Crispim e a poesia de sua crônica, completamente integrados a essa travessia. Então eu me senti como *Irene no céu*.

Mesmo assim, é um desafio prefaciar essas memórias, pela impossibilidade de traduzir numa síntese todas as impressões da leitura. São sete décadas de uma vida intensa que o autor reconstitui e ilustra, com verdadeiras preciosidades do seu arquivo de lembranças.

À riqueza das fotografias, somam-se guardados, que revelam traços característicos de uma forma de ser, na qual se destaca um exemplar entusiasmo pela vida. É esse sentimento que se afirma em cada página dessas memórias e que confere unidade aos conteúdos mais diversificados.

Primeiro, o autor estabelece suas raízes, detalhando a genealogia da família Rolim pelo cuidadoso traçado do perfil social e profissional de cada ascendente. É sobre essa base sólida que se ergue sua autobiografia, sobre um alicerce afetivo, com tal detalhamento e precisão que parece planejada desde sempre.

Sérgio expõe, com o mesmo fervor, a caligrafia infantil, nos exercícios iniciais da escola, a primeira redação e os mais elevados títulos acadêmicos e profissionais conquistados em sua brilhante carreira de engenheiro sanitarista, professor universitário e escritor de obrigatória referência técnica e científica no âmbito da engenharia sanitária e ambiental.

A escolha do título, realçando uma experiência amadora e prazerosa, vem ao encontro do direcionamento de nossa leitura. O autor poderia ter colocado em destaque qualquer outro aspecto de sua existência. Era mesmo de se esperar que a ênfase fosse para o desempenho acadêmico e profissional, em que ele se revela um obstinado, tal o empenho na ultrapassagem de limites, em busca da realização de suas potencialidades. A vivência como estudante ou profissional em diversos países, não só da América Latina, mas das Américas, da Europa e até do Oriente, atesta uma dimensão rara de se alcançar. Apropriando-me das palavras do autor, direi que é um patamar reservado aos que não ficam prisioneiros de condicionamentos alienantes, de hábitos repetitivos. Da acomodação que sufoca.

E então é possível apreender a simbologia do título, que aponta para a coragem de viver o risco das mudanças e dos enfrentamentos que o crescimento exige, acreditando que "largar o velho e abraçar o novo é, muitas vezes, a única possibilidade de sobreviver", como diz Sérgio. É estabelecida, assim, uma correlação figurativa entre a natureza biológica do crustáceo e um ideal humano de superação.

Sérgio foge do lugar-comum da maioria dos relatos autobiográficos, que, em geral, supervalorizam as dificuldades enfrentadas para ampliar as proporções das vitórias. Em qualquer experiência de vida, ele estabelece o equilíbrio entre o saber lutar e o sabor da conquista, dois polos interdependentes que sustentam uma visão de mundo e uma forma peculiar de existir. Entregando-se inteiramente a tudo que faz, esse caçador de lagostas vive na caminhada a alegria de chegar. Aí se encontra o diferencial de sua resistência, assumida sempre com a mais completa naturalidade.

Muitas vezes, o autor se reporta à publicação de suas memórias supondo os filhos como destinatários. Mas o interesse desta leitura transcende o círculo familiar.

A felicidade e o orgulho de integrar uma existência tão plena são prerrogativas da família, dos descendentes, dos herdeiros desse tesouro imaterial. No entanto, a admiração é para todo leitor que se detiver nestas páginas, das quais emerge um belo exemplo da integridade de ser.

O saber e o sabor desta leitura me impõem a busca por uma palavra, uma expressão que me permita sintetizá-la. E a memória me traz uma página que jamais se apaga. Aquela em que Saint-Exupéry tenta definir "a gravidade lúcida", a qualidade essencial do seu companheiro Guillaumet. É isso! Sérgio pertence a essa família espiritual do homem que luta "em nome de sua Criação, contra a morte. [...] Sua grandeza é a de sentir-se responsável. [...] Responsável um pouco pelo destino dos homens, na medida de seu trabalho".

**Ângela Bezerra de Castro**
*Professora de Teoria da Literatura da UFPB*
*Ocupante da Cadeira nº 31 da Academia Paraibana de Letras*

# Apresentação

Duas ou três passadas mais largas, a impulsão e, pronto, lá estava ele, com a parte superior do tronco ultrapassando a altura máxima da rede de voleibol, prestes a meter a mão na bola. E o fazia com força, após ter tido rápida visão do campo adversário e escolhido o local em que a bola deveria encontrar o chão ou algum jogador mais ágil, derrubando-o.

Na quadra do Pio X, em meio à arquibancada, muitas vezes vibrei ao assistir a essa cena. Já vira Sérgio Rolim jogar voleibol pela Praia do Poço, nos três veraneios maravilhosos que ali passei, ou seja, entre os anos de 1957 e 1960, quando enfrentava o time da Praia Formosa. Mas ali era diferente; o piso era de areia frouxa e, como o próprio Sérgio reconhece, o time da Praia Formosa contava com três jogadores excepcionais – os irmãos Nelson, Clemente e Mateus Rosas.

Àquele tempo também experimentei jogar voleibol, mas em duplas de praia, em frente à casa em que veraneava, que ficava na região do Poço conhecida como Norte. A casa de Sérgio Rolim ficava localizada na parte Sul da praia. Daquele jogo de duplas, que às vezes se convertia em trincas, participavam comigo o primo João Bráulio Espínola Nóbrega, seu cunhado Marco Aurélio Ferreira de Melo (pai do conhecido paraibano vice-campeão olímpico de voleibol de duplas, Zé Marco), alguns vizinhos e, por vezes, minha irmã Maria Yolanda e a prima Maria Alix (casada com Marco Aurélio). Mas era jogo de puro divertimento, sem preocupação de vencer.

Com Sérgio era diferente. Levava tudo muito a sério, inclusive a prática esportiva. Encerrado o período de veraneio, o nosso "caçador de lagostas" não se esquecia do voleibol e sempre achava um tempinho para treinar com bola. Por vezes sozinho, no quintal de casa, na avenida Tabajaras. Lembro-me de ter ido lá para vê-lo treinar. Uma vez, ensinou-me a tal da "manchete", posicionamento correto das mãos a ser utilizado em quadra, principalmente para se defender das chamadas "cortadas", o seu forte. Tive, então, uma aula prática: ele cortava e eu defendia com manchete. Tive de ser muito ágil para não levar uma bolada no rosto, do que a manchete não me livraria. Noutra oportunidade, encontrei-o todo suado, a saltar com o tronco revestido por um cinturão de chumbo de seis quilos. "Para ganhar maior impulsão", disse. Recusei-me a experimentar o apetrecho de sua criação.

Era assim o jovem Sérgio Rolim. Tudo o que almejava atingir, fazia-o com insistência, buscando a perfeição. Da prática do vôlei é que teria surgido a garra com que enfrentou a vida, usando o melhor da sua inteligência e o máximo de dedicação para alcançar sucesso, o que chegaria por consequência. Tropeços momentâneos e dificuldades aparentemente insuperáveis nunca o fizeram desistir de continuar perseguindo o objetivo. Por vezes até parecia haver esquecido, deixado a pretensão para trás. Ledo engano. Quando surgia, lá adiante, alguma chance, mínima que fosse, lá estava ele investindo firme e tentando virar o jogo.

Este livro de memórias deixa claro ao leitor que Sérgio jamais perdeu o foco em atingir seus objetivos. Foi assim quando decidiu fazer o curso de Engenharia Sanitária, insatisfeito com a Engenharia Civil, para a qual não se sentia vocacionado e em que se formara em 1967. Após um ano de estudo em São Paulo, graduou-se, em 1971, pela Faculdade de Higiene e Saúde Pública, atual Faculdade de Saúde Pública da Universidade de São Paulo (USP).

As memórias de Sérgio, de riqueza impressionante, envolvem familiares, mestres, colegas e amigos. Conheci seus avós maternos e seus pais. Todos atenciosos e gentis. Quanto ao dr. Mendonça, seu pai, era figura especial. Muito simples, mantinha um permanente sorriso no rosto, daqueles que só possui quem está em paz com a vida. Via-o sempre no pronto socorro municipal de João Pessoa, que ficava na Visconde de Pelotas, mesma rua onde eu morava. Por isso, passava constantemente por lá e, às vezes, via-o à porta. Parava e conversava um pouco com ele, o que era gratificante. Dr. Mendonça transmitia bondade. Só agora, ao ler este livro, tomei conhecimento de que, no atendimento a indigentes, valia-se de material adquirido com recursos próprios.

Professoras do curso primário, dona Francisca Cunha e, depois, na escola Santa Terezinha, dona Tércia Bonavides, não são esquecidas por Sérgio, que lembra detalhes do dia a dia escolar a ponto de informar seu currículo e apontar os nomes de todos os colegas da época (dentre eles meus primos João Bráulio Espínola Nóbrega e José Reinolds Cardoso de Melo) e de meninos que viriam a estudar comigo no curso ginasial, como Breno Machado Grisi, Claudio José Lopes Rodrigues, Emmanuel Ponce de Leon e Carlos Augusto Steinbach Silva. Do curso ginasial, Sérgio recorda a participação em atividades culturais como o Orfeão Carlos Gomes, coral regido pelo irmão Barreto, e a Arcádia Pio X, ligada à Academia Literária Pessoense, atividades das quais também participei.

Em Sérgio Rolim, o senso de justiça, a gratidão e o reconhecimento estão presentes. Quase três décadas após ter deixado a escola de dona Francisca, concluído o mestrado em Leeds, na Inglaterra, retorna ao Brasil e vai direto honrar sua primeira professora, presenteando-a com um terço adquirido no Vaticano. Ao falar do curso ginasial, relembra do irmão Olavo, seu professor de inglês de 1957 a 1960, que, como afirma neste livro, foi "o irmão marista que mais me marcou durante os sete anos em que estudei no Colégio Marista Pio X".

O currículo de Sérgio impressiona. Durante o ano de 1968, trabalhou como engenheiro do Departamento de Saneamento Básico da Superintendência do Desenvolvimento do Nordeste (Sudene), em Recife. Retornando à Companhia de Água e Esgotos da Paraíba (Cagepa), em João Pessoa, onde estagiara, trabalhou por cinco anos na área comercial. Seguiu para outras áreas, chegando a ocupar o cargo de diretor de operação e manutenção. Naquela empresa permaneceu por cerca de 28 anos.

Passou a lecionar na Universidade Federal da Paraíba (UFPB) em 1970, auxiliando o prof. Hermano José da Silveira Farias na disciplina Cálculo Diferencial e Integral, ensinada a alunos dos cursos de Engenharia e Economia. Em 1971, apresentou a monografia *Hidrômetros: uma necessidade* em concurso para professor-assistente do curso de graduação em Engenharia Civil da UFPB, nas disciplinas Abastecimento e Tratamento de Água e Sistemas de Esgotos. Aprovado, passou a lecionar na Escola de Engenharia, onde ficou por 25 anos.

Nos idos de 1972 foi que Sérgio passou a conciliar as funções de engenheiro da Cagepa e professor universitário. Naquele ano, em razão do sucesso de um curso de extensão que ministrara em Natal, foi convidado a lecionar sobre diversos temas, o que aconteceria em Brasília e mais 21 estados, e ainda em 14 outros países, contabilizando-se, então, mais de 2.400 horas de aula, em cursos de capacitação, nas áreas de abastecimento de água, saneamento e despejos industriais. A Associação Brasileira de Engenharia Sanitária e Ambiental (Abes) concedeu-lhe um diploma, reconhecendo esse relevante trabalho em prol do saneamento ambiental no Brasil. Havia fincado o alicerce para grandes voos.

No período de 1973 a 1999, Sérgio participou de treinamentos nos Estados Unidos, no Japão, na Holanda, no Peru e no Chile. Todavia, a partir de 1985, devido a seu perfil técnico, passou a se interessar pela Organização Pan-Americana da Saúde (Opas), representação da Organização Mundial da Saúde (OMS) nas Américas. Ali ele concentraria o seu foco.

A ideia era trabalhar no Centro Pan-Americano de Engenharia Sanitária e Ciências do Ambiente (Cepis), que fora criado pela Opas como um centro de pesquisas, objetivando apoiar e desenvolver a cooperação técnica na área de Engenharia Sanitária nos países membros das Américas. Esse centro tinha sede em Lima, no Peru. Para chegar lá, havia um árduo caminho a percorrer, o qual Sérgio conta em detalhes neste brilhante livro. Teria de marcar ponto a ponto, como no voleibol. O leitor identificará, nas ações de Sérgio dirigidas ao trabalho no Cepis/Opas, os vários movimentos do vôlei, desde o "saque", quando iniciava a sua investida, passando pela "recepção", quando internalizava alguma decepção, pelo "levantamento", quando passava a bola a pessoas que o poderiam ajudar no "ataque" para a conquista daquele pontinho a mais pretendido, e até pelo "bloqueio", quando superava obstáculos maiores.

Por vezes a bola voltava para a quadra de Sérgio. Alguma exigência a ser cumprida. Era quando surgiam as figuras do líbero e do levantador, representadas por pessoas que ele conheceu no decorrer de suas múltiplas atividades. Encontrou-as, convenceu-as a entrar para seu "time", motivou-as para que assumissem um desempenho decisivo em favor de suas pretensões. Foi assim com Oscar Ness, engenheiro da Cedae, que se encantara com seu primeiro livro, *Manual do reparador de medidores de água*; com Antônio Carlos Rossin, colega de curso na USP, depois funcionário do Banco Interamericano de Desenvolvimento (BID); com José M. Pérez, que foi assessor de saúde e ambiente da Opas em Brasília; com Horst Otterstetter, que conheceu Sérgio na Cetesb e foi diretor da divisão de Meio Ambiente na Opas em Washington, DC; com seu ex-professor José Martiniano de Azevedo Netto, baluarte da engenharia sanitária nas Américas; com o renomado engenheiro Ivanildo Hespanhol, seu amigo e ex-professor da USP e funcionário da OMS; com Humberto Romero Álvarez, um dos engenheiros sanitaristas mais famosos do México. Essas pessoas, de algum modo, o ajudaram na busca da vitória. Passaram a ser parte da "equipe" de Sérgio, que ia, todo feliz, atender ao reclamo, receber a bola que lhe chegava para a "cortada" fatal.

Sérgio concorreu a vagas na Costa Rica, em Honduras, nos Estados Unidos e em vários outros países das Américas. Também para organizações internacionais diversas, a exemplo do BID, em Caracas, que financiava obras de saneamento em todos os países das Américas. Concorreu até para a OMS, em Katmandu, no Nepal, e para o Banco de Desenvolvimento da África, em Yamoussoukro, na Costa do Marfim. A meu ver, teve sorte em não ter alcançado êxito em relação a essas duas últimas organizações, pois Katmandu e Yamoussoukro são lugares muitíssimo distantes e atrasados.

É como penso, até porque a "cortada" decisiva de Sérgio para a conquista da Opas viria logo depois, em 1990, com a publicação do seu livro *Lagoas de estabilização e aeradas mecanicamente: novos conceitos*, pela UFPB. Milita em favor dessa minha observação o fato de que Sérgio, em momento oportuno, convidara José Pérez a escrever o prefácio daquele seu quarto livro, e este não só gostou do livro como contratou Sérgio, em 1991, como consultor da Opas/OMS em Brasília – e o indicou a participar do *Consultative Meeting on Excreta and Wastewater Disposal in Latin America and the Caribbean*, simpósio organizado pela Opas em Washington, DC, ao qual Sérgio compareceu representando o Cone Sul (Brasil, Paraguai, Uruguai e Argentina).

Fato é que, entre 1975 e 1990, Sérgio escreveu quatro livros. Aconteceria, contudo, o desencanto com o mundo acadêmico. Ele fora convidado a fazer doutorado na University of Windsor, no Canadá. Após um ano de intenso enfrentamento da burocracia junto aos órgãos envolvidos, quando restava apenas uma semana para viajar em definitivo para o Canadá, Sérgio recebeu uma carta do CPNq indeferindo seu pleito, sob a consideração de que era velho para tal empreitada acadêmica. Contava 49 anos. Desapontado com a absurda limitação acadêmica, decidiu se aposentar e partir célere para realizar o sonho de trabalhar na Opas.

Em 1994, Sérgio foi participar do XXIV Congresso da Associação Interamericana de Engenharia Sanitária e Ambiental (Aidis), em Buenos Aires. Ali reencontrou Horst Otterstetter e dele recebeu orientação para se inscrever no escritório da Opas em Buenos Aires, para vagas existentes no Peru e na Colômbia. A concretização da meta iria se materializar ao fim de 1995, quando comemorava, em Londres, a formatura da filha Luciana. Naquela ocasião, recebeu a notícia da sua aprovação para o ingresso na instituição. Haviam decorrido dez anos desde quando se decidira a lutar por aquele objetivo. Foi, então, trabalhar como assessor de saúde e ambiente na Opas, em Bogotá, Colômbia. Sérgio acabava de virar o jogo. Vencera o *set* mais desafiador de toda a sua vida.

Em novembro de 2002, Sérgio foi participar, como membro da Comissão de Avaliação dos trabalhos técnicos, do XXVIII Congresso da Aidis (Cancún, México). Tendo feito inscrição para ali divulgar seu sexto livro, publicado em 2000, pela McGraw-Hill – *Sistemas de lagunas de estabilización: cómo utilizar aguas residuales tratadas en sistemas de regadío* –, veio ao seu encontro para cumprimentá-lo, ainda no auditório, a profa. Kara Nelson, da University of California, em Berkeley. Ela fora dizer-lhe que conseguira concluir sua tese de doutorado graças àquele livro, que lhe fora recomendado por seu orientador, o prof. George Tchobanoglous, um dos mais festejados sanitaristas americanos e autor de aproximadamente quarenta livros técnicos na área de esgotos e resíduos sólidos nos Estados Unidos. O sucesso dessa obra de Sérgio foi impressionante. Duas edições em pouco mais de um ano. Quase 8 mil exemplares vendidos em seis meses, na América Latina, na Espanha e em Portugal. Em 2005, recebeu a medalha ao mérito, outorgada pela Universidad Nacional Santiago Antúnez de Mayolo, em Huaraz, Ancash, Peru.

Não moviam Sérgio Rolim Mendonça (como poderia parecer num primeiro momento) sentimentos menores, como o interesse financeiro ou mesmo a vaidade. Não. Todo o tempo, buscou apenas crescer em conhecimento e experiência para poder "desenvolver trabalho de mais utilidade à humanidade, ao qual me sentia vocacionado", como afirma nas páginas que seguem. Trabalho dignificante, sim, que mais serve à saúde pública do que qualquer outra atividade.

Vale voltar, agora, à figura de Francisco Mendonça Filho, o dr. Mendonça a quem me referi anteriormente, para lembrar, repetindo palavras que o próprio filho escreve aqui: "[meu pai] tinha muita vontade que me formasse em Medicina, embora nunca tenha me pressionado ou falado desse assunto comigo". Penso que ele esteja satisfeito com a escolha do filho, pois o desejo que tinha, e que guardava com discrição (o de que seguisse a carreira médica), era voltado a que pudesse realizar significativo bem social, e isso Sérgio conseguiu, na condição de engenheiro sanitarista, de forma quantitativamente superior.

Após cinco anos na Colômbia, Sérgio passou em concurso e foi trabalhar na Opas, na Cidade do México. Contudo, sua carreira não se encerraria ali. Faltava-lhe um último *set* a disputar e vencer, nessa grande partida que é o profissionalismo na vida humana. O desafio precisava ser enfrentado, e foi. Após um ano e meio no México, Sérgio se candidatou a novo cargo na Opas. Vitorioso no certame, foi a Lima desempenhar as honrosas funções de assessor em sistemas de águas residuais para a América Latina e o Caribe junto ao Cepis. Seu sonho maior, finalmente realizado. Permaneceu ali até 2006, ano em que, na condição de coordenador e coautor, publicou seu sétimo livro, *Alcantarillado condominial: una estrategia de saneamiento para alcanzar los objetivos del milenio en el contexto de los municipios saludables*. Aposentou-se pouco depois.

De volta ao Brasil, manteve-se em atividade com idêntica disposição, tendo recebido o título de professor emérito, outorgado pelo egrégio Conselho Universitário da UFPB, já ao final de 2006. Continuou a prestar consultoria, a realizar trabalhos técnicos e a ministrar cursos e conferências pelo Brasil e em vários países das Américas. Assim segue, ainda hoje, com agenda cheia.

Em 2014, ajudou a fundar a Academia Paraibana de Engenharia (Apenge), para a qual foi eleito presidente. Durante seu discurso de posse, revelou preocupação com a ética no Brasil. Em 2016, recebeu mais dois títulos relevantes. Um, em Foz do Iguaçu, Paraná, "Láurea ao Mérito 2016", conferido pelo Conselho Federal de Engenharia e Agronomia (Confea) e pela Caixa de Assistência dos Profissionais do Crea (Mútua) a grandes nomes da engenharia nacional. O segundo, "Troféu Personalidade do Ano da Construção Civil", outorgado pelo Sindicato da Indústria da Construção Civil de João Pessoa (Sinduscon/JP).

Lançou, em 2016, a obra *Sistemas sustentáveis de esgotos: orientações técnicas para projeto e dimensionamento de redes coletoras, emissários, canais, estações elevatórias, tratamento e reúso na agricultura*, pela editora Blucher, em São Paulo, em coautoria com a filha Luciana Coêlho Mendonça, professora associada da Universidade Federal de Sergipe (UFS). O livro teve segunda edição ampliada já no ano seguinte.

Além de descrever detalhes da sua vida profissional, Sérgio Rolim cuida, neste livro de agora, da biografia dos pais, avós e bisavós, tanto paternos como maternos, e de parentes e aderentes outros com absoluta fidelidade. Valeu-se de importantes pesquisas históricas para chegar a seus ancestrais, a exemplo de Antônio Rolim de Moura, nascido em 1709 no Baixo Alentejo, Portugal. E descobriu que, por varonia, descendeu ele da "família antiquíssima e nobilíssima dos Mendonças". Mas a tanto não se limita o autor, que traz ao livro reportagens e fotos diretamente ligados aos fatos narrados. Certamente, trabalho de grande impacto, principalmente para a Paraíba. Uma preciosidade, digna de ser considerada pelo Instituto Histórico e Geográfico Paraibano (IHGP).

Sérgio deixa escapar um carinho especial por parentes, mestres e amigos. Cenas simples, gostosas, do dia a dia, ganham vida nas suas descrições, a exemplo da pescaria de agulhas com Romualdo Rolim. E, ainda, com apoio de pescadores daquele seu avô, a caça às lagostas na Praia do Poço, atividade que o levaria, com justa razão, a ter contemplado este livro com o título de *O caçador de lagostas*.

**José Humberto Espínola Pontes de Miranda**
*Advogado, escritor e membro titular da Academia Camaragibense de Letras, em Camaragibe, município pernambucano onde reside*

# Breves palavras

Meu bisavô Coriolano de Medeiros aprontou seu último livro, *Sampaio*, em 1950, aos 74 anos (o texto foi publicado somente cinco anos depois). Havia perdido sua visão completamente, porém, mesmo com toda essa dificuldade, conseguiu concluí-lo escrevendo a lápis ao sabor do tato, ajudado por minha bisavó Eulina de Medeiros Rolim (Vó Neném).

Citava na introdução desse livro:

> Os ventos frios do outono da vida não me curaram ainda a mania de recordar fatos que o poder intangível do tempo vai esbatendo no esquecimento [...].
> Daí a reunião destas páginas, com o seu mau estilo conjugando-se com alguns desacertos e outras falhas [...].

Sempre admirei as pessoas que tinham o dom e a facilidade para escrever. Minha paixão pelos livros foi iniciada com Coriolano e continuada com meu pai, Francisco Mendonça Filho. Em 28 de junho de 1955, um dia em que fui visitá-lo, aos 11 anos de idade, me deparei com uma grande quantidade de livros que haviam chegado e estavam em um dos cômodos de sua casa. Era o nuperpublicado *Sampaio*. Não tive dúvidas. Pedi-lhe de imediato um exemplar autografado.

Durante toda minha vida, escrevi muitos trabalhos científicos e oito livros técnicos. Nunca pensei que algum dia chegaria a escrever um livro relatando um pouco de minhas memórias. Não acreditava que teria capacidade, e nunca tive, em nenhuma fase da vida, o interesse de anotar, ou mesmo o hábito de escrever algum tipo de diário, mas, há cerca de dez anos, vinha amadurecendo a ideia de escrever este livro.

Um dia tomei coragem e resolvi escrevê-lo. A cada capítulo, enfrentava um novo desafio. Como iniciá-lo? O que dizer? Pouco a pouco, fui me enchendo de coragem, me animando, e finalmente o concluí.

Voltando ao início destas palavras, quando menciono que Coriolano chegou a se desculpar por seu mau estilo de escrever, imaginem a comparação daquilo que ele redigiu com este meu livro, apresentado como o manuscrito de um pretenso escritor sem nenhum estilo.

A despeito de todas as minhas falhas, fiz uma extensa pesquisa bibliográfica antes de começar a redigir cada capítulo, visando, sobretudo, a transmitir alguma informação que pudesse ser útil a qualquer tipo de leitor. Escrevi alguns fatos interessantes de minha carreira profissional com a precípua intenção de mostrar aos jovens que, para vencer na vida, é muito importante que se defina uma meta, pois somente com muito esforço, perseverança e abnegação se poderá aspirar à vitória. Para os familiares, deixo um resumo da biografia de meus principais ascendentes, ex-professores, amigos e descendentes. Nesse breve resumo, foi adicionada também toda a informação publicada que consegui sobre meus ascendentes, além das inúmeras fotos de meu arquivo pessoal. Para finalizar, incluí alguns artigos técnicos de minha autoria sobre diversos assuntos que pudessem, talvez, interessar ao público leigo.

Por uma interessante coincidência do destino, com a mesma idade de Coriolano, eu, aos 74 anos, também já comecei a sentir o sopro dos ventos frios do outono da vida. Porém, estou totalmente realizado, por haver me recordado de muito mais fatos do que imaginava e conseguido publicar o livro que tanto almejava.

**Sérgio Rolim Mendonça**
*srolimmendonca@gmail.com*

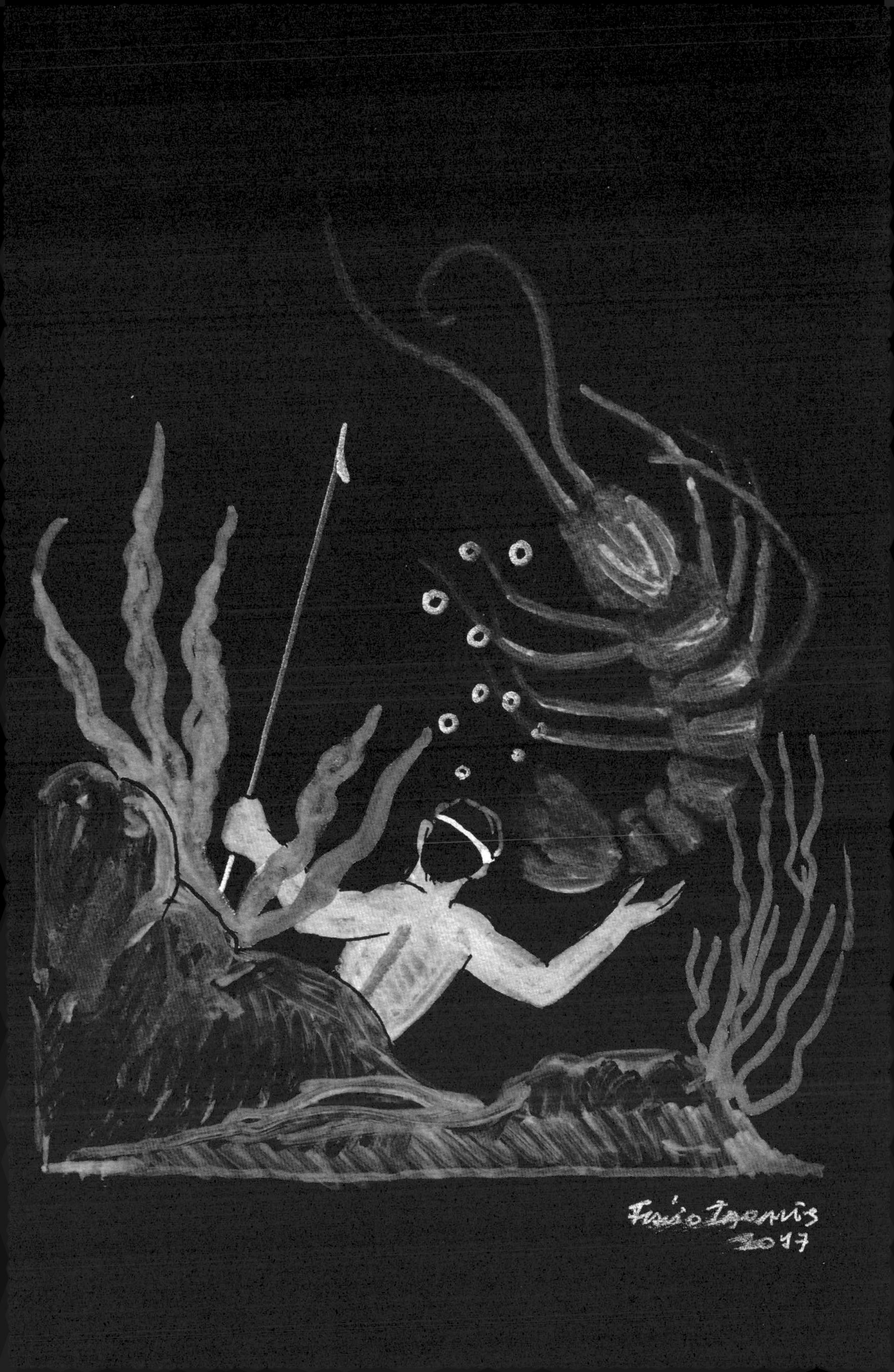
2017

# Coriolano e seu dicionário
## Humberto Mello[1]

---•••---

## A vida

João Rodrigues Coriolano de Medeiros nasceu em 30 de novembro de 1875, na fazenda Várzea das Ovelhas, município de Patos, "em pleno esplendor do reinado de D. Pedro II, cuja memória ainda hoje venero", como afirmou em depoimento transcrito em *Coriolano de Medeiros – notícia bibliográfica*, de Eduardo Martins. Tangida pela seca de 1877, sua família migrou para a capital da província, de onde ele nunca mais saiu. Pouco depois, seu pai morria, vítima da malária. Sua mãe contraiu novas núpcias. Muito se afeiçoou ao padrasto, a quem dizia dever tudo o que era na vida.

Fez seus estudos primários em escolas particulares da capital, evocadas no referido depoimento. Na última que frequentou, organizou um jornalzinho. Tinha apenas 12 anos quando assim se manifestou sua vocação literária. Depois, vieram os preparatórios no Lyceu Paraibano, seguidos do curso de Direito na Faculdade do Recife, que abandonou no terceiro ano, pois não se sentia inclinado para as lides forenses.

Tornou-se professor ao mesmo passo em que exercia atividades comerciais, sem jamais deixar as letras. Iniciou-se no jornalismo em *O Comércio*, do grande Artur Aquiles. E foram muitos os órgãos de imprensa de cujas redações participou, que dirigiu ou com quem colaborou. Dirigiu A *Philippéa* – a primeira revista que se editou na Paraíba –, *O Jornal do Commercio*, o *Almanach do Estado da Parahyba*, a revista *Serões de Junho* e o GEGHP: *Gabinete de Estudinhos de Geografia e História da Paraíba*. Era também músico e teatrólogo. Ensinou, durante muitos anos, na antiga Escola de Aprendizes Artífices (posteriormente denominada Escola Industrial da Paraíba, Escola Técnica Federal da Paraíba, conhecida hoje como Instituto Federal da Paraíba).

---

[1]. Prefácio da quarta edição do livro *Dicionário corográfico do estado da Paraíba*, relançado em 16 de setembro de 2016 pela Editora do Instituto Federal da Paraíba (Editora IFPB) e pela Academia Paraibana de Letras (APL), em João Pessoa, Paraíba.

Gostava do convívio com seus pares. Figurou entre os fundadores do Centro Literário Paraibano (1897), do Instituto Histórico e Geográfico Paraibano (1905), da Universidade Popular (1913), da Associação dos Homens e de Letras (1917) e do Gabinete de Estudinhos de Geografia e História da Paraíba (1931). Foi sua a iniciativa da fundação, em 14 de setembro de 1941, da Academia Paraibana de Letras, que hoje o homenageia denominando-se "Casa de Coriolano de Medeiros".

Em 1949, perdeu a visão. Até o ano anterior ensinara no Instituto Underwood. Viveu ainda 25 anos. "Sem força nas pernas e sem luz nos olhos, embora com força e luz no cérebro robusto", como dele disse Celso Mariz. Lúcido até o fim, vez por outra recebia em sua casa, primeiro na avenida General Osório, depois na rua do Sertão, visitas de velhos amigos, de acadêmicos, de jornalistas, de intelectuais, de professores universitários, que lá iam a levar-lhe algum conforto e, ao mesmo passo, buscar seus ensinamentos e ouvir suas lembranças. Faleceu no dia 25 de abril de 1974.

## A obra

O primeiro livro publicado por Coriolano foi o *Diccionário chorographico do estado da Paraíba*, em 1914, pela Imprensa Oficial do Estado. Tinha apenas 112 páginas. Em 1950, foi publicada a segunda edição, aumentada, com mais 269 páginas em 12 capítulos, com nota introdutória de Augusto Meyer e inserida na Coleção Enciclopédia Brasileira, do antigo Instituto Nacional do Livro.

Após essa obra, vieram:
- *Do litoral ao sertão*, livro de contos, Popular Editora, Paraíba, 1917;
- "Folklore paraibano", separata da *Revista do Instituto Histórico e Geográfico Brasileiro*, Livraria J. Leite, Rio de Janeiro, 1921;
- *O tesouro da cega*, drama, 1922;
- *Resenha histórica da Escola de Aprendizes Artífices*, Paraíba, 1922;
- *24 de fevereiro, promulgação da Constituição Brasileira e 2 de julho de 1925, centenário da Confederação do Equador*, Paraíba, 1925;
- *Os cinco heróis da Conquista*, Paraíba, 1925;
- *Mestres que se foram*, Paraíba, 1925;
- *O Barracão*, romance, Editora Artes Gráficas da Escola de Aprendizes Artífices de Pernambuco, 1930;
- *Manaíra ou nas trilhas da Conquista do Sertão*, novela histórica, com prefácio de Affonso de E. Taunay, Editora Melhoramentos, São Paulo, 1936;
- *A evolução histórica e social de Patos*, A Imprensa, João Pessoa, 1938;

- *Palavras*, Editora da Escola de Aprendizes Artífices da Paraíba, João Pessoa, 1939;
- *O tambiá da minha infância*, Editora da Escola Industrial da Paraíba, João Pessoa, 1942;
- *Sampaio*, Editora Teone, João Pessoa, 1955.

Os dois últimos foram reeditados em um só volume pela Biblioteca Paraibana. Coriolano deixou inéditas nove peças teatrais.

Eduardo Martins, pesquisador exímio, levantou, esparsos em jornais, revistas, outros periódicos e obras coletivas, 27 poesias e 278 artigos diversos. Entre estes, merecem destaque: "Estado da Parahyba", inserido no *Diccionário historico, geographico e ethnographico do Brasil* (comemorativo do primeiro centenário da Independência), edição da Imprensa Nacional, Rio de Janeiro, 1922, para o Instituto Histórico e Geográfico Brasileiro, e "Schema histórico da Parahyba", publicado no *Almanach do Estado da Parahyba* de 1922.

Como se vê, Coriolano tinha boas relações com intelectuais do Sudeste. Podemos dizer que ele era um nome nacionalmente conhecido, sócio correspondente de várias instituições científicas e literárias do país, como se apresenta na segunda edição do dicionário.

## O dicionário

O *Diccionário chorographico* foi, pois, o primeiro livro publicado por Coriolano de Medeiros. Trinta anos após a primeira edição, ele havia preparado a segunda. Foi um trabalho ingente, dificultado pela indiferença com que seus pedidos de informações eram recebidos por quase todas as prefeituras – apenas quatro responderam – e repartições públicas, das quais somente o Departamento Estadual de Estatística atendeu às solicitações enviadas. Alguns amigos, não mencionados, também lhe forneceram dados, assim como ocorrera com a primeira edição. Ele relaciona dezoito pessoas que lhe proporcionaram "preciosas informações" e arrola os livros a que recorreu na falta de subsídios.

O trabalho revela um esforço extenuante do autor. Nele encontramos desde um verbete sobre o estado a outros sobre suas regiões – Costa, Brejo e Cariri –, além de todos os municípios então existentes – estes, com notas geográficas, históricas, etnográficas e estatísticas, etimologia dos topônimos de origens indígenas ou africanas, além de completa descrição das divisas intermunicipais e interdistritais. Em alguns, consta uma relação de pessoas que lá nasceram e se destacaram em diversos campos de atividade. Estão presentes, também, inúmeros povoados, rios e serras.

Entre a conclusão da obra e sua publicação, passaram-se seis anos. Não se sabe exatamente qual o motivo da demora, se houve dificuldades para editá-la na Paraíba ou se o retardamento foi do Instituto Nacional do Livro, que, afinal, veio a publicá-la. [...]

———— ••• ————

## Considerações sobre João Rodrigues Coriolano de Medeiros
*Sérgio Rolim Mendonça*

Meu bisavô Joaquim Gonçalves Rolim, bacharel em Direito, juiz da comarca de Cajazeiras e pai de Romualdo de Medeiros Rolim (meu avô), morreu de tifo aos 35 anos, em 1899. Minha bisavó, a pianista Eulina de Medeiros Rolim (Vó Neném), viúva de Joaquim e mãe de Romualdo, casou-se, seis anos depois, no dia 29 de julho de 1905, com João Rodrigues Coriolano de Medeiros, que fundou, dentre outros, o Instituto Histórico e Geográfico Paraibano (IHGP), em 1905, e a Academia Paraibana de Letras (APL), em 1941, e que veio a ser meu bisavô torto.

Coriolano de Medeiros era filho de Aquilino Coriolano de Medeiros e Joana Maria da Conceição. Seu pai também morrera quando ele ainda era menino, e foi seu padrasto Vitorino da Silva Coelho Maia – a quem tudo devia, conforme seu depoimento – que o criou.

Seu último livro, *Sampaio*, foi escrito quando já estava cego (ele perdera completamente a visão aos 74 anos devido a uma operação malsucedida de catarata). Escreveu esse livro com dificuldade em folhas grandes de papel pautado com as linhas intercaladas com tiras de papelão coladas, para orientar a escrita devido às bordas mais espessas nas extremidades. Foi ajudado também por minha bisavó.

Coriolano de Medeiros não teve filhos. Tive a oportunidade de conviver com ele, a quem carinhosamente minha irmã Selda e eu chamávamos de "padrinho". Morava na rua Nova, 177 (hoje rua General Osório), em João Pessoa. A cada mês, eu e minha irmã fazíamos uma visita a Coriolano. Às vezes íamos sós, sem companhia de adultos – essas visitas começaram quando eu só tinha 11 anos e Selda, 9. Nessa época, a cidade era muito tranquila, e nós morávamos na rua Conselheiro Henriques, 90, que estava a cerca de 250 metros da sua casa. Toda vez que fazíamos essa visita, ele nos presenteava com um sabonete e um bilhete de cinco cruzeiros, que era a moeda da época. O cruzeiro foi criado no dia 5 de outubro de 1942, mas só passou a valer como unidade monetária a partir da meia-noite do dia 31 de outubro daquele ano. Substituiu o padrão mil-réis, que causava problemas por ter divisão milesimal. Outro objetivo dessa mudança foi unificar o meio circulante, já que na época existiam 56 tipos diferentes de cédulas, sendo 35 do Tesouro Nacional, 14 do Banco do Brasil e 7 da extinta Caixa de Estabilização. Foram usadas aproximadamente oito notas do padrão mil-réis, carimbadas para o novo valor. O símbolo de 1$000 foi substituído por Cr$ 1,00.

Sempre que eu entrava na sua casa, passava primeiro por um quarto de estudos onde havia uma estante com inúmeros livros, muitos deles grandes e encadernados. Descobri, quando estava mais velho, que esses livros de capa dura eram a coleção completa da *Encyclopædia Britannica*.

Quando ganhei do "padrinho" Coriolano o *Sampaio* autografado, aos 11 anos, mandei encaderná-lo em capa dura, e está bem conservado até hoje. A segunda edição do *Diccionário chorographico* foi dedicada ao bisneto Sérgio Mendonça, em 27 de julho de 1958. Tenho orgulho de ser o único dos seus familiares que possui esses dois livros autografados por ele.

Fac-símile da nota de cinco cruzeiros.

Em 25 de outubro de 1952, morreu Vó Neném, minha bisavó, aos 72 anos de idade. Recordo-me do velório na casa de Coriolano. Lembro-me perfeitamente desse dia; com 8 anos de idade, chorei copiosamente e senti muito a morte de Vó Neném. Na hora de fechar o caixão, alguém me disse que beijasse sua testa. Obedeci; porém, depois do enterro, passei muito tempo traumatizado e cuspindo com frequência ao relembrar o triste episódio. Felizmente consegui superar este trauma e dei um beijo na testa de minha querida mãe, Zuleida Rolim Mendonça, antes da saída do féretro para o Cemitério da Boa Sentença, em João Pessoa, no dia 4 de abril de 1993.

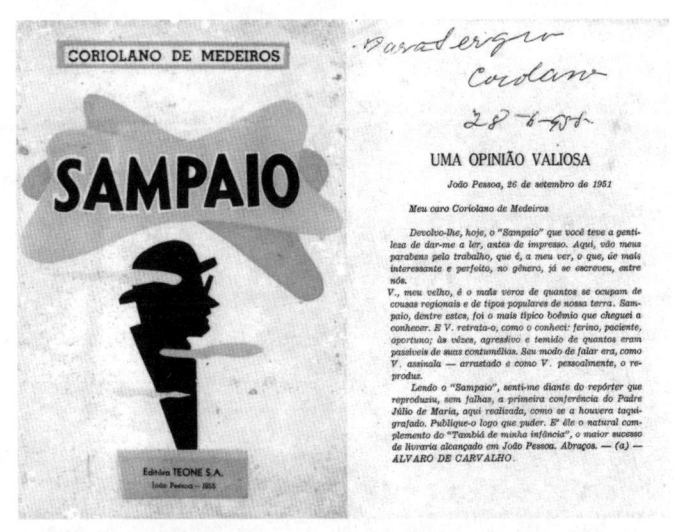

Dedicatória do último livro de Coriolano de Medeiros a mim –
João Pessoa, Paraíba, 28 de junho de 1955.

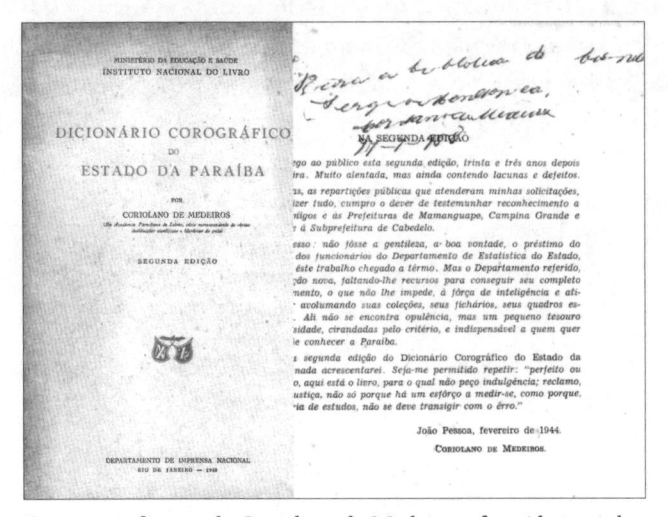

Livro mais famoso de Coriolano de Medeiros oferecido à minha
biblioteca – João Pessoa, Paraíba, 27 de julho de 1958.

Nesse mesmo ano de 1952, numa das nossas visitas a Coriolano, ele contou a mim e à minha irmã Selda que era muito pobre, mas queria nos deixar uma pequena herança. Entregou a cada um de nós cerca de vinte moedas de prata, a metade delas de 2 mil-réis, cunhadas de 1906 a 1912, pesando 20 gramas, e o restante, também moedas de 2 mil-réis, cunhadas entre 1924 e 1934. A partir desse dia me tornei filatélico e numismático. A filatelia eu abandonei, por necessitar de muita paciência e cuidado com os selos – contudo, ainda possuo uma quantidade razoável de selos com envelopes do primeiro dia de circulação no Brasil, na Inglaterra, na Irlanda e em outros países. Desde 1952, influenciado por Coriolano, coleciono cédulas e moedas de inúmeros países, o que foi facilitado pelo fato de eu ter morado por catorze meses na Inglaterra e trabalhado em quase todos os países da América do Sul e da América Central por mais de dez anos. Quanto à minha irmã Selda, pediu que um ourives local derretesse todas as moedas para fabricar joias para ela.

Possuo ainda comigo um documento inédito, encontrado nos meus alfarrábios em uma folha de papel datilografado, nunca divulgado, referente a um diálogo escrito por Coriolano de Medeiros para mim e minha irmã Selda, para ser declamado durante as festividades das bodas de ouro de meus avós paternos, Francisco Soares Ribeiro de Mendonça e Joaquina (Lili) Vergara de Mendonça, no dia 1º de julho de 1955. Na época eu tinha 11 anos e minha irmã ainda estava por completar 9. Vários netos fizeram suas apresentações, alguns declamando e outros tocando instrumentos musicais, como é possível verificar no programa original apresentado a seguir. Tudo isso foi gravado em um disco de 78 rotações, e o mestre de cerimônias foi o conhecido radialista Paschoal Carrilho, da Rádio Tabajara. Infelizmente, nenhum familiar (eram nove irmãos) possui esse disco, mas eu consegui recuperar o som de nossa declamação quando esse disco ainda existia. Aproveitando as festividades da comemoração dos 140 anos do nascimento de Coriolano de Medeiros, em 23 de setembro de 2015, incluí mais essa obra inédita para fazer parte do acervo cultural do IFPB.

―― ••• ――

## Diálogo
*(Coriolano de Medeiros)*

No dia de aniversário de casamento dos seus avós que completaram as bodas de ouro (1º de julho de 1955)

*(Sérgio entra risonho ao lado de Selda e coloca-se em posição conveniente)*

Embora sem nenhum brilho
Ou graça, aqui estamos nós,

Filhos de Mendonça Filho
Saudando nossos avós.

Que hoje alegre entre os seus
Filhos e netos amados
Contam, por mercê de Deus,
Meio século de casados.

Fac-símile do programa de apresentações das bodas de ouro de meus avós paternos, Francisco Soares Ribeiro de Mendonça e Joaquina (Lili) Vergara de Mendonça – João Pessoa, Paraíba, 1º de julho de 1955.

(*Selda, com ar alegre, diz a Sérgio*)

Fizeram bodas de ouro
Bodas de prata também
Que riqueza, que tesouro,
Nossos vovozinhos têm.

(*Sérgio diz a Selda*)

E vai ainda aumentar
Não está muito distante

Esta casa festejar
As bodas de diamante.

(*Selda diz, com ar pensativo*)

Bodas de ouro, ventura
De uma importância sem par!

(*Sérgio diz a Selda*)

Nem a toda criatura
Deus as consente gozar
Cumpramos nossa missão
De amor, respeito e carinho.
(*Apontando os avós*)

(*Selda diz a Sérgio*)

Nossos avós eles são
E também nossos padrinhos
E não há que demorar
Vamos juntinhos nós dois?

(*Sérgio diz a Selda*)

Vou em primeiro lugar
E você irá depois...

(*Selda diz a Sérgio*)

Seja, vá (*pondo a mão no coração*)
Eu tenho aqui um batuque
Um rumorzinho...

(*Sérgio diz, avançando sorridente para Dona Lili*)

Meus parabéns, Mãe Lili

(*Beija-lhe a mão carinhosamente e fica ao seu lado*)

(*Selda diz, marchando vagarosamente com ares de ternura, e, receosa, avança para o avô*)

Meus parabéns, avozinho... (*Atira-se, rápida, abraçando-o*)

Na foto a seguir, de 1913, estão Blandina, Sinhazinha e Inocência, damas de companhia de Coriolano e Vó Neném, e também Alexandre, sobrinho de Coriolano – um figurinista muito talentoso que desenhava muito bem e morava com o casal naquela época. Tive oportunidade de folhear um álbum colorido e desenhado por ele, com bonitos figurinos. Vó Sinhá, de nome Maria Arminda de Carvalho I, era minha trisavó, portuguesa de nascimento, mãe de minha bisavó Eulina (Vó Neném).

Blandina Ferreira dos Santos, Sinhazinha, Inocência e Alexandre (*em pé*), Coriolano, Vó Neném e Vó Sinhá (*sentados*) – Parahyba, Parahyba do Norte (Parahyba e Parahyba do Norte referem-se, respectivamente, à atual cidade de João Pessoa e ao atual estado da Paraíba), c. 1913.

Rua Nova (atual rua General Osório), onde morava Coriolano, à casa 177 – João Pessoa, Paraíba, 1910.

Eulina e Coriolano de Medeiros, com dedicatória de Vó Neném à nora Edwirges Tavares Rolim – João Pessoa, Paraíba, 19 de maio de 1917.

Coriolano (*em pé, ao fundo*), meu tio Moacyr Rolim, Vó Neném e minha mãe, Zuleida Rolim Mendonça – c. 1930.

Aniversário de 1 ano de Neucyr Chaves Rolim (*no colo, de vestido branco*); Coriolano está ao centro, de gravata – João Pessoa, Paraíba, 2 de maio de 1956.

Moacyr Rolim, Edwirges e Zuleida Rolim na Praia do Poço – Cabedelo, Paraíba, 9 de maio de 1965.

Comemoração dos 140 anos do nascimento de Coriolano de Medeiros, na reitoria do IFPB. Familiares mais velhos de Coriolano à ocasião: Moacyr Rolim Filho, sua irmã Neucyr Chaves Rolim, minha irmã Selda Mendonça Neves e eu – João Pessoa, Paraíba, 23 de setembro de 2015.

# Notas relativas ao sobrenome Rolim
*Sérgio Rolim Mendonça*

## Origem do sobrenome Rolim

O nome Rolim[2] teve origem na antiga Flandres, região que hoje pertence parcialmente à Bélgica e parcialmente à Holanda e é controlada por franceses e ingleses. Tem origem anglo-francesa e, mais distante, no nome francês Rollin. Rolim significa "rolante" (aquele ou aquilo que rola). O primeiro Rolim famoso foi o chanceler Rolin, cujo nome era Nicolas Rolin, homem de muitas posses. Fundou, no século XIII, junto de sua esposa Guigone de Salins, o Hospices de Beaune, na região da Borgonha (cidades de Beaune e Autun) – um hospital público para atendimento de pobres e desvalidos, e também de vítimas da Guerra dos Cem Anos.

Nicolas Rolin ficou imortalizado pelo quadro que mandou pintar em 1430 – concluído aproximadamente em 1435 por Jan van Eyck[3] –, intitulado *The Virgin and Child with chancellor Rolin* (A Virgem e o Menino com chanceler Rolin, em português). Essa obra encontra-se em exposição permanente no Museu do Louvre, em Paris. O próprio Nicolas Rolin foi retratado nessa pintura ao lado da Virgem Maria e do Menino Jesus.

Há, na região da Borgonha, a vinícola Bouchard Aîné & Fils, na cidade de Beaune, fundada em 1750. Nos arredores dessa localidade está situada a famosa Rota dos Grand Crus. Grand Crus são uma *appellation d'origine contrôlée* (AOC) dos melhores vinhos produzidos na Côte de Beaune e na Côte de Nuits, na Borgonha, França, cujas categorias principais são: *Grand Cru*, *Premier Cru* e *Appellation communale*. Nessa rota está localizada a sequência de vinhedos de onde saem as estrelas da Borgonha que têm como símbolo o hospital histórico

---

2. Família Rolim – a origem. Disponível em: <http://rolimorigens.blogspot.com.br/p/a-historia.html>. Acesso em: 9 nov. 2017.
3. Madonna of Chancellor Rolin. Disponível em: <https://en.wikipedia.org/wiki/Madonna_of_Chancellor_Rolin>. Acesso em: 9 nov. 2017.

Hospices de Beaune. Ali são produzidos oito vinhos *Grand Cru*, dentre eles o *Premier Cru, Cuvée Nicolas Rolin*, produzido pela Bouchard Aîné & Fils.

*The Virgin and Child with chancellor Rolin*, óleo sobre tela, 66 × 62 cm, Jan van Eyck. Museu do Louvre, Paris, c. 1435. Foto: The Yorck Project: 10.000 Meisterwerke der Malerei. DVD-ROM, 2002. ISBN 3936122202. Distributed by DIRECTMEDIA Publishing GmbH/Wikimedia Commons.

O nome Rolim também aparece em outros momentos da história. João Rodrigues de Sá (1355-1425)[4], quinhentista português nascido no Porto, foi alcaide-mor do Porto e seguidor do partido do Mestre de Avis durante a crise dinástica de 1833 a 1835 em Portugal. Durante o cerco imposto a Lisboa por João I de Castela, João Rodrigues de Sá, vindo do Porto, lutou com sucesso contra as galés castelhanas, o que lhe valeu o epíteto de *o da Galés*, pelo qual passou a ser conhecido. Em algumas de suas prosas escreve:

Quem sete castelos doura
sobre vermelho acendido
lhe o sangue conhecydo

---
4. João Rodrigues de Sá, o das Galés. Disponível em: <https://pt.wikipedia.org/wiki/Jo%C3%A3o_Rodrigues_de_S%C3%A1,_o_das_Gal%C3%A9s>. Acesso em: 9 nov. 2017.

> por tomar aos mouros Moura
> donde trouxe o apelydo
>
> Hum dom Rolin estrangeiro
> foy destes o padroeiro
> de cuja fama aynda soa
> na tomada de Lixboa
> que nom foy o derradeiro [...][5]

Dom João Ribeiro Gaio[6], nascido na Vila do Conde, foi um bispo católico português de Malaca, entre 1578 e 1601, que faleceu no final da centúria. Foi contemporâneo de dois vila-condenses que muito ilustraram a história da sua cidade e da Igreja Católica — o franciscano frei João de Vila do Conde e o jesuíta padre Manuel de Sá. Deixou o seu nome ligado à genealogia e à geografia. Também deixou registradas proezas da família Rolim.

> Sete castelos tomaram
> D. Rolim com seus soldados
> a mouras que cativaram
> e deles os Reis passados
> o de Moura lhe dotaram[7]

O dom Rolim referido nos versos do bispo de Malaca é condizente com a pessoa de Rogério Child Rolim, membro da família inglesa que seguiu para Portugal na armada que ajudou a tomar Lisboa dos mouros em 1147. Era filho de dom Rolim, conde de Chester da Inglaterra.

A Família Rolim que habitou Portugal se uniu à família Moura, passando a adotar os brasões de armas dos Mouras de Portugal. Por isso, o brasão original da família Rolim pode ser considerado o brasão da família Moura.

---

5. Disponível em: <http://rolimorigens.blogspot.com.br/p/a-historia.html>. Acesso em: 16 abr. 2018.
6. João Ribeiro Gaio. Disponível em: <https://pt.wikipedia.org/wiki/Jo%C3%A3o_Ribeiro_Gaio>. Acesso em: 9 nov. 2017.
7. *Elucidario Nobiliarchico: Revista de Historia e de Arte*, Lisboa, Livraria J. Rodrigues, v. 2, n. 1, p. 35, 1929.

## Dom Antônio Rolim de Moura

Antônio Rolim de Moura nasceu na Vila de Moura, no Baixo Alentejo, no ano de 1709. Seu pai foi dom Nuno de Mendonça, quarto conde de Val de Reis, senhor de Póvoa e de Meadas, comendador e alcaide-mor das Comendas e Alcaidarias. Sua mãe foi dona Leonor de Noronha, filha do primeiro marquês de Angeja, dom Pedro de Noronha. Por linha de varonia, vinha da família antiquíssima e nobilíssima dos Mendonças, apesar de não ter usado o nome, por sucessão à casa dos Azambujas, vez que o último varão renunciou ao nome da família[8].

Aplicado em Filosofia, leitor de escritos bíblicos e teológicos, das matemáticas puras, das ciências e das artes mais úteis, como as que tratavam dos princípios da mecânica, da estática, da hidráulica, da marinha, da pilotagem e da fortificação. Dedicado à leitura da história universal e da história de Portugal, também se aperfeiçoou na arte da retórica. Foi um dos responsáveis pela demarcação da fronteira amazônica, tendo estimulado a criação da Companhia Geral do Grão--Pará e do Maranhão. Foi um dos executores das políticas que redesenharam a fronteira oeste da Amazônia. Homem culto, dados os laços de parentesco com a casa de Bragança, gozava de grande prestígio junto à administração portuguesa. Conde de Azambuja[9] foi o título recebido de dom José I em 21 de maio de 1763.

Foi também segundo vice-rei do Brasil, do vice-reinado instalado no Rio de Janeiro entre os anos de 1767 e 1769, em substituição ao conde da Cunha. Seu breve vice-reinado foi dedicado sobretudo à defesa do litoral[10]. Depois de permanecer na colônia americana por mais de duas décadas, retornou a Portugal e lá faleceu em 8 de dezembro de 1782, aos 73 anos de idade.

## Padre Rolim, mentor e financista da Inconfidência Mineira

Em 1788, a crescente falta de alternativas econômicas, decorrente de extorsivos impostos cobrados por Portugal aos exploradores de minérios, levaria a elite de Minas Gerais a considerar a possibilidade de um movimento revolucionário. Os boatos sobre a "derrama" produziram o elemento faltante à decisão. No Brasil Colônia, a derrama era um dispositivo fiscal aplicado em Minas Gerais a fim de assegurar o teto de cem arrobas anuais na arrecadação do quinto (que, por sua vez, era a retenção de 20% do ouro em pó ou folhetas encami-

---

8. CANOVA, Loiva. As representações de Antônio Rolim de Moura sobre a paisagem no interior da América portuguesa no século XVIII. *Revista Crítica Histórica*, Cuiabá, ano 1, n. 2, dez. 2010.
9. MOURA, Carlos Francisco. *Dom Antônio Rolim de Moura, primeiro conde de Azambuja: biografia.* Cuiabá: UFMT – Imprensa Universitária, 1982. (Coleção Documentos Ibéricos – Série Capitães-Generais, 1.)
10. CALDEIRA, Jorge et al. *Viagem pela História do Brasil.* 2. ed. rev. e ampl. São Paulo: Companhia das Letras, 1997.

nhadas diretamente à Coroa portuguesa). Os membros da elite tornaram-se conspiradores. Em pouco tempo, traçaram plano voltado a desencadear um movimento de independência de Portugal. A revolta deveria coincidir com a derrama imposta pelo governador Cunha Meneses, odiado por ficar com o excedente da arrecadação.

Na condição de grandes proprietários e membros influentes da sociedade, passaram a juntar recursos e a aliciar adeptos. Mas, antes do dia marcado, um dos conspiradores, Joaquim Silvério dos Reis, traiu os amigos, permitindo a reação imediata do governo. Os inconfidentes foram presos, torturados e trancafiados em um forte no Rio de Janeiro.

Entre os inconfidentes mineiros mais conhecidos, com funções importantes no governo e na vida mineira, destacam-se[11]:

- *Inácio Alvarenga Peixoto*, formado em Direito em Coimbra, foi juiz em Portugal e ouvidor no Brasil. Abandonou o posto para tornar-se fazendeiro e minerador. Era dono de várias propriedades, nas quais trabalhavam cerca de duzentos escravos. Era também coronel de milícias. Um dos principais intelectuais do grupo, era poeta, escritor e músico.
- *Cláudio Manuel da Costa*, nascido em Minas Gerais, estudou no Colégio dos Jesuítas no Rio de Janeiro e em Coimbra, onde publicou diversos livros. Viajou pela Europa, onde ficou conhecido como advogado e escritor. Possuía uma das maiores bibliotecas do Brasil. Exerceu várias vezes o cargo de secretário do governador de Minas Gerais. Era proprietário de terras e minerador.
- *Tomás Antônio Gonzaga*, juiz de direito, filho de desembargador, formado em Coimbra. Era ouvidor de Ouro Preto, poeta e escritor, além de ocupar a função de provedor dos defuntos.
- *Joaquim José da Silva Xavier, o Tiradentes*, considerado pela história como o mais importante elemento da Inconfidência Mineira, recebeu uma morte que deveria servir de exemplo a outros inconfidentes, sendo enforcado e esquartejado em 21 de abril de 1792.

Cláudio Manuel da Costa foi morto antes de chegar à prisão. A devassa foi completa. Todos perderam bens e cargos, e os chefes foram condenados à prisão e à morte. Depois, algumas sentenças foram comutadas em exílio.

---

11. CALDEIRA, Jorge et al. *Viagem pela História do Brasil*. 2. ed. rev. e ampl. São Paulo: Companhia das Letras, 1997.

Entretanto, há uma personagem fundamental na Inconfidência Mineira não muito considerada pela história e pouco divulgada: o padre José da Silva e Oliveira Rolim. Teria sido ele quem colocou pólvora onde só havia poesia. Responsável por transmudar um simples sonho de liberdade em planos efetivos de tomada do poder pelas armas. Foi o último a ser preso, tendo logrado romper dois cercos de militares que tentavam aprisioná-lo. Atravessou o primeiro sob o disfarce de soldado. O segundo, enfrentou a bala. Ocultou-se nas matas por vários meses, levando ao desespero as autoridades portuguesas, que o reconheciam como o mais perigoso dos conjurados. De todos os inconfidentes, é o único de quem se tem fiel descrição dos pés à cabeça, pois foi preciso divulgar um edital com detalhes de sua aparência, com promessa de prêmio a quem o localizasse. Preso, foi quem mais resistiu aos interrogatórios. Ninguém foi mais interrogado que ele: quinze vezes, enquanto Tiradentes, o que mais se aproximou, sofreu onze interrogatórios. Tiradentes chegou a denunciá-lo em uma acareação[12].

O padre José da Silva e Oliveira Rolim integrava uma das famílias mais ricas do Arraial do Tijuco, hoje Diamantina, em Minas Gerais. Seu pai, embora brasileiro, tinha sido nomeado primeiro e principal caixa-administrador da poderosa Junta Administrativa, um quase governo autônomo dentro da capitania.

Natural do Arraial do Tijuco, o padre Rolim nasceu em 1747, filho mais velho do sargento-mor José da Silva e Oliveira Rolim e de dona Anna Joaquina da Rosa. O casal teve quatro filhos, todos varões: José, o mais velho; seguido de Carlos, que, após diplomar-se em Coimbra, também se tornaria sacerdote; viriam depois Plácido e o caçula Alberto. Entre o mais velho e o mais novo, havia uma diferença de apenas seis anos. Além dos quatro filhos de sangue, o sargento-mor Rolim, poderoso primeiro caixa da Intendência de Diamantes, resolveu criar como filha uma menina mulata que teve inicialmente como escrava, alforriando-a mais tarde para lhe conceder a liberdade e lhe emprestar o próprio nome (Silva). Batizada Francisca da Silva, a sensualíssima mulata que se fez conhecida como Chica da Silva viria a se tornar a verdadeira Rainha do Tijuco, amante de homens importantes, sobretudo do magnata João Fernandes de Oliveira, com quem viveu maritalmente e a quem deu quatro filhos e nove filhas – uma das quais, Quitéria Rita, se tornaria o grande amor do padre Rolim[13].

---

12. ALMEIDA, Roberto Wagner de. *Entre a cruz e a espada – a saga do valente e devasso padre Rolim*. São Paulo: Paz e Terra, 2002.
13. Ibidem.

Cursou o seminário menor de Mariana, onde teve como um dos professores o cônego Luís Vieira da Silva, seu futuro companheiro de conjuração. Posteriormente, cursou o seminário maior em São Paulo, onde se ordenou sacerdote; nesse período, o jovem Rolim envolveu-se em tantas e tamanhas farras com mulheres de famílias paulistanas que o governador Lobo de Saldanha o expulsou da capitania. Está tudo documentado em correspondências do capitão-general Martim Lopes Lobo de Saldanha, governador da capitania de São Paulo, que relatam as noitadas do seminarista José da Silva e Oliveira Rolim[14].

O brasilianista inglês Kenneth Maxwell[15], professor de História da Columbia University, nos Estados Unidos, considera pejorativamente o padre Rolim pela prática do contrabando de diamantes, além de atribuir-lhe a importação ilegal de escravos. É importante considerar que o ato de contrabandear diamantes naquela época era também uma forma de lutar contra o despotismo dos colonizadores. O padre Rolim era apenas um entre muitos que, em todo o distrito Diamantino, desviavam diamantes da rota oficial de Lisboa para a via clandestina de Amsterdã. E desse contrabando participavam, inclusive, muitas das autoridades portuguesas em serviço no Brasil.

Sobre o padre Rolim, Cecília Meireles escreveu[16]:

> Se perguntam por que o prendem,
> todos dão resposta vaga:
> por ter arrombado a mesa
> de um juiz, em certa devassa;
> por extravio de pedras;
> por causa de uma mulata;
> por causa de uma donzela;
> por uma mulher casada.
>
> [...]
>
> Sete pecados consigo
> sorridente carregava.
> Se setenta e sete houvera,

---

14. Arquivo do Estado de São Paulo. *Documentos interessantes para a história e costumes de São Paulo – vol. 62*. São Paulo: Escola Tipográfica Salesiana, 1903.
15. MAXWELL, Kenneth. *A devassa da devassa*. São Paulo: Paz e Terra, 1978.
16. MEIRELES, Cecília. *Romanceiro da Inconfidência – obra poética*. Rio de Janeiro: Nova Aguilar, 1972.

> do mesmo modo os levara.
> Por escândalos de amores,
> sacerdote se ordenara.
> Só Deus sabia os limites
> entre seu corpo e sua alma!

Foi beneficiado da comutação de morte na forca por degredo perpétuo, a exemplo de todos os demais sentenciados com pena capital, à exceção de Tiradentes, que, além de enforcado, foi esquartejado. Embarcou para Portugal na fragata *Golfinho* em 24 de junho de 1792. Graças ao prestígio da Santa Sé, os prelados não eram degredados para a África, e sim levados a Lisboa, onde a rainha dona Maria I decidiria o local onde seriam mantidos presos pelo resto da vida. Junto aos demais sacerdotes conjurados, o padre Rolim foi mandado, em 6 de julho, para cumprir prisão perpétua no Forte de São Julião da Barra, em Lisboa, tendo ali permanecido por quatro anos. Em 1796, veio a ser transferido para o claustro do Mosteiro de São Bento da Saúde, na capital lusitana. Fato extraordinário na vida do Padre Rolim foi ter sido companheiro de cela durante um mês e sete dias do célebre e mais importante poeta português do século XVIII, Manuel Maria Barbosa du Bocage.

Bocage era filho de José Luís Soares de Barbosa, juiz e ouvidor, e de Mariana Joaquina Xavier l'Hedois Lustoff du Bocage, descendente de família da Normandia, região histórica do noroeste da França. Foi um poeta de vulto, autor de uma obra ampla que compreende nomeadamente o lirismo, a sátira, a intervenção política e social, o drama e o erotismo, temas burilados em praticamente todos os gêneros poéticos que a época exigia: entre outros, o soneto, a cantata, o epitáfio, o epicédio, a décima, o elogio, a elegia, a epístola, a ode, a canção, a glosa, a cançoneta, o canto, o idílio, o epigrama e o improviso – modalidade que o inebriamento e o convívio fraterno da boemia incentivavam. Distinguiu-se também como tradutor para o português de clássicos greco-romanos, como Ovídio, Virgílio, Moscho e Museu, bem como de autores de matriz francesa, britânica, italiana e espanhola. Foi um iluminista português dos mais representativos. Elegeu a transgressão como o sal da sua vida. Era um intelectual com asas demasiado amplas para se restringir à realidade incaracterística e limitadora de finais do século XVIII. Uma de suas obras, *Poesias eróticas, burlescas e satíricas*, é uma das vertentes nucleares de seus escritos, onde se pode dar a conhecer Bocage na sua verdadeira dimensão. Seus textos são também relevantes, porquanto, como crítico construtivo do catolicismo oficial, na esteira do Iluminismo, de forma depurada recusa a religião punitiva, como é possível observar no "Fragmento de Alceu, poeta grego", apresentado a seguir. É muito importante essa divulgação para que se possa inverter a imagem que perdura até hoje junto da população menos informada: o Bocage protagonista de anedotas boçais, promíscuo e pornográfico. Inúmeros poemas foram atribuídos injustamente a esse grande polemista. Seu talento desencadeou invejas contumazes que se prolongaram para além-túmulo. Faleceu de um aneurisma na carótida esquerda após dez meses de agonia, quando acabara de completar 40 anos (21 de dezembro de 1805)[17].

——...——

## Fragmento de Alceu, poeta grego
*(traduzido da imitação francesa de mr. Parny)*

**I**
Imaginas, meu bem, supões, ó Lília,
que os benéficos Céus, os Céus Piedosos
exigem nossos ais, nossos suspiros
em vez de adorações, em vez d'incensos?
Crédula, branda amiga, é falso, é falso:
longe a cega ilusão. Se ambos sumidos
em solitário bosque, e misturando
doces requebros c'os murmúrios doces
dos transparentes, gárrulos[18] arroios,
sempre me ouvisses, sempre me dissesses
que és minha, que sou teu, que mal, que ofensa
nosso inocente ardor faria aos Numes?
Se acaso, reclinando-te comigo
sobre viçoso tálamo de flores,
turvasse nos teus olhos carinhosos
suave languidez a luz suave;
se os doces lábios teus entre meus lábios
fervendo, grata Lília, me espargissem

---

17. BOCAGE, Manuel Maria Barbosa du. *Obras completas de Bocage – poesias eróticas, burlescas e satíricas.* Lisboa: Imprensa Nacional – Casa da Moeda, 2017. p. 105-106.
18. Palradores, tagarelas.

vivíssimo calor nas fibras todas;
se pelo excesso de inefáveis gostos
morrêssemos, meu bem, duma só morte
e se o Amor outra vez nos desse a vida
para expirar de novo, em que pecara,
em que afrontara aos céus prazer tão puro
a voz do coração não tece enganos,
não é réu quem te segue, ó Natureza;
esse Jove[19], esse deus, que os homens pintam
soberbo, vingador, cruel, terrível,
em perpétuas delícias engolfado,
submerso em perenal tranquilidade,
co'as ações humanas não se embaraça:
fitos seus olhos no universo todo,
em todos os mortais, num só não param.
As vozes da razão profiro, ó Lília!
É lei o amor, necessidade o gosto;
viver na insipidez é erro, é crime,
quando amigo prazer se nos franqueia.

## II
Eia! Deixemos a vaidade insana,
correndo-se da rápida existência,
sem susto para se criar segunda;
deixemos-lhe entranhar por vãs quimeras,
pela imortalidade os olhos ledos,
e do seu frenesi, meu bem zombemos.
Esse abismo sem fundo, ou mar sem praia
onde a morte nos lança, e nos arroja,
guarda perpetuamente tudo, ó Lília,
tudo quanto lhe cai no bojo imenso.
Enquanto dura a vida, ah, sejam, sejam
nossos os prazeres, os Elísios[20] nossos!
Os outros não são mais que um sonho alegre,

---

19. Como também era conhecido Júpiter, o rei dos deuses (equivalente na mitologia grega a Zeus).
20. Lugar dos bem-aventurados no além, segundo a mitologia grega; significa, neste contexto, o deleite supremo.

uma invenção dos reis, ou dos tiranos,
para curvar ao jugo os brutos povos,
e o que a superstição nomeia Averno[21],
e à multidão fanática horroriza;
as fúrias, os dragões e as chamas fazem
mais medo aos vivos do que mal aos mortos.

No ano de 1802, o general Jean Lannes – futuro marechal e duque de Montebello – embaixador da França de Napoleão Bonaparte em Lisboa, resolveu interceder a favor do padre Rolim. Era reconhecido como um dos mais hábeis comandantes napoleônicos e é descrito como um homem valente, impetuoso, de temperamento difícil. Não se sabe até hoje o que motivou aquele gesto do famoso general. Dom João VI concedeu-lhe o perdão. Sem tal ajuda providencial, o padre Rolim teria permanecido no cárcere até a morte. Recebeu seu novo passaporte, voltou para o Arraial do Tijuco, hoje Diamantina, e recuperou parte dos seus bens, que, por estratégia, transferira de seu pai para seus irmãos. Durante a proclamação da Independência do Brasil, em 1822, ainda estava de pé, alquebrado, mas vivo, com a resistência de sempre. Viveria ainda treze anos no país livre, para só morrer em 21 de setembro de 1835, aos 88 anos de idade. Foi enterrado na igreja do Carmo, recebendo a sepultura nº 2. Consta que teria sido vestido, para a cerimônia fúnebre, com paramentos maçônicos. Segundo o jornalista Roberto Wagner de Almeida, não há como localizar os seus despojos, mas supõe-se que a sepultura nº 2 esteja aos pés do altar. De acordo com o jornalista[22]:

> [...] nada existe a demarcá-lo no chão de tábuas estreitas, que certamente não remontam ao tempo em que, na rua da frente, desfilava altivo em seu cavalo castanho, sobre uma sela de veludo azul, um sacerdote valente, amante de mulheres, diamantes e aventuras [...]. Sua casa ainda está felizmente preservada e é hoje o Museu do Diamante em Diamantina. [...] é desolador saber que o padre Rolim, que teve um papel de destaque na Conjuração Mineira, não recebeu a devida atenção em sua cidade natal, Diamantina. Diamantina deveria se preocupar em erguer o monumento que lhe deve há mais de 200 anos [...].

---
21. O Inferno.
22. ALMEIDA, Roberto Wagner de. *Entre a cruz e a espada – a saga do valente e devasso padre Rolim*. São Paulo: Paz e Terra, 2002.

## Padre Inácio de Sousa Rolim, grande educador de Cajazeiras

O padre Heliodoro de Sousa Pires[23] conta que Vital de Sousa Rolim I, casado com Ana Francisca de Albuquerque (Mãe Aninha), morava numa casa do sítio Serrote, pertencente ao seu sogro Luís Gomes de Albuquerque. Certa vez, Vital Rolim teria saído de casa com uma foice e aberto uma picada no cerrado. Já bem distante de sua morada, num lugar onde o terreno fazia ligeira elevação, roçou-o e planejou construir ali sua residência. A mata ao redor era formada por cedros, aroeiras, paus-d'arco e muitas cajazeiras.

Ergueu sua morada no lugar escolhido, e outras casas foram sendo construídas nas proximidades. Surgiu um ponto de pernoite nos ermos daquelas distâncias e assim começou o arruado de Cajazeiras, na Paraíba. Seu crescimento foi rápido. Surgiram capela, casas comerciais, outros negócios. O lugarejo desenvolveu-se e buscou alcançar o título de arraial para erguer-se como povoação. Em 10 de julho de 1876, a Vila de Cajazeiras foi elevada à categoria de cidade pela lei nº 616[24].

Vital de Sousa Rolim I, nascido em 1761, era um dos dezoito filhos do alagoano Antônio de Sousa Dias com Maria Coelho da Cunha, nascida na região cearense de Jaguaribe. Vital contraiu matrimônio com Ana Francisca em 10 de fevereiro de 1795 e faleceu no dia 27 de setembro de 1837.

Vital e Ana tiveram dez filhos. Inácio de Sousa Rolim, o terceiro filho do casal, nasceu a 22 de agosto de 1800, no sítio Serrote, em Cajazeiras. Foi batizado na capela de São João do Rio do Peixe pelo padre Inácio João, filho do velho português Domingos João[25]. Foi estudar no colégio do padre José Martiniano de Alencar no Crato, Ceará, de onde voltou no ano seguinte por causa da Revolução de 1817, cujo objetivo era defender a causa da nova República.

Depois de continuar algum tempo estudando na cidade, Inácio de Sousa Rolim partiu para Pernambuco, em 1822, e internou-se no Seminário de Olinda. Em 2 de outubro de 1825, sagrou-se presbítero, na capela do Palácio Episcopal, em Recife. No ano seguinte, voltou a Olinda, a convite do bispado, para ocupar o cargo de reitor do Seminário de Olinda. Durante esse período, estimado em dois anos por vários biógrafos, dedicou-se com afinco ao estudo das línguas vivas e mortas. De volta a Cajazeiras, construiu a igreja cujo local ficou conhecido como Serraria. Ali, construiu um açude e uma casinha nas

---

23. PIRES, Heliodoro de Sousa. *Padre mestre Inácio Rolim – um trecho da colonização do Norte brasileiro e o padre Inácio Rolim*. 2. ed. Teresina: Gráfica Editora Grupo Claudino, 1991. (Coleção Documentos Sertanejos.)
24. CUNHA, João Rolim da. *Barra da Timbaúba – ensaio genealógico*. João Pessoa: A União, 1994.
25. LEITÃO, Deusdedit. *O educador dos sertões – vida e obra do padre Inácio de Sousa Rolim*. Teresina: Gráfica Editora Grupo Claudino, 1991. (Coleção Documentos Sertanejos.)

proximidades, onde começou a lecionar gratuitamente a algumas crianças, filhas de amigos e parentes.

Em 1843, o padre Rolim fundou seu colégio (Colégio Padre Rolim), que teve grande renome[26]. Uma população considerável foi atraída pelos seus doutos ensinamentos no seu estabelecimento de instrução primária e secundária, cujas bases se formaram e foram as propulsoras do desenvolvimento de Cajazeiras. O Colégio Padre Rolim perdeu força a partir do ano de 1877, devido à terrível seca que assolou os sertões, e nunca mais readquiriu o brilho de outrora.

> Padre Rolim foi um misto de piedade, doçura e bondade infinita, e alma sempre voltada para o bem, para o mais sublime dos sacrifícios, o sacrifício de seus interesses a bem da comunidade geral. Cajazeiras era uma fazenda, ele a transformou em um centro de civilização, proporcionando-lhe, ao mesmo tempo, as indispensáveis condições de existência; tinha os braços e o coração sempre aberto às agruras de todas as misérias humanas; era uma vida toda modelada nas belezas morais do Evangelho e na sagrada doutrina do divino Mestre. Dedicara-se às línguas e tornara-se um poliglota. Nas ciências fizera da História Natural seu campo de predileção. De suas obras foram apenas publicadas: *Noções de História Natural* (graças ao apoio e colaboração incansável de seu sobrinho e cunhado Vital de Sousa Rolim II, o Comandante) e "Gramática Grega" (publicada em Paris, Imprensa de Henrique Plox, 1856) [...][27]

Ele faleceu aos 99 anos de idade, em Cajazeiras, na Paraíba, no dia 16 de setembro de 1899.

A sétima filha de Vital de Sousa Rolim I era Antônia Tereza de Jesus, casada com o cearense Joaquim Gonçalves da Costa. Esse casal teve oito filhos. O primeiro filho foi Vital de Sousa Rolim II (o comandante Vital), nascido em Cajazeiras, em 1829, casado com sua prima Vitória de Sousa Rolim, filha do tenente Sabino de Sousa Coelho e de Maria Florência das Virgens (filha de Vital de Sousa Rolim I).

---

26. MEDEIROS, Coriolano de. *Dicionário corográfico do estado da Paraíba*. 2. ed. Rio de Janeiro: Departamento de Imprensa Nacional, 1950.
27. PIRES, Heliodoro de Sousa. *Padre mestre Inácio Rolim – um trecho da colonização do Norte brasileiro e o padre Inácio Rolim*. 2. ed. Teresina: Gráfica Editora Grupo Claudino, 1991. (Coleção Documentos Sertanejos.)

Busto do padre Rolim (1800-1899).

Desde muito cedo, o comandante Vital começou a se interessar pela vida pública de sua terra. Foi representante da Câmara Municipal de Sousa, na qualidade de membro ativo do Partido Liberal, de cuja agremiação tornou-se líder inconteste durante vários anos. Homem de pensamento e ação sempre voltados para o compromisso, lutou contra a desigualdade social, sempre preocupado com a população menos favorecida. No dia 27 de fevereiro de 1881, o imperador dom Pedro II nomeou-o tenente coronel para comandar o 31º Batalhão da Guarda Nacional.

Faleceu no dia 24 de abril de 1915, aos 85 anos de idade[28]. Vitória e ele tiveram sete filhos: tenente Acácio de Sousa Rolim; Romualdo de Sousa Rolim; Maria Olivia Rolim; Joaquim Gonçalves Rolim; Sabino Gonçalves Rolim; Vital de Sousa Rolim Filho; e Ana Julia de Sousa Rolim.

Joaquim, o quarto filho do comandante Vital, era meu bisavô, bacharel em Direito, formado pela faculdade de Direito de Recife, na turma de 1889. Nascido em 18 de abril de 1864, foi casado com minha bisavó Eulina de Medeiros Rolim (Vó Neném). Ele teve uma vida pública de apenas dez anos, durante os quais foi intendente municipal, nomeado em 31 de janeiro de 1890, deputado estadual, figurando na primeira turma do estado, juiz de direito, nomeado em 18 de fevereiro de 1897, e confirmado no cargo de juiz de direito da Comarca de Cajazeiras, sua terra natal, em 12 de julho de 1897. No período de 1893 a 1897, também exerceu o cargo de membro do Conselho Municipal de Cajazeiras. Faleceu prematuramente de febre tifoide em 1899, com apenas 35 anos.

Joaquim e Eulina tiveram apenas um filho, Romualdo de Medeiros Rolim: meu avô. E é a história dele que contaremos nos capítulos a seguir.

---

28. CUNHA, João Rolim da. *Cajazeiras*. Cajazeiras: Instituto Paraibano de Genealogia e Heráldica, [s. d.].

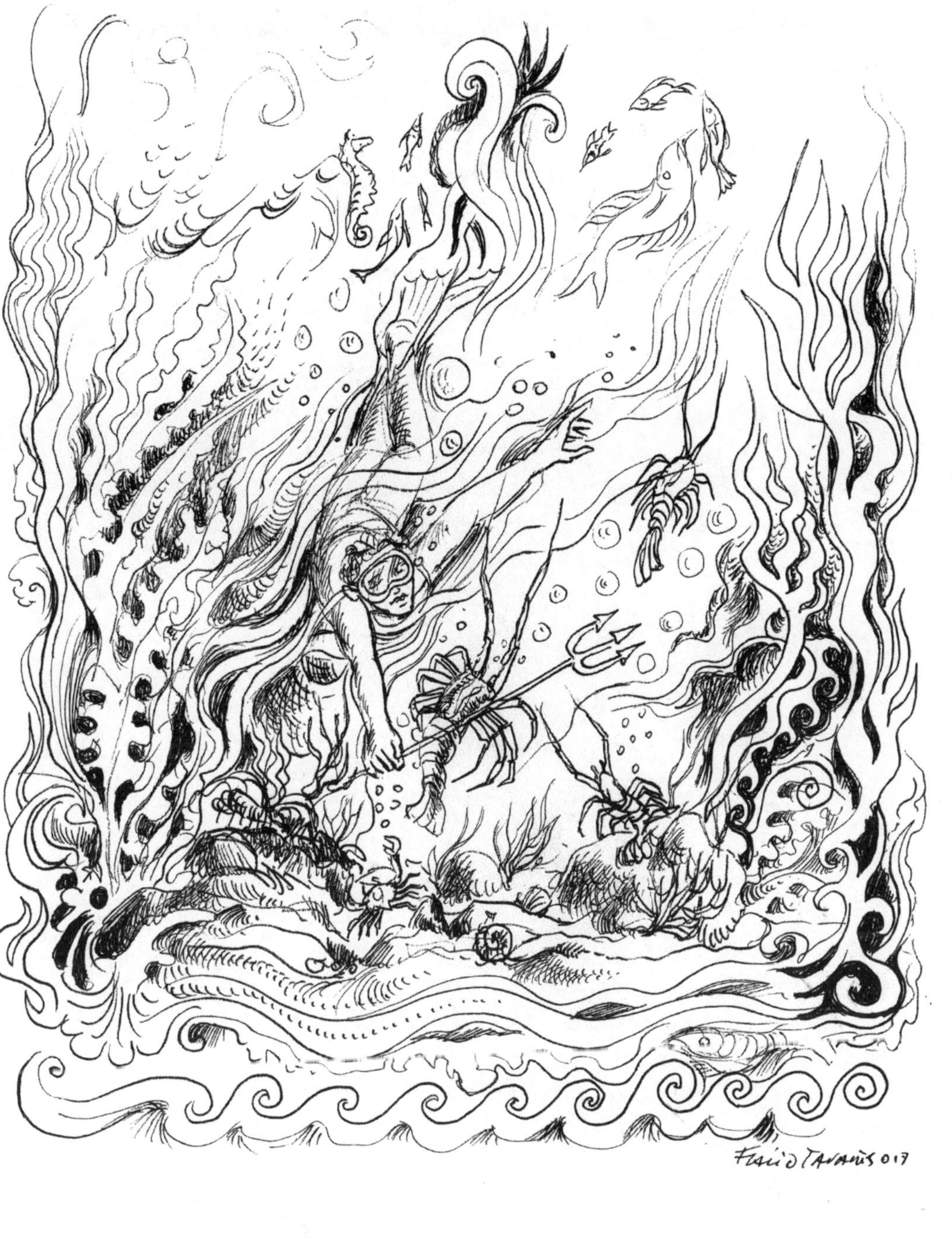
FLAVIO TAVARES 017

# Uma vida longa e útil:
# Romualdo de Medeiros Rolim
*Dias de Freitas*[29]

A urgência da vida, a pletora de interesses, o seguimento apressado do processo biológico absorvendo todas as atenções, relegam para recuado passado as pessoas e os acontecimentos.

A vida longa e útil de Romualdo Rolim, que durante quase meio século serviu à pública administração, é um exemplo de rara afirmação daquela figura que mais tarde os regulamentos registraram como "dedicação exclusiva".

Nascido na então cidade da Paraíba, filho de Joaquim Gonçalves Rolim, juiz da comarca de Cajazeiras, e dona Eulina de Medeiros Rolim, cursou o nosso retratado, após o curso primário, o Lyceu Paraibano, de onde saiu para a Faculdade de Direito do Recife, que deixou no terceiro ano para se integrar na vida funcional do seu estado, nomeado a 6 de dezembro de 1916, pelo presidente Camilo de Holanda, para o lugar de amanuense da Repartição de Estatística e Arquivo Público.

Em abril de 1917, vem a exercer o cargo de praticante do tesouro e, em 12 de novembro desse mesmo ano, o de terceiro escriturário, sendo designado para prestar serviços na Inspetoria do Tesouro, onde substituía nas faltas ou impedimentos o titular da Secretaria, Teobaldo Ribeiro dos Santos.

Em seguida, em 11 de outubro de 1918, integrante de turmas de candidatos João Ribeiro da Veiga Pessoa Junior, José Laet Pedrosa, José Tassia Fonseca Jardim, dentre outros, obteve o primeiro lugar no concurso de segundo escriturário. Foi designado para secretário do inspetor do tesouro, e comissionado pelo presidente Solon de Lucena para inspeção de repartições, conjuntamente ao prof. Mateus Ribeiro, merecendo elogios pelo desempenho das missões referidas.

Promovido a primeiro escriturário em janeiro de 1923, passou a servir junto à administração central, tendo tomado parte ativa no movimento de defesa do

---
29. Transcrito do jornal *Correio da Paraíba*, João Pessoa, 29 de setembro de 1979.

Estado ao tempo do Grande Presidente João Pessoa, junto ao qual desempenhou missões especiais, já no provisionamento de tropas, nas mensagens, inclusive na frente da luta de Princesa, no atendimento das necessidades dos hospitais de sangue ou na aquisição de munição e abastecimento da tropa com providências de ordem financeira e econômica.

Designado pelo prof. Mateus Ribeiro por indicação do dr. Francisco D'Auria para supervisionar a contabilidade do Estado, veio a ser nomeado pelo secretário do interior dr. Flodoaldo da Silveira, conjuntamente a dr. João Maurício de Medeiros, dr. José Gomes e dr. Gutemberg Barreto, para revisão de aposentadorias e para proceder devassa em atos administrativos e fortunas ilícitas, no período de outubro de 1924 a igual data de 1928.

Campanha de Romualdo Rolim para deputado classista – 1934.

Em janeiro de 1931, foi nomeado efetivamente pelo interventor Antenor Navarro para as funções de diretor do tesouro; a seguir, em junho de 1932, o interventor Gratuliano de Brito designou-o para dirigir a Secretaria da Fazenda, Agricultura e Obras Públicas.

Diretor do Montepio do Estado em 1932, foi então designado pelo interventor Argemiro de Figueiredo para missão especial junto à Divisão Federal de Caça e Pesca.

Voltando às suas funções e constituindo equipe de elevado espírito público ao lado de João Santos Coelho Filho, Mateus Ribeiro, João Cunha Lima, Acrisio Borges, Alipio Machado, Leite Pedrosa, Francisco Guimarães, Cunha Lima Filho, Luiz Spinelli e outros, conduzia o Tesouro como organização de alto prestígio, ordenando toda a vida tributária, todo o processamento fiscal e administrativo que assegurava a sobrevivência econômica estatal.

Foi ainda deputado classista, representando o funcionalismo na Assembleia Legislativa do Estado, em 1934.

Em 1940, foi designado novamente pelo interventor federal dr. Antônio Galdino Guedes para secretário da fazenda, tendo sido, em 1941, posto à disposição do Ministério da Agricultura para Inspetoria do Nordeste, da Comissão

Executiva da Pesca, voltando à sua Repartição em 1947, onde permaneceu até 1962, quando se aposentou.

Após tão longa e valiosa jornada, durante a qual demonstrou inteligência e alto descortino, Romualdo Rolim faleceu em 20 de setembro de 1979, aos 84 anos, deixando viúva a sra. Edwirges Tavares Rolim, com os filhos Moacyr Tavares Rolim, químico, e dona Zuleida Rolim Mendonça, esposa do médico Francisco Mendonça Filho, além de netos e bisnetos.

Na fileira da frente, ao centro, Romualdo Rolim (*à esquerda, com as mãos nos bolsos*) e Epitácio de Brito (*à direita, com as mãos para trás*) – Cabedelo, Paraíba, 1935.

Romualdo Rolim *(segundo à esquerda da mesa)*, cel. José Maurício *(terceiro)* e Ernesto Geisel *(quinto)* no Palácio do Governo – 1933.

# Romualdo de Medeiros Rolim, perpétuo diretor do Tesouro
*Osias Gomes*[30]

• • • • •

Morreu Romualdo Rolim. O tranquilo e sorridente R. R. O harmônico e feiticeiro diretor perpétuo do Tesouro, a quem a Paraíba fica devendo tantos anos de bons serviços no setor da arrecadação de recursos orçamentários. Um horror de anos nesse cargo, passando de Mateus Ribeiro a Francisco Lauria e aos mais modernos. Mudavam os secretários, mas ele ficava e ficava porque era indispensável, senhor absoluto dos meandros da melindrosa repartição provisional das rendas públicas.

Quando assumia novo chefe, como auxiliar imediato Romualdo era sempre incumbido de saudá-lo na posse num discurso convencional, que a ironia dos amigos xingava mudando apenas os nomes. Maldade, porque não lhe faltavam inteligência nem cultura especializada.

Na vida particular, era o mais apaixonado e experiente amador da pesca marítima desta terra tão arrodeada de oceano rumorejante. Íntimo dos grandes desportistas nacionais, como Manuel Leão e Lemos Cunha, que de iate vinham todos os anos fisgar atuns a 30 milhas da costa e camurupins ao largo de Cabedelo.

Em 1954, fomos os dois e mais Epitácio de Brito, outro fanático da pescaria, a Fernando de Noronha para uma semana inteira de aventuras de alto bordo. Que delícia a temporada naquele Paraíso Tropical, mais belo que Capri, a famosa pérola da baía de Nápoles.

Mordido de saúde, transcrevo tópicos da reportagem publicada em 28 de agosto de 1977 no Editorial do *Correio da Paraíba*[31] sobre essa temeridade dos três perdidos na planície azul do maior reservatório piscoso do mundo.

A impressão de quem chega a Fernando de Noronha é de deslumbramento. Nada mais belo. Estupenda combinação de fundo

---
30. Transcrito do jornal *A União*, João Pessoa, 29 de setembro de 1979.
31. GOMES, Osias. Fernando de Noronha. Editorial. *Correio da Paraíba*, João Pessoa, 28 de agosto de 1977.

de mar anil com grandes rochedos majestáticos de basalto que grimpam ao redor da ilha principal.

Chegamos Epitácio de Brito, Romualdo Rolim e eu para uma semana de pesca. Confessou um engenheiro italiano encontrado no hotel, por mais que lhe doesse como participante peninsular, que o arquipélago era muito mais bonito do que a formosa Capri-pérola do Golfo de Nápoles, celebridade da literatura de Axel Munthe e por ter sido escolhida por Tibério para a edificação do seu palácio de inverno [...].

Saímos num barco a motor, desnecessária qualquer providência anterior sobre a isca. Bastam dois lances de rede com água pelo joelho para apanhar um saco de sardinhas, disputando-se às gaivotas que caem em piquê sobre as pobrezinhas, levantando o voo com uma delas no bico. A duas milhas da costa metemo-nos por um canal estreito entre duas ilhas. Maré de enchente. A correnteza impetuosa em novelos. O barco dava pulos de 4 m na vertical, mas ninguém prestava atenção a essa nonada. Logo quatro linhas flutuando sobre a flux. Ferravam-se bicudas de metro e meio. Fisgadas, ficavam furiosas e cambalhotavam no espaço, como merlins e camurupins. Todos os molinetes ocupados. E como o braço cansava de enrolar o carretel, tinha-se que aguentar a troça do companheiro – "Que é isso? Fazendo cera?" – Embarco uma guarajuba de tamanho fenomenal. Epitácio ferra uma cavala wahoo (*Acanthocybium solandri*), manchas azuis no lombo. Rolim bate o campeonato no número de presas. Segue-se, com o barco ancorado, a pesca com 30 m de profundidade. Enche-se o porão de ciobas, parvos, vermelhos xaréus pretos. Não dou bem para isso – a ponta da linha me fere as mãos. A seguir vem na linha de nylon respeitável tubarão. Enorme, verde-garrafa puxando a cinzento. Podia ser morto a tiros de revólver. Mas um perigo, o sangue atrairia outros monstros da profundeza e assediariam o batel. De modo que levou uma surra de cacete na cabeça e partiu rápido como uma flecha.

Haverá, Rolim, lá para onde foste, águas assim opulentas para os teus anzóis?

―― ••• ――

# Considerações sobre Romualdo Rolim
*Sérgio Rolim Mendonça*

Romualdo de Medeiros Rolim, meu avô, nasceu em 25 de outubro de 1895 na capital do estado da Paraíba. Era filho de Joaquim Gonçalves Rolim, bacharel em Direito da Comarca de Cajazeiras, e da pianista Eulina de Medeiros Rolim (Vó Neném). Seu pai, Joaquim, era cajazeirense, nascera em 18 de abril de 1864 e falecera de febre tifoide em 1899, com apenas 35 anos de idade. Quando minha bisavó se casou, em segundas núpcias, com Coriolano de Medeiros, meu avô tinha 10 anos de idade.

Romualdo se casou com Edwirges Tavares Rolim, conhecida por seus familiares como dona Dedé. Tiveram três filhos. A primeira, Cecy, faleceu aos 5 anos de idade. Depois nasceram minha mãe, Zuleida, e meu tio, Moacyr Tavares Rolim.

Minha mãe teve um aborto decorrente de gravidez extrauterina quando da gestação do seu primeiro filho e, por isso, foi convidada a passar um período de repouso e recuperação com meu pai, Francisco Mendonça Filho, na casa dos meus avós Romualdo e Dedé. Passou um mês no hospital e, por consequência, adquiriu flebite numa das pernas, o que a prejudicaria pelo resto da vida. Morreu aos 73 anos de idade, de embolia pulmonar, consequência de um trombo na perna enferma. Infelizmente a medicina da época era muito atrasada. Ela teria de se levantar e caminhar logo após a cirurgia. Mas esse tempo de descanso na casa dos meus avós, que era para ser pequeno, traduziu-se em mais de catorze anos, ininterruptos.

Sempre considerei meus avós como segundos pais. Tinha muito afeto por eles, facilitado por essa maravilhosa convivência durante toda a infância. A casa de Romualdo ficava na rua Conselheiro Henriques, 90, esquina com a rua Duque de Caxias, uma das mais importantes vias da cidade. Muito antiga, já existia em 1639, embora escassamente edificada, segundo Elias Herckmans no seu relatório *Descrição geral da Capitania da Paraíba*, citado na obra de Wellington Aguiar[32].

Como citado em sua biografia, Romualdo cursou até o terceiro ano de Direito na Universidade do Recife. Soube que abandonou o curso porque minha avó não suportava tanto tempo sem vê-lo. Suas núpcias foram realizadas no dia 19 de outubro de 1918. Ela contava apenas 17 anos e ele, 23.

Romualdo sabia fazer amigos como ninguém. Em 1932, durante a intervenção do Estado por Gratuliano de Brito, o tenente do exército Ernesto Geisel foi nomeado secretário da fazenda com apenas 32 anos de idade. E quem era

---

32. AGUIAR, Wellington. *Cidade de João Pessoa – a memória do tempo*. 3. ed. João Pessoa: Ideia, 2002.

o Diretor do Tesouro (cargo que hoje corresponde a secretário executivo)? Romualdo Rolim. Fizeram muita amizade. O casal Geisel e Lucy não tinha filhos e já havia se casado há um bom tempo. Quando foram para Brasília, pediram permissão para levar o meu tio Moacyr com eles. Queriam criá-lo como um filho. Meus avós não permitiram, claro.

Quando Geisel esteve pela primeira vez em João Pessoa, já como presidente da República, meu avô ficou muito animado em revê-lo. Contudo, antes da sua chegada, vários jornalistas foram até a casa de meu avô para entrevistá-lo sobre o amigo. Num desses contatos, meu avô mostrou a um deles correspondência íntima recebida de Geisel, que guardava com carinho. Num dos trechos, o então general dizia estar muito decepcionado com o Exército. Um dos jornalistas surripiou a carta e logrou publicá-la, como furo de reportagem, na revista *Manchete*, que tinha grande circulação no país.

Durante a breve estada de Geisel em nossa capital, o meu sogro, Severino de Almeida Coêlho, conseguiu furar o bloqueio da segurança no Hotel Tambaú. Romualdo, minha esposa, Maria Lúcia Coêlho Mendonça, meu filho Fábio e meu sogro chegaram a conversar com ele. Geisel era muito alto e o meu avô, baixinho. Ao vê-lo, Geisel deu-lhe um abraço forte, levantando-o do chão. Conversaram por algum tempo, rindo muito e lembrando os velhos tempos de convivência na Secretaria das Finanças e na casa de meus avós, na Praia do Poço.

Romualdo sempre gostou do mar. Teve várias iniciativas interessantes. Numa delas, voltou-se para a pesca de tubarões do tipo cação-lixa, na enseada do Bessa, local de procriação desse peixe. A enseada tem grande profundidade e é protegida por arrecifes, o que facilitava o desenvolvimento dessas espécies. Segundo Moacyr Tavares Rolim[33], Romualdo contratou Dimitri Casaquevit para orientar a pesca e industrializar os produtos dela advindos. Instalou pequena indústria para a confecção de grandes redes de malha e caçoeiras, tudo destinado à pesca desse tipo de tubarão. As redes eram lançadas no mar dos Macacos, na Praia do Bessa. A indústria venderia a carne, extrairia o óleo do fígado e salgaria o couro para exportação. A carne era salgada, prensada, seca ao sol e vendida nas feiras da capital e do interior. O óleo era vendido a laboratórios para a fabricação de vitamínicos e o couro, exportado para os Estados Unidos. A pesca funcionou por algum tempo, mas, durante a Segunda Guerra Mundial, a pequena indústria terminou encerrando suas atividades devido ao bloqueio dos transportes e às dificuldades comerciais.

---

33. ROLIM, Moacyr Tavares. *Lembranças que ficaram*, 2005 (plaqueta).

Foi também um grande pescador. Amigo do dr. Melo Cunha e de Raymundo Ottoni de Castro Maya, um milionário que deixou uma fundação no Rio de Janeiro[34]. Esses amigos frequentaram a sua casa na Praia do Poço, aonde iam, anualmente, para a pesca de camurupins e agulhões de vela. Quando esteve à disposição do Ministério da Agricultura para Inspetoria do Nordeste, da Comissão Executiva da Pesca, conseguiu a vinda de um técnico do Ministério da Agricultura, dr. Elzaman Magalhães, para fazer pesquisa e orientar a pesca de atum na Paraíba. Montou um pequeno laboratório na casa da Praia do Poço, onde se davam a classificação, o exame das vísceras e a definição do tipo de alimentos que ingeriam.

Romualdo possuía três barcos a vela que iam para o alto-mar em busca de atuns e cavalas, principalmente. Conseguiu pescadores vindos do Rio Grande do Norte para trabalhar com esses botes. Chamavam-se Zé do Bote, Antonio Modesto (Antonio Zereiro), que posteriormente se casou com Blandina Ferreira dos Santos, afilhada e ama de companhia de minha bisavó (Vó Neném), e o pescador Calango, dentre outros. Segundo Borges[35], os nomes desses barcos foram criados em função dos nomes de seus dois filhos, Zuleida e Moacyr, cada qual chefiado por um pescador de confiança de Romualdo: Zulcyr (Antonio Zereiro), Dacyr (Teca) e Zulmo (Zé do Bote).

Anos depois, comprou uma lancha a motor, com a qual partia a pescar em alto-mar nos finais de semana, com os amigos. Presenciei inúmeras vezes as reuniões e os preparativos para a pesca nessa lancha. Seu principal companheiro

---

34. De acordo com o Instituto Brasileiro de Museus (Ibram), Castro Maya (1894-1968) era bacharel em Direito, industrial, esportista e incentivador dos esportes, pioneiro da preocupação ecológica, editor de livros, colecionador, fundador de museus e de sociedades culturais, defensor do patrimônio histórico, artístico e natural. Era uma personagem real da cena carioca, que se destacava em um Rio de Janeiro do início e de meados do século XX, que clamava por cultura, tal como ele muito a tinha, e deixou de sobra. Sua maior empresa fora a Cia. Carioca Industrial, conhecida por seu produto mais popular, a Gordura de Coco Carioca. Castro Maya era, ainda, o detentor dos direitos da também conhecida marca Tigre de óleos vegetais, fabricados em suas indústrias. Foi, entretanto, a sua atividade como colecionador e homem das artes que permitiu ao Brasil amealhar um raro acervo de obras de alta representatividade artística. Entre inúmeras iniciativas no campo cultural, Castro Maya: criou a Sociedade dos Cem Bibliófilos do Brasil, em 1943, preenchendo um *gap* cultural, com promoção da edição de 23 livros; criou a Sociedade Os Amigos da Gravura, em 1952, contribuindo para difundir o gosto pela gravura enquanto manifestação artística; foi um dos fundadores do Museu de Arte Moderna do Rio de Janeiro, em 1948, do qual foi o primeiro presidente; coordenou a comissão organizadora do IV Centenário da Cidade do Rio de Janeiro, em 1965; executou importantes funções na Câmara do Patrimônio Histórico e Artístico Nacional do Conselho Federal de Cultura, para a qual fora nomeado em 1967; editou livros de Debret (*Viagem pitoresca e histórica ao Brasil*, 1954) e de Gilberto Ferraz (*A muito leal e heroica cidade de São Sebastião do Rio de Janeiro*, 1965); publicou um livro, de sua autoria, sobre a Floresta da Tijuca, em 1967; e, finalmente, criou seu maior legado ao povo carioca: a Fundação Raymundo Ottoni de Castro Maya, registrada em 1963, que abriu ao público 22 mil peças adquiridas e colecionadas por toda a sua vida, posteriormente expostas no Museu do Açude, em 1964, e no Museu da Chácara do Céu, em 1972, neste último já depois de sua morte.
35. BORGES, Haroldo Escorel. *Retalhos da vida*. João Pessoa: Paraibana, 2004.

era Epitácio de Brito, pai da psiquiatra dra. Lourdes Pessoa de Brito, uma das primeiras médicas paraibanas. Outro companheiro de pesca era Wandick Falcão, genro de Epitácio, casado com a sua filha Leda. Tinha muita força e, quando do regresso, ajudava a empurrar a lancha para o abrigo, em uma caiçara próxima à beira-mar. Muitas vezes pesquei agulhas com o meu avô. Utilizava rede especial, que possuía malha adequada ao diâmetro desse tipo de peixe. A cada laçada finda, dispensava-se o arrasto até a beira-mar. Os peixes eram recolhidos ali mesmo, dentro d'água.

Também foi um grande caçador de raposas e guaxinins. Caçavam com Romualdo dr. Clóvis Bezerra Cavalcanti, Epitácio de Brito, seu grande amigo e companheiro inseparável, João Gomes Carneiro, João Sete, Joaquim Caboclo, dentre outros. Quem também por vezes caçava com eles, embora fosse bem mais moço, era o químico e engenheiro civil Dilson de Souza Melo. Os caçadores possuíam muitos cães de caça. Um dos mais famosos pertencia a Epitácio de Brito e se chamava Piaba.

Quando terminei meu curso de Engenharia Civil, em 1967, meu avô me presenteou com uma máquina de datilografia da marca Facit, que guardo até hoje como lembrança. Anos depois de formado, ainda ia muitas vezes buscar os meus avós na casa da Conselheiro Henriques para levá-los à sua casa de veraneio na Praia do Poço, com a feira da semana e vários depósitos de água potável. Não existia, no Poço, sistema de abastecimento d'água.

O aniversário do meu avô era festejado anualmente na sua casa na Praia do Poço, com a presença da grande maioria dos funcionários da Secretaria do Tesouro, seus amigos mais chegados, além de seus familiares. Era uma grande festa. Começava às 10 da manhã e só terminava depois das 6 da tarde. Participei de muitas delas. Lembro-me de que em cada festa havia um churrasco preparado ao lado de sua casa, onde se escavava grande vala para facilitar o assado da carne de um boi inteiro, churrasco este acompanhado de muita cerveja. Uma das figuras mais constantes nesse evento era João Peixoto, funcionário do Tesouro e exímio tocador de pandeiro. Havia outro personagem do qual jamais esqueci, o major Ciraulo, grande carnavalesco paraibano. Por volta das 16h, quando a turma já estava calibrada com a cerveja, começavam os discursos e, ao final, uma fotografia oficial com todos os participantes. O major Ciraulo, todos os anos, recitava religiosamente uma poesia muito linda, a seguir transcrita, que nos dava grande vontade de chorar. Ela se intitulava "História de um cão"[36].

---

36. GUIMARÃES, Luiz. História de um cão. In: TABORDA, Radagasio. *Crestomatia*. 25. ed. Porto Alegre: Globo, 1953. p. 272-276.

## História de um cão

Eu tive um cão. Chamava-se Veludo:
Magro, asqueroso, revoltante, imundo;
Para dizer numa palavra tudo,
Foi o mais feio cão que houve no mundo.

Recebi-o das mãos dum camarada,
Na hora da partida. O cão gemendo
Não me queria acompanhar por nada
Enfim – mau grado seu – o vim trazendo.

O meu amigo, cabisbaixo, mudo,
Olhava-o... o sol nas ondas se abismava...
"Adeus!" – me disse, – e ao afagar Veludo,
Nos olhos seus o pranto borbulhava.

"Trata-o bem. Verás como o rafeiro
Te indicará os mais sutis perigos;
Adeus! E que este amigo verdadeiro
Te console no mundo ermo de amigos".

Veludo a custo habituou-se à vida
Que o destino de novo lhe escolhera;
Sua rugosa pálpebra sentida
Chorava o antigo dono que perdera.

Nas longas noites de luar brilhante,
Febril, convulso, trêmulo, agitando
A sua cauda – caminhava, errante,
À luz da lua – tristemente uivante.

Toussencl, Figuier e a lista imensa
Dos modernos zoológicos doutores,

Dizem que o cão é um animal que pensa:
Talvez tenham razão estes senhores.

Lembro-me ainda. Trouxe-me o correio,
Cinco meses depois, do meu amigo
Um envelope fartamente cheio:
Era uma carta. Carta! Era um artigo.

Contendo a narração miúda e exata
Da travessia. Dava-me importantes
Notícias do Brasil e de La Plata
Falava em rios, árvores gigantes:

Gabava o steamer[37] que o levou; dizia
Que ia tentar inúmeras empresas:
Contava-me também que a bordo havia
Toda a sorte de risos e belezas.

Finalmente, por baixo disso tudo,
Em "nota bene" do melhor cursivo,
Recomendava o pobre do Veludo,
Pedindo a Deus que o conservasse vivo.

Enquanto eu lia, o cão, tranquilo e atento,
Me contemplava, e – creia que é verdade,
Vi, comovido, vi nesse momento
Seus olhos gotejarem de saudade.

Depois lambeu-me as mãos humildemente,
Estendeu-se aos meus pés silencioso,
Movendo a cauda, – e adormeceu contente,
Farto dum puro e satisfeito gozo.

Passou-se o tempo. Finalmente um dia
Vi-me livre daquele companheiro;

---

37. Palavra inglesa que significa "navio a vapor".

Para nada Veludo me servia,
Dei-o à mulher de um carvoeiro.

E respirei: "Graças a Deus já posso"
Dizia eu "viver neste bom mundo,
Sem ter que dar diariamente um osso
A um bicho vil, a um feio cão imundo".

Gosto dos animais, porém prefiro
A essa raça baixa e aduladora,
Um alazão inglês, de sela ou tiro,
Ou uma gata branca cismadora.

Mal respirei, porém! Quando dormia,
E a negra noite amortalhava tudo,
Senti que à minha porta alguém batia:
Fui ver quem era. Abri. Era Veludo.

Saltou-me às mãos, lambeu-me os pés ganindo,
Farejou toda casa satisfeito:
E – de cansado – foi rolar dormindo,
Como uma pedra junto do meu leito.

Praguejei furioso. Era execrável
Suportar esse hóspede importuno,
Que me seguia como o miserável
Ladrão, ou como um pérfido gatuno.

E resolvi-me enfim. Certo, é custoso
Dizê-lo de alta voz e confessá-lo:
Para livrar-me desse cão leproso,
Havia um meio só: era matá-lo.

Zunia a asa fúnebre dos ventos;
Ao longe o mar na solidão gemendo,
Arrebentava em uivos e lamentos…
De instante a instante ia o tufão crescendo.

Chamei Veludo: ele seguiu-me. Entanto
A fremente borrasca me arrancava
Dos frios ombros o revolto manto
E a chuva meus cabelos fustigava.

Despertei um barqueiro. Contra o vento,
Contra as ondas coléricas vogamos;
Dava-me força o torvo pensamento:
Peguei num remo – e com furor remamos.

Veludo à proa olhava-me choroso,
Como o cordeiro no final momento
Embora! Era fatal! Era forçoso
Livrar-me enfim desse animal nojento.

No largo mar ergui-o nos meus braços,
E arremessei-o às ondas de repente...
Ele moveu gemendo os membros lassos
Lutando contra a morte! Era pungente!

Voltei à terra – entrei em casa. O vento
Zunia sempre na amplidão profunda
E pareceu-me ouvir o atroz lamento
De Veludo nas ondas, moribundo.

Mas, ao despir dos ombros meus o manto
Notei – Oh! Grande dor! – haver perdido
Uma relíquia que eu prezava tanto!
Era um cordão de prata: – eu tinha-o unido

Contra o meu coração constantemente,
E o conservava no maior recato,
Pois minha mãe me dera essa corrente,
E, suspenso à corrente, o seu retrato.

Certo caíra além no mar profundo,
No eterno abismo que devora tudo;

E foi o cão, foi esse cão imundo
A causa do meu mal! Ah! Se Veludo.

Duas vidas tivera, – duas vidas
Eu arrancara àquela besta morta,
E àquelas vis entranhas corrompidas!
Nisto senti uivar à minha porta.

Corri, abri... Era Veludo! Arfava:
Estendeu-se aos meus pés, – e docemente
Deixou cair da boca, que espumava,
A medalha suspensa da corrente.

Fora crível, oh Deus? – Ajoelhado
Junto ao cão – estupefato, absorto
Palpei-lhe o corpo; estava enregelado;
Sacudi-o, chamei-o! Estava morto.

A última vez que vi Romualdo foi durante minha despedida, no dia 1º de agosto de 1978, data de aniversário de minha avó, para viajar no dia seguinte à Inglaterra para realização do meu mestrado na University of Leeds. Ele faleceu no dia 20 de setembro de 1979, antes do meu regresso ao Brasil.

Moacyr Rolim, Coriolano de Medeiros, Romualdo Rolim e
João Franca (Nô de Vida, pai de Maximiano da Franca Neto) – 1942.

*Staff* do governo Gratuliano de Brito, em 1933 – Palácio do Governo. Foto: Eduardo Stuckert – 1933. *Em pé*: 1) dr. Pimentel Gomes, secretário da agricultura; 2) dr. Francisco Cícero de Melo, diretor de saneamento; 3) Maurício Furtado, pai de Celso Furtado; 4) dr. José Mariz, secretário da casa civil e pai de Antônio Mariz; 5) Ítalo Joffy, engenheiro; 6) dr. Clóvis dos Santos Lima; 7) Dustan Miranda; 8) Dias Júnior; 9) não identificado; 10) Romualdo Rolim, diretor do tesouro; e 11) tenente João de Souza, chefe da casa militar. *Sentados*: 1) cel. José Maurício da Costa; 2) Walfredo Guedes Pereira, prefeito da capital; 3) monsenhor Odilon Coutinho; 4) Ernesto Geisel, secretário das finanças; 5) Gratuliano de Brito, interventor do estado da Paraíba; 6) Argemiro de Figueiredo, secretário de ordem política e social; 7) dr. Bôtto de Menezes; 8) não identificado; e 9) dr. Mateus de Oliveira.

Aniversário de Romualdo Rolim na Praia do Poço: Vó Neném, Coriolano de Medeiros, Alice Wanderley, Romualdo, Dedé e Zuleida (*sentados*), Selda (aos 2 anos, *de pé em frente à Zuleida*) e eu (aos 4 anos, *com o dedo na boca*) – Cabedelo, Paraíba, 1948.

Joaquim Gonçalves Rolim, Eulina de Medeiros Rolim e Maria Arminda de Carvalho I (Vó Sinhá) – c. 1890.

Casamento de Romualdo Rolim e Edwirges Tavares Rolim – 19 de outubro de 1918.

Casa de Romualdo Rolim e, *à direita*, casa que pertenceu a Coriolano de Medeiros, na Praia do Poço – Cabedelo, Paraíba, 1937.

Meus avós, Romualdo (25/10/1895-20/9/1979) e Edwirges (1/8/1901-10/9/1983).

Selda, eu, Eleonora e seu irmão (filhos do dr. João Coelho) após uma pesca de tubarões cação-lixa na Praia do Poço, 1949.

Carnaval no Clube Astréa: *em pé*, Alice e Abel Wanderley, Olga, três pessoas não identificadas, Eleonora, cel. José Maurício, Romualdo e Dedé; *sentados*, Arlete, Abelardo e Terezinha Wanderley e Olguinha – Cabedelo, Paraíba, 1951.

Bodas de ouro de Dedé e Romualdo: Neucyr, Neusa, Moacyr Filho, Moacyr, Dedé, Francisco, Romualdo, Zuleida, Horácio, Selda, Lucinha e eu – 19 de outubro de 1968.

Dedé e Romualdo na Praia do Poço – Cabedelo, Paraíba, em três momentos: 1963 *(esquerda)*, 1970 *(direita)* e 5 de dezembro de 1976 *(abaixo)*. Fotos do autor.

Aniversário de 82 anos de Romualdo: minha esposa Lucinha, eu, Dedé, Romualdo, Mauro (filho mais moço de Moacyr Rolim) e meus filhos Luciana e Fábio (*de blusa listrada*) – 25 de outubro de 1977.

# Resumo da biografia de Moacyr Tavares Rolim
*Sérgio Rolim Mendonça*

---

## Moacyr Tavares Rolim

Meu tio Moacyr nasceu às 9h da manhã na casa localizada na rua Visconde de Pelotas, 255, em João Pessoa, no dia 14 de outubro de 1924. Filho de Romualdo de Medeiros Rolim, funcionário público estadual, e de Edwirges Tavares Rolim. Seus avós paternos eram Joaquim Gonçalves Rolim e Eulina de Medeiros Rolim; e os maternos, Possidônio Tavares da Costa e Anna Francisca da Costa. Fez o curso primário no Colégio Diocesano Pio X e o secundário (Ensino Fundamental II e Médio) no Colégio Estadual da Paraíba. Foi viúvo de Neusa Chaves Rolim, com quem se casara em 1952 e tivera três filhos: Neucyr Chaves Rolim, Moacyr Tavares Rolim Filho e Mauro Chaves Rolim. Em 1977, contraiu matrimônio com Glória Maria Mousinho, e com ela viveu até o fim da sua vida.

Era formado em Química Industrial pela Escola de Química de Pernambuco, Universidade do Recife (1949) e teve como colega de turma e amigo Dilson de Souza Melo, hoje patrono da Academia Paraibana de Engenharia (Apenge), onde ocupa a cadeira nº 6. Graduou-se também como Técnico de Administração de Empresas, em 1974, pelo Conselho Federal de Técnicos em Administração.

Em 19 de fevereiro de 1950, foi contratado pelo governo da Paraíba para executar trabalhos técnico-profissionais no estado, destacando-se a orientação das obras da estação de tratamento de água (ETA) de Alagoa Grande; a administração dos serviços de água e depuração dos esgotos de Campina Grande; e o estudo para o abastecimento de água de Catolé do Rocha.

Foi designado, em 19 de janeiro de 1952, a responder pela chefia da Comissão de Saneamento de João Pessoa, e, em 8 de outubro daquele mesmo ano, foi nomeado para o quadro permanente do estado. A partir de 16 de julho de 1953, passou a lecionar na cadeira de Química do Colégio Estadual de João Pessoa, tendo sido posto à disposição do Serviço Nacional de Pesquisas Agronômicas no Laboratório de Fibras, localizado em João Pessoa, em 18 de maio do ano seguinte.

Em 25 de outubro de 1954, foi designado para chefiar o serviço de tratamento de água do Departamento de Saneamento do Estado da Paraíba. Procedeu, no ano de 1956, a estudo analítico das águas do açude Boqueirão de Cabaceiras, visando à ampliação do sistema de abastecimento de água de Campina Grande. Representou a Paraíba no XII Congresso Brasileiro de Química, realizado em Porto Alegre, em novembro de 1956. Foi diretor da Divisão de Tratamento e Operações do Departamento de Água e Esgotos da Capital (Daec), em 1957. Trabalhou no período de 1958 a 1962 como responsável pela Comissão de Saneamento durante a construção das obras de abastecimento de água das cidades de Souza, Cajazeiras e Monteiro.

Posto à disposição do Gabinete da Secretaria de Viação e Obras Públicas em 14 de fevereiro de 1963, assumiu o cargo de diretor geral do Daec em 14 de janeiro de 1964, acumulando trabalhos para a realização de obras na capital na condição de membro da Comissão de Administração. No período de outubro a dezembro de 1964, participou de treinamento nos Estados Unidos, sob o patrocínio da Agência para o Desenvolvimento Internacional dos Estados Unidos (Usaid), sobre o tema "Comunidade em abastecimento de água – tratamento de água e esgotos municipais". Após a transformação do Daec (autarquia) em Sanecap (Saneamento da Capital S/A), empresa de economia mista, foi nomeado em 1º de junho de 1967 chefe da divisão de obras da empresa.

Durante o governo João Agripino, a partir de maio de 1968, foi posto à disposição do governo do Rio Grande do Norte como preposto do escritório Saturnino de Brito, tendo, em abril de 1969, assumido a direção do Departamento de Água e Esgotos do Rio Grande do Norte (DAE). E, em 2 de setembro de 1969, tornou-se o primeiro diretor presidente da Companhia de Água e Esgotos do Rio Grande do Norte (Caern), havendo permanecido nes-

Foto de formatura de Moacyr Rolim – Recife, Pernambuco, 1949.

se cargo até 16 de março de 1971. Sua gestão foi marcada por uma política de estruturação administrativa da companhia que, no plano interno, optou pelo treinamento de seu corpo de funcionários e, no plano externo, promoveu a ampliação da oferta de água para o abastecimento da cidade de Natal e estudos hidrogeológicos da capital e de Mossoró, além da elaboração dos estatutos e regulamentos da Caern.

Quando do regresso a João Pessoa, foi nomeado, em abril de 1971, assessor técnico da presidência do Sanecap. Trabalhou também, nesse mesmo ano, como auditor da empresa Know-How para assuntos de saneamento, havendo elaborado o Relatório Gestorial da Companhia de Saneamento do Amazonas (Cosama), em Manaus, AM. No período que vai de janeiro de 1973 a março de 1975, foi diretor administrativo da Superintendência de Obras do Plano de Desenvolvimento do Estado (Suplan). Entre 26 de março de 1975 e março de 1979, atuou como diretor administrativo da Companhia de Água e Esgotos da Paraíba (Cagepa). No mês de agosto de 1978, participou de um curso sobre Administração Pública em Miami, Flórida, Estados Unidos.

Em 1975, foi um dos fundadores da Associação Brasileira de Engenharia Sanitária e Ambiental (Abes), seção Paraíba, cuja diretoria teve a seguinte composição: presidente: eng. Guarany Marques Viana; vice-presidente: eng. Luiz Antônio Gualberto; tesoureira: eng.ª Ana Maria Torres Maroja (substituída pelo eng. Ariosto Ferraz da Nóbrega). Eram membros do conselho consultivo: eng. Edson de Carvalho Costa, químico Moacyr Tavares Rolim e eng. Sérgio Rolim Mendonça[38]. Moacyr exerceria, depois, diversos cargos na Cagepa, onde realizou e publicou diversos trabalhos e relatórios técnicos sobre serviços de água e esgotos – isso até 1999, ano da sua aposentadoria.

Durante a sua vida profissional e esportiva, Moacyr recebeu várias condecorações, merecendo destaque: grau de marinheiro pela Escola Naval; prêmio do Grêmio de Vela da Escola Naval, como incentivador dos esportes náuticos na Paraíba; medalha de participação na XXX Regata da Escola Naval; diploma da Associação dos Diplomados da Escola Superior de Guerra (ADESG); diploma de Amigo da Polícia Militar; e, por último, Medalha Coriolano de Medeiros, pelos bons serviços prestados à Paraíba.

---

38. Posteriormente fui presidente da Abes, seção Paraíba, durante os biênios 1983/1985, 1985/1987 e 1995/1997. No início de 1996, tive que renunciar, pois fui aprovado em concurso para trabalhar como funcionário da Opas/OMS, no cargo de assessor ambiental, na Colômbia, a partir de 21 de janeiro de 1996. Assumiu a presidência da Abes, no meu lugar, o colega Antônio Batista Guedes, que exerceu uma excelente e profícua administração.

## Considerações sobre Moacyr Tavares Rolim

Como disse, Moacyr era meu tio, e nós tínhamos quase vinte anos de diferença de idade. Quando da sua festa de formatura em Recife, eu ia ainda completar 6 anos. Não sei exatamente quando ele saiu da casa de meus avós, onde morávamos. Suponho ter sido no começo de 1952, logo após o seu casamento. Portanto, nessa data, eu já completara 8 anos. Assim, pudemos conviver na mesma casa por um período de que me recordo, mesmo que, na época, eu fosse apenas uma criança. Era o único irmão da minha mãe, Zuleida, por isso, nosso convívio era muito frequente. Todos os anos, veraneávamos na Praia do Poço a partir de novembro e, às vezes, ficávamos até final de fevereiro. E, nesse período, sempre estivemos juntos.

Contei, no capítulo anterior, da paixão do meu avô Romualdo pela pesca. Moacyr não perdeu tempo. Aprendeu com meu avô e seus pescadores toda a arte de velejar. Tive as mesmas oportunidades, porém, por falta de interesse em aprender a manobrar embarcações, permaneci totalmente leigo no assunto. Moacyr foi vice-comodoro e um dos diretores do Iate Clube da Paraíba, além de grande incentivador dos esportes a vela, tendo organizado várias regatas com barcos de diferentes modelos. Possuiu barcos tipo Snipe e Hobie Cat 16, e participou de incontáveis passeios durante toda a sua vida. Um dia disse a Lourdinha Luna, ex-secretária de José Américo de Almeida, que gostaria muito mais de ser lembrado como velejador do que como profissional de engenharia sanitária.

A idade foi chegando e aumentou em muito o esforço para manobrar o Hobie Cat 16, que exigia grande força de seus tripulantes. Decidido a entrar para o campismo, adquiriu um *motorhome* modelo Thati, para quatro pessoas, montado em uma caminhonete F1000, com duas camas de casal, guarda-roupa, fogão e refrigerador. Instalou ar-condicionado, freezer, televisor e outros melhoramentos para o conforto seu e de Glória Mousinho, sua segunda esposa. Associou-se a várias instalações de *camping*, uma delas o Camping Club do Brasil. Segundo Moacyr, o casal viajou por vários estados brasileiros, chegando a percorrer cerca de 45.000 km de estradas.

Moacyr e seu colega de turma Dilson de Souza Melo (que, anos depois, em 1963, concluiria o curso de Engenharia Civil pela Escola de Engenharia da Universidade da Paraíba) foram os grandes responsáveis pelo desenvolvimento da engenharia sanitária na Paraíba. Embora tenha ocupado muitos cargos de destaque na sua área, Moacyr sempre prezou pela honestidade e pela dedicação. Nunca foi reconhecido na sua Paraíba como deveria, ao contrário do Rio Grande do Norte, onde sempre é lembrado e onde foi, muitas vezes, homenageado. Trabalhei muitos anos com ele na Cagepa e, embora tivesse muita influência social e política, jamais me indicou para qualquer cargo de diretoria pelo fato de ser seu sobrinho, pois não gostaria que falassem mal dele pela prática – infelizmente comum – do nepotismo.

Escolhi a especialidade de engenharia civil por ter muitos pendores para a matemática; porém, nunca gostei da construção civil. Minha sorte foi Moacyr ter conseguido para mim um estágio para estudantes no Daec, quando cursava o final do segundo ano de Engenharia. Desde então, me apaixonei pela engenharia sanitária, na qual sigo labutando com imenso prazer até os dias atuais.

Moacyr era um *bon vivant*, tinha grande facilidade em fazer amizades, gostava de serestas e tocava violão muito bem. Como costuma acontecer às pessoas honestas deste nosso país, morreu modestamente, vivendo de uma pequena pensão paga pelo INSS. Faleceu em 10 de fevereiro de 2015, na cidade de João Pessoa, quando contava 90 anos de idade.

Casamento de Neusa Chaves e Moacyr Rolim – 16 de fevereiro de 1952.

Reunião com primos: Abelardo Wanderley (*terceiro da esquerda para a direita*), Ademar Wanderley (*sexto*) e Moacyr Rolim (*sétimo*) – fim da década de 1950.

Amarílio Sales de Melo, Moacyr Tavares Rolim, Abrahão Fainzilber e Domingos Lavigne de Lemos no V Congresso Brasileiro de Engenharia Sanitária e Ambiental – Recife, Pernambuco, 1969.

Eu, Lucinha, Horácio, Neusa (*atrás*), Selda, Moacyr (*atrás*), Neucyr Chaves Rolim, Francisco (*atrás*), Naide Chaves, Moacyr Filho, Zuleida (*atrás*), Dedé, Romualdo e Vitória Wanderley no aniversário de 15 anos de Neucyr – Natal, Rio Grande do Norte, 2 de maio de 1970.

Moacyr e Neusa – Natal, 1970.

Casamento de Moacyr Rolim e Glória Maria Mousinho (sua segunda esposa), com eles estão Francisco e Zuleida Mendonça (*à esquerda*) e Lúcia Mousinho e Orlando Mossio (*à direita*) – 29 de abril de 1977.

Luis Fernando Ulloa, eu e Moacyr Rolim (*em pé*), Maria Teresa Porras, Glória Mousinho e Isabel (Chabela) Hilburg (*sentadas*) em Areia Vermelha, Praia do Poço – Cabedelo, Paraíba, janeiro de 1998.

Glória Mousinho, Maria Angélica e Rivaldo Vergara (*em pé*), eu, Moacyr, Frederico Martins e Fátima Gadelha (*sentados*) na Praia do Poço – Cabedelo, Paraíba, janeiro de 1992.

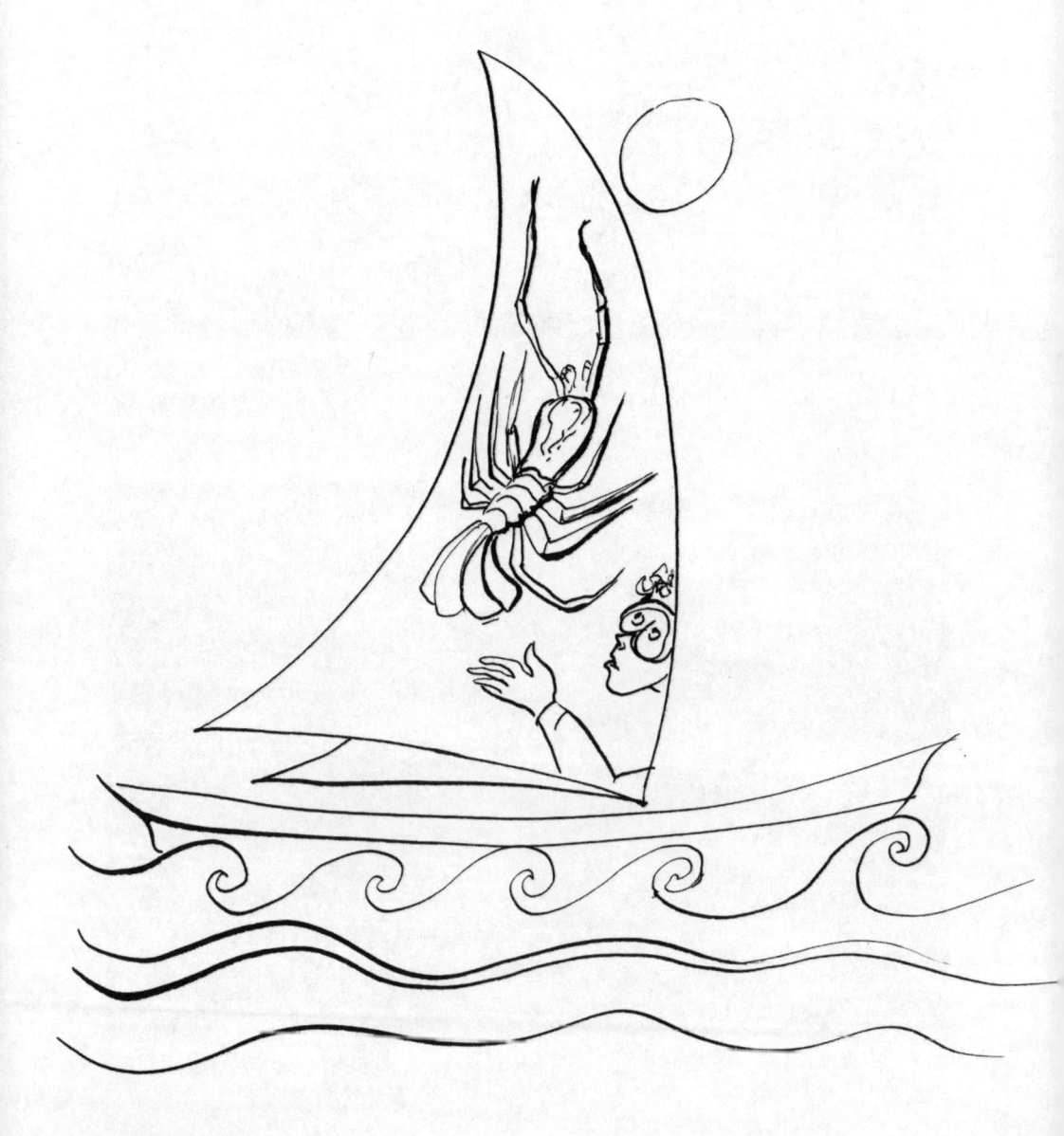

# Primeiro acidente de automóvel na Paraíba
Hélio Zenaide[39]

Automóvel é o que se move por si mesmo. Mas, em verdade, quem move o automóvel é o homem. O homem produz a gasolina, o óleo, o álcool, fabrica o automóvel e o dirige, logo, quem move o que se move por si mesmo é o homem. Parece-me evidente, por isso, que o homem é também o responsável por todos os desastres ou acidentes automobilísticos. Mesmo quando o desastre ou acidente é apontado como decorrente de pneu estourado ou barra de direção quebrada. Quem deve cuidar da manutenção do automóvel? Além do mais, o automóvel não tem sono, nem cansaço nem vista curta. O automóvel não bebe cachaça, nem whisky, nem vinho, nem cerveja. O automóvel não muda a vista para não arriscar um olho na mulher bonita que passa na calçada, nem na dona do maiô estirada na areia da praia...

Correr ou não correr, por sua vez, não é o ato de vontade do automóvel. Quem tem a embriaguez da velocidade é o homem. Em conclusão: só há um responsável pelo acidente de trânsito, que é o próprio homem, o ser que move o que se move por si próprio...

Vida boa era no tempo em que não havia automóvel. Andar a pé só oferecia um risco: topada ou mordida de cobra. Andar a cavalo, uma queda da sela, de vez em quando, serve para enrijecer os músculos do traseiro. Andar de charrete ou carruagem, que perigo pode ter? E de carro de boi, o único inconveniente é o chiado, para quem não sente nele a poesia telúrica do sertão. O acidente de automóvel é, pois, uma doença da civilização, do progresso da humanidade. Uma forma civilizada de os homens se matarem sem o uso do punhal, do bacamarte, foi sem querer...

Nunca se ouviu falar que a charrete, a carruagem ou o carro de boi matassem num acidente, de uma vez só, quase cem pessoas. Mas foi isso o que

---

39. Transcrito do jornal *O Norte*, João Pessoa, 1º de junho de 1979.

aconteceu naquele fatídico 11 de junho de 1955, na corrida de Le Mans. Em seu Mercedes, Levegh corria a 250 km/h... O Austin de Lance Macklin bateu no Mercedes e Levegh se viu lançado, naquela velocidade de morte, contra a multidão. Morreu matando mais 84 espectadores!

## Primeiro automóvel na Paraíba

Os primeiros automóveis surgidos no Brasil foram importados da Europa em 1871, um século depois de Cugnot haver fabricado o Fardier, primeiro carro movido a vapor. Somente em 1919 Henry Ford instalou em São Paulo a primeira subsidiária da Ford, destinada à montagem dos nossos primeiros "Fords de Bigode", com motor de quatro tempos.

Conta Celso Mariz: "Só em princípio de 1909 apareceu aqui o primeiro automóvel, trazido pelo negociante Francisco Honorato Vergara, chefe da casa de estivas F. H. Vergara & Cia, que tinha residência em Santa Rita, o carro era um Bayard". Eis aí uma glória tecnológica de Santa Rita: a de ter introduzido na Paraíba o uso do automóvel.

## Primeiro motorista

E quem foi o herói que dirigiu o primeiro automóvel na Paraíba? Conta Celso Mariz que foi Anunciado. Francisco Honorato Vergara mandou Anunciado aprender a dirigir em Recife, onde, naquela época, já havia três ou quatro motoristas. Ainda com a palavra mestre Celso: "Logo após veio um caminhão curto, de velocidade relativa e grande barulho, comprado pelo comerciante Manuel Garcia de Castro, da casa de tecidos Castro, Irmão & Cia.

Manuel Castro estava a esse tempo com a paixão das iniciativas modernistas. Montara um bondinho de burro entre Cabedelo e Praia Formosa. O nosso primeiro cinema, o Pathé, na Rua Direita, foi também fundação sua em 1910. Em 1913 João Vergara fundou a garagem Londres, com um Adler, um Berliz e um Bayard".

"Do governo", acrescenta mestre Celso, "o primeiro auto foi um Austin do coronel Mário Bardedo, comandante da Polícia, que o trouxera do Rio, de segunda mão. Este carrinho enfraqueceu cedo em nossas ladeiras. O presidente de Estado que primeiro adquiriu automóvel para o serviço oficial do Palácio foi o dr. Camilo de Holanda em 1916".

Até aqui só falamos de marcas importadas da Europa. O primeiro Ford importado dos Estados Unidos chegado à Paraíba pertenceu a Gentil Lins.

Lembra Celso Mariz: "Pelo interior, a esse tempo, nada ainda. Em 1917, o senhor de engenho Gentil Lins, de Pacatuba, adquiriu um *Ford*, o primeiro da marca importado na Paraíba".

"A primeira viagem ao planalto da Borborema", palavras ainda do mestre Celso, "foi empreendida em 1915 em um daqueles carros da garagem Londres. Arrojaram-se a isso o proprietário João Vergara, farmacêutico Manoel Soares Londres e dr. Francisco Seráfico e dr. Gouveia Nóbrega. Foram até Taperoá, mas embarcando o carro no trem até Campina..." Assim não foi grande vantagem.

Emílio Sarmento de Sá, em 1918, fez a primeira descida da Borborema para o sertão. Era negociante em Souza e realizou a façanha num *Ford* adquirido em Recife por quatro contos de réis.

O motorista ou piloto da aventura foi Rubens Cavalcante.

E como foi que o primeiro carro veio de Recife para nossa capital sem haver estrada? Caminho para Recife, naquele tempo, era caminho de se andar a cavalo. Meu avô, coronel Claudino Alves da Nóbrega, o Perna de Pau, lá de Soledade, em 1874, sofreu uma terrível dor ciática na perna esquerda. Era preciso levá-lo para operar-se em Recife... e ainda não havia carro na Paraíba. Foi conduzido em cima de uma cangalha, dando berros de dor que se ouviam do litoral ao sertão. Em Recife, o dr. Malaquias lhe cortou a perna e ele voltou para Soledade gemendo de novo em cima da cangalha...

Como teria sido, então, a vinda do primeiro automóvel em 1909? O primeiro automóvel trazido por Francisco Honorato Vergara era um *Bayard*. Vergara morava em Santa Rita, no prédio onde hoje funciona a prefeitura municipal.

O saudoso jornalista José Ramalho da Costa andou pesquisando o assunto. Contou ele que, de Recife a Goiana, ele veio pela estrada carroçável existente, mas, de Goiana para cá, o jeito era topar os velhos caminhos dos tropeiros, com uma turma de homens armados de enxadas e foices para alargamento das trilhas. "De Goiana a Itambé", contou José Ramalho, "foi um trecho muito difícil e precisou-se fazer aplainamento da estrada para o tráfego, e não foi menor o contratempo de Itambé a Fazendinha, e desse lugar ao engenho do dr. Cartaxo, em Coitizeira. Depois, viajou-se a Espírito Santo e, finalmente, a Santa Rita, ponto semifinal da viagem". "Por onde passava o automóvel", historiou Ramalho, "as carreiras e os sustos eram gerais. Os brejeiros e os meninos azulavam no mundo e perto do engenho do dr. Cartaxo, à noite, um matuto defrontou-se com os dois faróis muito grandes, de carbureto, como olhos de fogo, deixou o cavalo e entrou em louca carreira no mato. Fumaçando como o demônio, o carro, com velocidade reduzida, parava aqui e ali para tomar água e acertar as engrenagens da máquina".

Em sua reportagem, publicada em *A União*, em 1947, relatou ainda o jornalista José Ramalho da Costa: "Conta-se que, em Itambé, quando o auto parou e o motorista acelerou o motor, ia saindo da igreja um casamento... Com o barulho daquele bicho desconhecido, fumaçando como um dragão misterioso, não ficou ninguém para contar a história...". Imagino que, de noite, coitada, em sua lua de mel, a pobre da noiva ainda tremia de medo. Pois foi assim que chegou à Paraíba, no começo de 1909, o primeiro automóvel.

Descreve José Ramalho da Costa: "O carro era iluminado a carbureto nos faróis dianteiros, que se abriam para receber fogo e combustível. As alavancas de marcha eram pelo lado de fora, ao lado da direção, e uma borracha com uma gaita de pistão que fazia 'fon-fon', muito fanhosa. O veículo tinha o formato de uma carruagem e acolhia sete pessoas. A capota era de lona, imitando couro, e ligava-se por uma correia aos paralamas dianteiros. Estas correias eram bem esticadas e tinham fivelas pelo centro para graduar-se o elasticimento. No interior, o veículo enfeitava-se de peças reluzentes de cobre e estanho. Para João Pessoa, o automóvel veio pela estrada do Recife, por terra, levando três dias para chegar a esta cidade. Quando aqui apareceu, ficou em exposição ali ao lado do edifício de *A União* – hoje Assembleia – e o povo em massa acorreu ao local para ver e apalpar o maquinário, e não houve menino na cidade que não fosse dar uma olhadela no motor a gasolina".

Naquele tempo não havia Código Nacional de Trânsito, não havia Polícia Rodoviária, não havia Detran, não havia nada. Era pé na tábua e quem não quisesse ser atropelado saísse da frente do dragão bufante.

Guarda de trânsito para quê, se a Paraíba só tinha o carro de seu Vergara?

Aquele é que era um tempo bom para Judivan Cabral ser delegado do Detran: poderia dormir o dia todo numa rede. Mas não seria tanto assim, pois aconteceu o primeiro acidente de trânsito em 1909 mesmo, no fim do ano. Teriam arrastado Judivan Cabral da rede, para tomar as devidas providências... Provavelmente, Judivan já teria arranjado um Apito de Ouro para fazer tais perícias.

O acidente verificou-se ali na cidade baixa, na linha do trem, defronte dos armazéns de algodão e a prensa de Abílio Dantas. Lá vinha o Bayard a alta velocidade – uns 20 km/h, talvez... – acompanhando a linha, e uma menina atravessou a estrada! Era uma menina irmã do catraieiro José de Bila. A pobre criança morreu e o catraieiro José de Bila – este cara era capaz de ser comunista e subversivo – abriu a boca no mundo, reclamando direitos humanos e indenizações mais humanas ainda.

No fim, a família da vítima recebeu de Francisco Honorato Vergara 20$000 – vinte centavos hoje – para ajudar no enterramento.

Segundo o historiador Celso Mariz[40], "Em 1913, o farmacêutico Manoel Soares Londres comprou um Studebaker. Naquele ano, João Vergara, irmão de Francisco Honorato Vergara, e o dr. Londres montaram uma garagem para os carros. Era a Garagem Londres. Aumentaram a frota com um Adler e um Berliz. Alugavam-nos para viagens curtas, em torno da capital, incursionando em sítios e cidades próximas, na várzea, em estradas precárias, semicarroçáveis [...]".

―― ••• ――

## Considerações sobre Francisco Honorato Vergara
*Sérgio Rolim Mendonça*

Francisco Honorato Vergara era meu tio-avô, irmão de minha avó Lili (Joaquina Vergara Mendonça), esposa de Francisco Soares Ribeiro de Mendonça, comerciante. Não o conheci, mas escutei muitas histórias da família sobre ele. Sei também que era comerciante abastado.

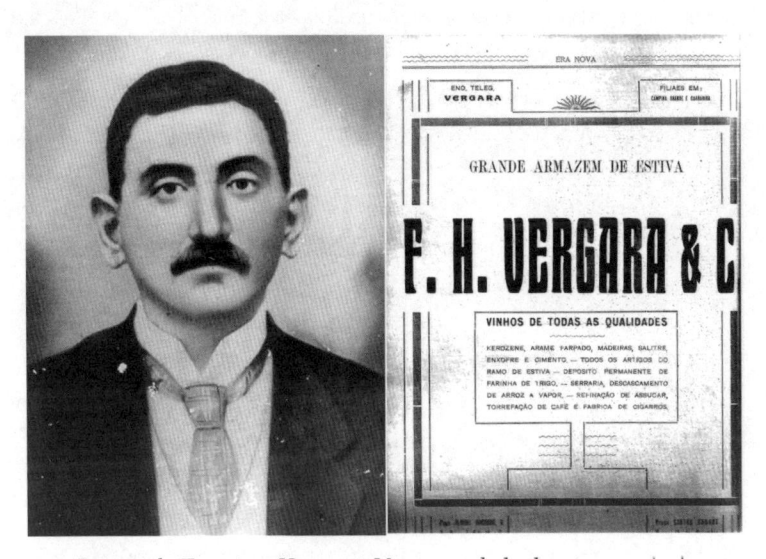

Retrato de Francisco Honorato Vergara ao lado da propaganda do Grande Armazém de Estiva F. H. Vergara & Cia. Foto: Revista Era Nova, 1922.

---

40. NETO, Dorgival Terceiro. O primeiro automóvel. *Correio da Paraíba*, João Pessoa, 11 de janeiro de 2002.

Era filho de José María Vergara (de origem espanhola, nascido em Madri, no ano de 1847, e falecido aos 58 anos, em 25 de agosto de 1905) e Joana de Medeiros Corrêa Vergara (natural de João Pessoa, falecida em 16 de março de 1926), meus bisavós paternos. José María Vergara, por sua vez, era filho de Francisco María Vergara e Mercedes de Lima. O pai adotivo de minha bisavó Joana era Joaquim Napoleão; ela era filha de Fortunata Freire de Amparo.

José María Vergara, pai de minha avó Joaquina (Lili) Vergara Mendonça, era engenheiro agrimensor e foi convidado em meados de 1870 para trabalhar na construção da estrada de ferro que ia da capital, Parahyba, a um lugar chamado Entroncamento, centro da zona açucareira, numa extensão de 30 km. A empresa contratada chamava-se *Companhia Estrada de Ferro Conde d'Eu*, mais tarde denominada *Great Western of Brazil Railways*, quando o serviço foi transferido, por concessão, pelo governo federal para essa companhia inglesa, em 31 de julho de 1901. Os trabalhos para a construção dessa estrada de ferro tiveram início em 1880.

Segundo o historiador Horácio de Almeida[41], não havia estradas de rodagem nessa época. O transporte era feito a cavalo ou de trem. As cidades que ficavam além de Campina Grande, por todo o vasto sertão da Paraíba, continuavam a sustentar seu comércio por meio de comboios de animais de cargas, principalmente em lombos de burros. Por outro lado, o progresso entrou na Paraíba pela linha de ferro. Por onde apitava o trem, uma emoção nova nascia, a do desenvolvimento econômico. Ainda segundo Horácio de Almeida, esse desenvolvimento foi de pouca monta, porque a área beneficiada era demasiadamente exígua. O historiador também apresentou, como reproduzo a seguir, detalhes do tipo de comércio existente antes da construção das ferrovias.

> Os produtos agrícolas constituíam a principal fonte de renda da Paraíba, ocupando o primeiro lugar o algodão e o açúcar. Para o açúcar, a estrada de ferro resolvia o problema, porque passava pela zona de produção. Mas, para o algodão, produzido em campos mais afastados, o carreto continuava a ser em lombo de burro, como se vinha fazendo desde os tempos coloniais. A rapadura era produto que tinha consumo interno, assim como o café, o fumo, a aguardente e os cereais. Havia na zona do brejo 350 engenhos a produzir rapadura e aguardente. Tudo isso era transportado em

---
41. ALMEIDA, Horácio de. *História da Paraíba – vol. 2*. João Pessoa: Editora Universitária/UFPB, 1978.

comboios equestres. O sertanejo vinha comprar rapadura no brejo e trazia para vender queijo de manteiga e de coalho, bode seco e, às vezes, couro e algodão [...].
As locomotivas das composições ferroviárias queimavam lenha. Desapareceram as matas da redondeza. Tanto as locomotivas soltavam fumaça como fagulhas. Não raras vezes os passageiros chegavam ao fim da viagem com a roupa esburacada pelas chispas desprendidas da chaminé. Mas ninguém achava ruim porque o apitar do trem dava a sensação de progresso no velho e abandonado Nordeste [...].

Em Entroncamento, a estrada se bifurcava em dois ramais, um para o norte, outro para o sul. O do norte chegava a Mulungu, seguia para Guarabira, ia até Nova Cruz, no estado do Rio Grande do Norte, e daí até a sua capital, Natal. O do sul terminava em Pilar, a caminho de Pernambuco. Em 1882 foi inaugurado o ramal de Entroncamento a Mulungu; o trecho para Pilar, ramal da linha sul, em 1883; e o prolongamento para Guarabira, em 1884. Entretanto, a ligação da capital Parahyba ao porto de Cabedelo, com extensão de apenas 18 km, só foi concluída em 1889.

De acordo com a historiadora Carmen Coelho de Miranda Freire[42], por ocasião do arrendamento do governo federal à *Great Western*, em 1901, a *Companhia Estrada de Ferro Conde d'Eu* havia construído cerca de 166 km de ferrovias, inclusive o ramal de Alagoa Grande, e 26 pontes, sendo a principal delas a do Cobé, sobre o rio Paraíba. Em 1906, foi inaugurada a Ferrovia Tambaú, com uma locomotiva chegada da Inglaterra, fabricada por *Roger Sons Ltd.*, composta de vagões de primeira e segunda classes. Esse trem destinava-se à Praia de Tambaú.

## O Armazém Vergara

Francisco Honorato Vergara foi proprietário do Grande Armazém de Estiva F. H. Vergara & Cia., que importava, entre outros, vinhos franceses de alta qualidade e gadídeos, o popular bacalhau, que não era considerado iguaria na época. O Armazém Vergara[43] estava localizado na Cidade Baixa, próximo ao Porto do Capim. Esse armazém era enorme e tinha de tudo para venda: vinhos france-

---

42. FREIRE, Carmen Coelho de Miranda. *História da Paraíba (para uso didático)*. 3. ed. João Pessoa: A União, 1981.
43. BARBOSA, Waldina de Mendonça. *O livro da vovó* [não publicado]. 2001.

ses que chegavam transportados de navio em barricas para serem engarrafados nas dependências do armazém, querosene, arame farpado, madeira, salitre, cimento, todos os artigos do ramo de estivas, depósito permanente de farinha de trigo, descascamento de arroz a vapor, refinação de açúcar, torrefação de café, cigarros etc. Faziam parte do armazém também uma serraria e uma fábrica de móveis situada um pouco mais longe, na rua da Gameleira. A Casa Vergara também foi destaque nos carnavais das décadas 1920 e 1930. Wills Leal[44] refere que, desde a década de 1920, a Casa Vergara representava e distribuía o lança-perfume aos comerciantes locais durante o período momesco.

Propaganda de lança-perfume do armazém Vergara.

De acordo com minha tia Waldina, após a morte de João Pessoa, em 1930, os dois armazéns Vergara (havia dois, um na capital e outro em Guarabira) foram saqueados e incendiados, porque seus sócios eram partidários de Washington Luís, presidente da República, na época. Tentaram incendiar a casa de meu avô Francisco Ribeiro de Mendonça e a de dr. Flávio Ribeiro Coutinho, que era seu vizinho. Uma amiga de Waldina, que tinha uma tia chamada Stella, contou, passados muitos anos, que seu pai procurou salvar mercadorias, guardando-as em sua casa, tentando livrá-las do saque, e depois devolveu-as ao seu dono.

Francisco Vergara possuía grande visão industrial. Tanto é que o decreto nº 342, promulgado no dia 12 de julho de 1907, concedeu "isenção de impostos

---
44. LEAL, Wills. *No tempo do lança-perfume*. João Pessoa: Edição do Autor, 1994.

aos cidadãos Francisco Honorato Vergara e Manoel Soares Londres, para fundar nesta capital uma fábrica para manufatura de óleos pelo prazo de cinco anos"[45].

Meu tio-avô se preocupava com o bem-estar dos pessoenses e também se interessava pelo crescimento sociocultural da cidade. Fátima Mendonça Lacerda[46] apresenta no seu livro um trecho que obteve na internet sobre ele:

> Francisco Honorato Vergara, representante da firma Byington & Cia., promoveu na sede do Sindicato dos Comerciários, na rua Duque de Caxias, às 20h do dia 30 de janeiro de 1937, a retransmissão do jogo entre Brasil e Alemanha, realizado no Rio de Janeiro. Esta só foi possível com a instalação de um possante aparelho marca Cruzeiro, fabricado pela firma Byington [...].

Minha tia Waldina Mendonça Barbosa contou-me, certa vez, que, numa das viagens de Francisco Honorato Vergara ao Rio de Janeiro, ele foi convidado a visitar um frequentado bordel. Qual não foi a sua decepção ao verificar que o nome da rua onde se localizava o lupanar era rua das Parahybas (grafia da época). Quando voltou à capital, escolheu um local disponível nas proximidades do centro da cidade, por trás da praça Aristides Lobo, na Cidade Baixa, urbanizou a área, contratou a construção de várias casas e solicitou de seu amigo prefeito da capital que colocasse o nome dessa nova rua como Ladeira das Cariocas. Posteriormente, convocou as mais importantes prostitutas da cidade e preencheu todas as casas recentemente construídas com essas personagens, dando a cada uma delas o título de proprietária.

---

45. Mensagem apresentada à Assembleia Legislativa do Estado em 1º de março de 1908, por ocasião da instalação da 1ª sessão da 5ª Legislatura pelo presidente do estado monsenhor Walfredo Leal, Imprensa Official, Parahyba do Norte, 1908.
46. LACERDA, Fátima Mendonça. Rascunhos inacabados sobre minha vida e meu pensar [não publicado]. 2011.

Praça Pedro Américo; ao fundo está o velho quartel do 49º Batalhão dos Caçadores (depois, 22º BC), na rua das Cariocas; à direita, veem-se claramente as novas casas construídas e financiadas por Francisco Honorato Vergara – 1904.
Foto: acervo de Ariel Farias.

José María Vergara (1847-25/8/1905) e Joana de Medeiros Corrêa Vergara (falecida em 16/3/1926).

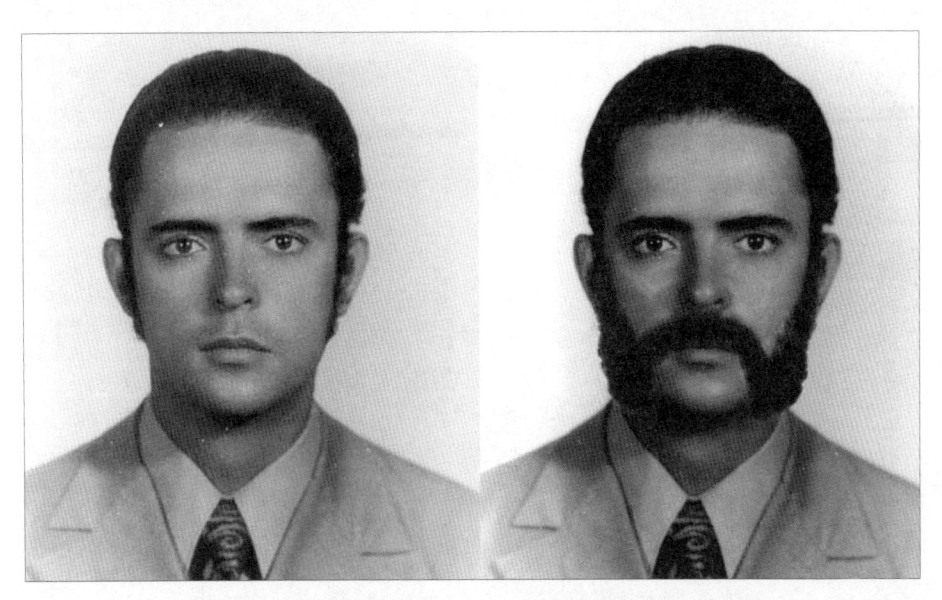

Minha primeira foto oficial para passaporte (abril de 1973) e, ao lado, com a barba de meu bisavô José María Vergara.

Meus bisavós paternos – pais de Francisco Honorato Vergara –, José María Vergara e Joana de Medeiros Corrêa Vergara.

Detalhe do Armazém Vergara, na rua Maciel Pinheiro – 1910.
Foto: acervo de Ariel Farias.

Armazém Vergara (*à esquerda*) – 1920. Foto: acervo de Ariel Farias.

Meus avós paternos,
Francisco Soares Ribeiro de
Mendonça (28/8/1882-4/7/1970)
e Joaquina Vergara de Mendonça
(15/12/1885-7/6/1966).

Francisco Soares Ribeiro
de Mendonça, cunhado de
Francisco Honorato Vergara.

# Francisco Mendonça Filho, outro arcanjo da medicina paraibana

Sérgio Rolim Mendonça[47]

•─────── ••• ───────•

Francisco Ribeiro de Mendonça Filho, que adotou posteriormente o nome de Francisco *Mendonça Filho*, nasceu em um sábado, 29 de agosto de 1908, às 22h40, na casa de propriedade do seu pai, localizada na rua Dr. Cardoso Vieira, 249, no primeiro Distrito de Paz da Paróquia de Nossa Senhora das Neves (hoje João Pessoa), município da capital do estado da Parahyba do Norte (hoje Paraíba).

Filho do comerciante Francisco Soares Ribeiro de Mendonça, natural de Várzea Nova, Santa Rita, Paraíba, e de Joaquina (Lili) Vergara de Mendonça, natural de João Pessoa, Paraíba. Neto por parte de pai de Antonio Soares de Mendonça e Josepha Soares Ribeiro e por parte de mãe de José María Vergara (agrimensor de nacionalidade espanhola) e Joana Corrêa Vergara.

Foi o terceiro filho de uma família de nove irmãos, pela ordem cronológica: Esther (casada com o médico Lauro dos Guimarães Wanderley), Maria (casada com o médico Newton Nobre Lacerda), Francisco, Mário, Abelardo, Osmar, Clodoaldo, Waldina (casada com Orris Fernandes Barbosa) e Edilberto.

Cursou o primário e parte do secundário no Ginásio Diocesano Pio X, em João Pessoa. Transferiu-se depois para o Colégio Americano Batista, em Recife, onde terminou o curso científico e se preparou para o vestibular de Medicina. Prestou exame vestibular em 1930 para a Faculdade de Medicina de Pernambuco, em Recife, junto de seu grande amigo Ivan Londres e de Clóvis Bezerra Cavalcanti, posteriormente eleito governador da Paraíba em 1982.

No ano seguinte, transferiu-se para o Rio de Janeiro, onde estudou a partir do segundo ano na Faculdade de Medicina da Universidade do Rio de Janeiro, na Praia Vermelha, onde foi aluno do sanitarista Carlos Chagas e contemporâneo do neurologista Paulo Niemeyer.

---

47. Parcialmente publicado no jornal *CRM-PB*, n. 101, 2015, p. 11.

Concluiu sua graduação no dia 8 de dezembro de 1935 com os amigos Ivan Londres, Haroldo Portela e Jacy Magalhães, além de mais de quatrocentos colegas.

Em 1936, retornou a João Pessoa. Seu primeiro trabalho foi no Hospital Santa Isabel, nomeado que foi pelo provedor da Santa Casa de Misericórdia para prestar serviços gratuitamente naquela instituição a partir do dia 5 de maio daquele mesmo ano. Em 7 de outubro de 1936, foi nomeado pelo então governador do estado, Argemiro de Figueiredo, para o cargo de assistente da maternidade administrada pelo Estado. No dia 29 de janeiro de 1937, foi contratado, junto ao dr. José Bethamio Ferreira, para prestar serviços no Instituto São José e em outros estabelecimentos de assistência social do estado, pelo mesmo governador.

Ingressou na prefeitura municipal de João Pessoa em 31 de dezembro de 1937, nomeado para exercer o cargo de médico da Diretoria de Assistência e Higiene Municipal pelo prefeito Oswaldo Trigueiro.

Em 19 de julho de 1939, foi designado pelo prefeito Fernando Carneiro da Cunha Nóbrega para estagiar em traumatologia e cirurgia de urgência por um período de três meses no Hospital de Pronto-Socorro da Prefeitura do Distrito Federal, no Rio de Janeiro. Após o treinamento, recebeu a seguinte declaração do chefe daquele serviço, dr. Agostinho Thiago Álvares Pinto: "Declaro que o dr. Francisco Mendonça Filho, desde o início do seu estágio, mostrou que já possuía sólidos conhecimentos e tirocínio de traumatologia e cirurgia de urgência, os quais muito se aperfeiçoaram no período de sua passagem pelo Hospital de Pronto-Socorro no Rio de Janeiro".

Contraiu núpcias no dia 17 de julho de 1941 com Zuleida Tavares Rolim – que adotou o nome de Zuleida Rolim Mendonça –, nascida em João Pessoa no dia 8 de novembro de 1919, filha de Romualdo de Medeiros Rolim e Edwirges Tavares Rolim. Tiveram dois filhos: eu, engenheiro, casado com Maria Lúcia Coêlho Mendonça (professora de inglês), e Selda Rolim Mendonça, enfermeira, casada com Horácio Antônio Ribeiro Neves (médico). O enlace matrimonial foi celebrado pelo arcebispo dom Moisés Coêlho e realizado na casa do seu futuro sogro na rua Conselheiro Henriques, 90, em João Pessoa, na presença das testemunhas: dr. Ademar Londres e sua esposa; João Rodrigues Coriolano de Medeiros e sua esposa, Eulina (Neném); e dr. Orris Barbosa e sua esposa, Waldina Mendonça Barbosa (irmã mais moça de Francisco).

Em 17 de abril de 1942, foi nomeado, pelo presidente da República Getúlio Vargas, segundo-tenente da reserva de 2ª Classe do Exército, onde serviu na 7ª Região Militar em Campina Grande, Paraíba, no ano de 1947.

Ingressou, no dia 27 de novembro de 1947, por concurso público, na Legião Brasileira de Assistência (LBA), para prestar serviços na Maternidade Cândida Vargas como médico obstetra. Foram seus principais colegas nesse tempo: dr. Almir Lopes, dr. João Coêlho, dr. Danilo Luna, dr. Vicente Nogueira, dr. Everaldo Ferreira Soares, dr. Ariosvaldo Espínola, dr. Atílio Rotta e dr. Lauro dos Guimarães Wanderley.

Foi fundador da Faculdade de Medicina da Paraíba junto ao irmão Osmar Vergara Mendonça, os cunhados dr. Newton Nobre de Lacerda e dr. Lauro dos Guimarães Wanderley, entre outros colegas. Durante assembleia realizada em 25 de março de 1950 na Sociedade de Medicina e Cirurgia da Paraíba, localizada na rua das Trincheiras, em João Pessoa, foi selecionado para exercer o cargo de professor catedrático da disciplina Clínica Propedêutica Cirúrgica, reunião que foi presidida por dr. Humberto Carneiro da Cunha Nóbrega, conforme consta da ata da reunião de Fundação da Faculdade de Medicina, Odontologia e Farmácia do Estado da Paraíba.

Estagiou também no Centro de Estudos do Hospital dos Servidores do Estado do Rio de Janeiro, nas áreas de ortopedia e traumatologia, no período de 2 de maio a 20 de junho de 1951, por indicação do prefeito Oswaldo Trigueiro.

Ocupou os mais diversos cargos na prefeitura municipal de João Pessoa, dentre os quais: cirurgião assistente, assistente da clínica cirúrgica, diretor do Departamento de Assistência Pública Municipal, chefe do serviço de traumatologia do Departamento de Assistência Municipal e Hospital de Pronto-Socorro, chefe de cirurgia do Departamento de Saúde e Assistência Municipal e chefe de clínica cirúrgica.

Foi contemporâneo dos seguintes médicos: dr. Miranda Freire, dr. Antônio D'Ávila Lins, dr. Newton Nobre Lacerda, dr. Achiles Leal, dr. Herófilo Maciel, dr. Manoel Paiva, dr. Marinésio Moreno, dr. Francisco Porto, dr. Osório Abath, dr. Paulo Aquino, dr. Luiz Gonzaga, entre outros.

Lecionou gratuitamente durante vários anos na Faculdade de Medicina, para a qual foi admitido oficialmente em 22 de abril de 1952. Entretanto, somente em 18 de maio de 1961 passou para o regime jurídico estatutário, com carga horária semanal de vinte horas.

No ano de 1965, fez curso de especialização em ortopedia durante três meses no Hospital Santo Amaro, em Recife.

Trabalhou muitos anos como clínico geral, obstetra e cirurgião. Entretanto, a maior parte da sua vida profissional esteve dedicada à especialidade de traumatologia e ortopedia no Hospital de Pronto-Socorro Municipal de João Pessoa, onde era conhecido como dr. Mendonça. Durante seu trabalho, utilizava um período diário para atender indigentes, os quais tratava com dedicação e carinho, utilizando material necessário nas cirurgias, principalmente de platina, adquirido com recursos próprios.

Recebeu vários títulos, dentre os quais: honra ao mérito pela Associação Médica da Paraíba, em 1981, e pelo Colégio Brasileiro de Cirurgiões, Capítulo Paraíba, em 1982, e professor emérito pela Universidade Federal da Paraíba, em 1988.

Aposentou-se na modalidade compulsória aos 70 anos de idade. Trabalhou por 41 anos na prefeitura municipal de João Pessoa, lecionou por 22 anos na Faculdade de Medicina da Universidade Federal da Paraíba e passou vários anos em outras instituições governamentais e em sua clínica particular.

Sempre muito bem-humorado, discreto e modesto, era muito querido por seus colegas, funcionários e pacientes.

De uma ex-paciente, Lourencita Aires Bezerra, recebeu certa vez carinhosa homenagem em forma de poesia:

>Dr. Mendonça é ótimo médico!
>Melhor não se pode desejar
>Para curar osso quebrado
>Como ele não há igual
>
>Emenda com uma perfeição
>Que é mesmo de admirar!
>Depois do osso emendado
>O doente pode dançar
>
>Os clientes formavam uma quadrilha
>Com dr. Mendonça nos braços
>Começam logo a dançar
>Cada um que procure
>Melhor se requebrar
>
>Dr. Herófilo vê tanta alegria
>Vem ver o que há
>Fica pensando consigo
>Os pacientes de Mendonça são doidos
>Eles fiquem para lá

Faleceu numa segunda-feira, às 21h30 do dia 6 de abril de 1992, no Hospital Samaritano, na capital paraibana, de onde nunca se afastou.

No dia 12 de abril de 1992, nosso saudoso cronista Luiz Augusto Crispim escreveu no jornal O *Norte*:

> Ainda não tem um mês completo que desapareceu Arnaldo Tavares, o Anjo Exterminador da bouba nos socavões da Paraíba. E já está completando o sétimo dia da morte de outro Arcanjo da medicina paraibana, Francisco Mendonça Filho – dr. Mendonça. Essa universidade que está nascendo agora, em berço de eleições diretas e conchavos de vários turnos, de fato, não tem nada a ver com a universidade de dr. Mendonça.
> Não quero fazer juízo de valor, a pretexto de realçar as qualidades do médico togado de sacerdote. Não somos nós, contemporâneos das coisas feitas em redor, que iremos avaliar quem fez melhor. Só a posteridade tem outorga para tanto. Mas posso dizer, sem medo de comprometer a realidade, que o mesmo juramento de Hipócrates, que servia à medicina de dr. Mendonça, servia também ao sacerdócio que ele exercia em sala de aula, ensinando de graça, por anos a fio, achando que era a coisa mais natural deste mundo ensinar de graça em uma Faculdade de Medicina.
> Eles vão desaparecendo na curva da estrada. Quase não deixam vestígios, a não ser pela lembrança um ou outro ex-aluno da dimensão de Cícero Pereira ou de Augusto de Almeida. O mundo de dr. Mendonça, de dr. D'Ávila Lins, de dr. Achiles Leal, de dr. Herófilo Maciel, de dr. Chico Porto, de dr. Osório Abath é um universo em extinção [...].
> O tempo, ah, esse eterno conspirador de acasos temíveis. O tempo vai esgotando os homens junto com seus ideais, derribando suas utopias, desassossegando os salões em que abrigavam seus melhores sonhos.
> Em breve não restará mais nada. Basta olhar em derredor – já resta tão pouco [...].
> Não me queiram um saudosista em plena orfandade. Sou apenas um mero espectador da cena mágica que aos poucos vai-se apagando e retirando do tablado da vida os Arnaldos Tavares e os Franciscos Mendonça.

Não, a orfandade não é só minha.
É da Paraíba toda [...].

———...———

## Considerações sobre Francisco Mendonça Filho
*Sérgio Rolim Mendonça*

Meu pai era uma pessoa maravilhosa: calmo, tranquilo, modesto, sorridente, possuidor de uma força de vontade incrível; nunca o ouvi falar mal de alguém. Antes de contar uma piada, já estava rindo. Gostava muito de estudar inglês. Foi graças ao seu incentivo que comecei a estudar a língua de Shakespeare. Ensinou-me as primeiras letras nesse idioma quando tinha 10 anos de idade, junto ao meu primeiro e grande amigo de infância, João Bráulio Espínola Nobrega. Entretanto, ele tinha muita dificuldade de aprender idiomas, embora tivesse conhecimento de um extenso vocabulário em inglês. Uma vez, foi consertar seu carro em uma oficina e só se lembrava dos nomes das partes do motor do carro em inglês.

Sofria de uma insônia terrível, talvez devido aos inúmeros plantões que teve que dar no decorrer de sua vida profissional. Dormia poucas horas por dia, mas era possuidor de um sistema nervoso muito bom. Pouquíssimas vezes na vida o vi irritado. Foi o precursor de traumatologia e de ortopedia na Paraíba. Era muito caridoso e muito católico. Gastava bastante dinheiro comprando instrumentos de platina para fazer cirurgias ortopédicas nas pernas de pessoas sem recursos (à época, eram chamadas de indigentes) para corrigir defeitos congênitos. Quando trabalhava no Pronto-Socorro Municipal de João Pessoa, chegou a comprar com seus próprios recursos um aparelho de raios X para esse nosocômio. Tinha muita vontade que me formasse em Medicina, embora nunca tenha me pressionado ou falado desse assunto comigo. Mesmo assim, me deixou de herança o famoso tratado de medicina, *Traité d'Anatomie, de L. Testut, 1922*, que doei posteriormente à biblioteca da UFPB.

Quando morei na Praia do Poço, por treze anos (o primeiro ano foi com meus pais, antes da construção de minha casa), fomos quase vizinhos. A distância da minha casa para a dele era de apenas duas casas. Víamo-nos com muita frequência. Às sextas-feiras, quando voltava à noite de minhas aulas como professor na UFPB, ia diretamente à sua casa para conversar. Na realidade, só quem falava era eu. Falava sobre todo tipo de assunto. E ele só escutava, por vezes rindo.

Interessante: não possuo, nos recônditos da minha memória, dados marcantes sobre meu querido pai. O único que me entristece, do qual guardo grande remorso e que nunca se apagará da memória, é que, devido ao grande amor que dedicava a ele, o abandonei, por covardia, durante os últimos quinze dias de vida, quando veio a falecer, por uma metástase proveniente de um câncer de próstata. Devido ao meu grande apego por ele, sem condições emocionais, faltou-me coragem para apoiá-lo nessa última despedida.

Família Vergara Mendonça: Abelardo, Francisco, Maria, vovó Lili, Clodoaldo, Osmar, vovô Mendonça, Esther e Mário – 1916. Foto: acervo de Célia Lacerda.

Francisco Mendonça Filho,
aos 12 anos de idade – 1920.

Formatura na Faculdade de Medicina
da Universidade do Rio de Janeiro –
Praia Vermelha, Rio de Janeiro,
8 de dezembro de 1935.

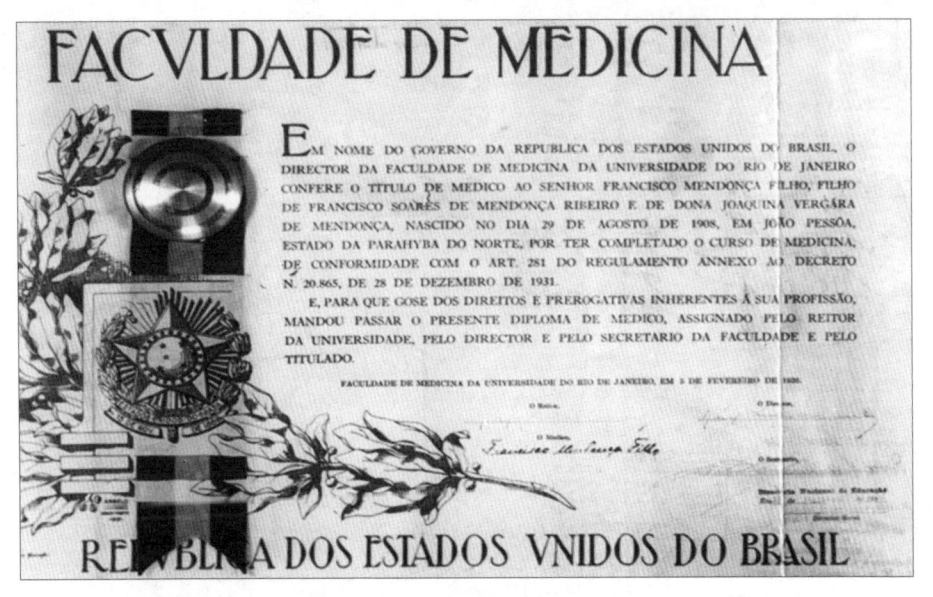

Diploma de graduação em Medicina da Universidade do Rio de Janeiro –
Praia Vermelha, Rio de Janeiro, 8 de dezembro de 1935.

Carnaval no Clube Astréa: Francisco, Osmar Mendonça e Orris Barbosa (*em pé*), com Zuleida, Renata e Waldina (*sentadas*), suas respectivas esposas – João Pessoa, Paraíba, 1943.

Casamento de Francisco Mendonça Filho e Zuleida Rolim Mendonça – 17 de julho de 1941.

Médicos da Maternidade Cândida Vargas: Ariosvaldo Espínola, Danilo Luna (*à frente*), não identificado, Lauro Wanderley, Raul Briquet, Vicente Nogueira, Francisco Mendonça Filho, Atílio Rotta e João Coelho – João Pessoa, Paraíba, década de 1950.

Zuleida Rolim Mendonça e Francisco Mendonça Filho – 1951.

Convite para a comemoração das bodas de ouro de Francisco Ribeiro de Mendonça e Lili (Joaquina) Vergara Mendonça; por ocasião das bodas de ouro, a grande família se reuniu na casa dos meus avós, situada à rua das Trincheiras, 62 – João Pessoa, Paraíba, 1º de julho de 1955.

Casa de Francisco Ribeiro de Mendonça, na rua das Trincheiras, 62 – João Pessoa, Paraíba, 1955.

Bodas de ouro dos meus avós: Lili (Joaquina) e Francisco Mendonça (*sentados*), acompanhados dos filhos Edilberto, Abelardo, Maria, Francisco, Waldina, Clodoaldo e Osmar – João Pessoa, Paraíba, 1º de julho de 1955.

Bodas de ouro dos meus avós: Zuleida Rolim Mendonça, Orris Barbosa, Lídia Mendonça, Francisco Mendonça, Lili (Joaquina), Newton Lacerda, Renata, Lauro Wanderley e Cleide (noras e genros) – João Pessoa, Paraíba, 1º de julho de 1955.

Francisco Mendonça Filho e Zuleida Rolim Mendonça na Praia do Poço – Cabedelo, Paraíba, 1º de agosto de 1976.

Eu e meu pai, Francisco Mendonça Filho – Roma, Itália, 1979.

Aniversário de 80 anos de Francisco Mendonça Filho. *Em pé*, Fábio, Horácio Neves, Selda, Zuleida, Francisco e eu; *agachados*, os netos Luciana, Raquel, Ricardo e Juliana – 29 de agosto de 1988.

Aniversário de 80 anos de Francisco Mendonça Filho, na companhia de sua neta Juliana Coêlho Mendonça – 29 de agosto de 1988.

# Da infância aos setenta
*Sérgio Rolim Mendonça*

———————————•••———————————

Nasci em João Pessoa, Paraíba, numa sexta-feira, 28 de janeiro de 1944 (por pouco não aconteceu no dia 13, meu número de sorte), na Maternidade do Estado. Fui o primogênito de Francisco Mendonça Filho e Zuleida Rolim Mendonça. Tive por avós paternos Francisco Ribeiro de Mendonça e Joaquina (Lili) Vergara de Mendonça e por avós maternos Romualdo de Medeiros Rolim e Edwirges (Dedé) Tavares Rolim. Recebi minha primeira comunhão em 16 de julho de 1952; coincidentemente, nesse mesmo dia e mês, Lucinha, minha esposa, foi batizada em 1947, na Matriz de Alagoa Grande, Paraíba, pelo padre Hildon Bandeira. Casei-me com Lucinha em 21 de dezembro de 1968, núpcias celebradas pelo padre José Paulino Batista, na capela do Colégio das Lourdinas, em João Pessoa, tendo por testemunhas o casal Orlando e Helena Paiva.

Faltava pouco tempo para o nosso casamento quando, ainda trabalhando na Sudene, em Recife, recebi a missão de fiscalizar as obras de construção do sistema de abastecimento de água de Fernando de Noronha. Aquele sistema era único no Brasil, pois a captação de água se daria num morro revestido de cimento, de modo a facilitar o acúmulo da água de chuva em reservatório para, posteriormente, ser tratada e distribuída aos habitantes da ilha. Tinha grande vontade de conhecer esse maravilhoso paraíso tropical. Mas os voos, semanais, eram realizados por uma única empresa aérea. Tive de rejeitar esse trabalho para evitar o risco de, havendo eventual cancelamento de voo num desses dias, não poder chegar a tempo para a realização do casamento. Estou projetando conhecer esse paraíso junto de Lucinha e do amigo Stewart Oakley, professor da California State University.

No ano do meu nascimento, a canção *Besame mucho* pontuava em segundo lugar nas paradas de sucesso internacionais[48]. Cantada por Jimmy Dorsey e Andy

---
48. "Was die welt bewegte…", 1944 Jahreschronik, TSI Branch Office Switzerland, 2011.

Russel, aquela música fora composição da mexicana Consuelo Velásquez (à época, com 15 anos de idade), inspirada na ária de uma ópera composta pelo músico espanhol Enrique Granados Campiña. Inúmeros e famosos artistas tiveram a oportunidade de cantar essa belíssima canção. Entretanto, a versão de que mais gosto é a de Trini López[49]. Por conta disso, Lucinha homenageou-me cantando-a na comemoração dos meus 70 anos.

Destaco outros fatos interessantes que ocorreram no ano em que nasci (1944)[50]:
- a Força Aérea Real inglesa despejou 2.300 toneladas de bombas sobre Berlim;
- forças alemãs ocuparam a Hungria;
- foi criado o Fundo Monetário Internacional;
- a Batalha de Bulge ou de Ardenas foi a grande contraofensiva alemã em face dos aliados, ao final da Segunda Guerra Mundial, tendo os americanos sofrido entre 70 mil e 89 mil baixas, incluindo-se aí 19 mil mortos;
- as tropas soviéticas deram início ao ataque final para a recuperação de Leningrado e Novgorod;
- Anne Frank e sua família foram capturadas pela Gestapo;
- os aliados invadiram a Normandia em 6 de junho (o chamado Dia D);
- Adolf Hitler sofreu atentado com o fito de matá-lo;
- os aliados libertaram Paris logo após o término da batalha da Normandia (25 de agosto);
- a cidade de Leningrado foi libertada dos alemães após dois anos de sítio;
- Mahatma Gandhi foi libertado da prisão;
- o jornal britânico *Daily Mail*, publicado inicialmente em 1896, tornou-se o primeiro periódico transoceânico;
- Adolf Hitler fundou a milícia alemã Volkssturm ("Tormenta do povo"), em 18 de outubro, sendo recrutados homens entre 16 e 60 anos para integrar-se ao plano de defesa da Alemanha e tentar conter o avanço do Exército Vermelho e das tropas anglo-americanas;
- Hans Asperger publicou trabalho histórico sobre o autismo;
- foi outorgado o Prêmio Nobel de Literatura ao dinamarquês Johannes Vilhelm Jensen;
- foi contemplado com o Oscar de melhor filme *O bom pastor* (*Going my way*), estrelado por Bing Crosby e Barry Fitzgerald.

---

49. *Besame mucho* – Trini López. Disponível em: <www.youtube.com/watch?v=vfmkyF0/z/o>. Acesso em: 9 dez. 2017.
50. "Was die welt bewegte…", 1944 Jahreschronik, TSI Branch Office Switzerland, 2011.

Casa de Romualdo Rolim, onde morei com meus pais e avós de 1944 a 1958, na rua Conselheiro Henriques, 90 – João Pessoa, Paraíba.

Durante o curso primário, conheci João Bráulio Espínola Nóbrega, que se tornaria meu primeiro grande amigo. Era primo legítimo de José Humberto Espínola Pontes de Miranda, autor da apresentação deste livro, outro caro amigo de infância. Os pais de João Bráulio eram muito amigos de meus pais e avós. Eles moravam na rua 13 de Maio, 72, e José Humberto, na rua Visconde de Pelotas, 71. Embora morassem em ruas diferentes, suas casas estavam localizadas no mesmo quarteirão, e os quintais coincidiam exatamente um em frente ao outro, de modo que no muro que separava os dois imóveis havia um portão, por onde as duas famílias transitavam livremente. Como já referi em momento anterior, tive uma criação à moda antiga, com pouquíssima liberdade. Entretanto, para ir à casa de João Bráulio, que ficava bem próxima à dos meus avós, era atendido de imediato. Com frequência ia à sua casa jogar boliche, damas e outros jogos de crianças da nossa idade. Às vezes, entrava pela casa de João Bráulio e saía pela de José Humberto, ou vice-versa.

A casa dos meus avós era muito bem localizada para a época. Ficava numa esquina da rua Duque de Caxias, uma das ruas mais importantes da cidade. Durante o carnaval, havia desfile de carros alegóricos, personagens a cavalo, com suas belas fantasias, e diversos blocos com passistas vestidos a caráter, a lotar inúmeros caminhões, todos muito bem ornamentados. E havia também os desfiles de blocos fantasiados de índios. Era comum, também, haver homens vestidos com roupas femininas, a desfrutar dos festejos momescos. O carnavalesco Ciraulo, amigo do meu avô, era pessoa inteligente e tinha uma verve mordaz: costumava desfilar em um caminhão circundado por cartazes, todos contendo críticas, principalmente dirigidas a políticos e governantes. Era costume da época, também, as mães fantasiarem seus filhos e saírem para assistir aos desfiles. Daí a minha coleção de fotos desses tempos, em sua maioria com a minha irmã Selda.

Num certo domingo de carnaval, pela manhã, quando tinha de 8 a 10 anos de idade, lembro-me de ter avistado da janela da casa dos meus avós o atropelamento de uma menina por um médico muito conhecido na cidade, que dirigia um carro Ford Prefect. O acidente aconteceu quando havia pouquíssimo movimento nas ruas (os maiores desfiles ocorriam à noite, quando, então, o corso era bem intenso). O carro chegou a passar por cima do corpo da menina, pois ela ficou entre as quatro rodas do veículo. De imediato, o médico saltou do carro e a socorreu. Felizmente, nada de grave aconteceu com a criança e tudo acabou bem.

Por volta do ano 1952, aos 8 anos de idade, eu gostava muito de ler *Sesinho*, uma revista mensal do Serviço Social da Indústria (Departamento Nacional) dedicada ao público infantil. O exemplar custava, nas bancas, Cr$ 2,00, e a assinatura anual registrada tinha o valor de Cr$ 32,00. Toda vez que ganhava uma, assinava meu nome na capa. Em seu conteúdo constavam as mais variadas matérias. As aulas do Tonico, escritas pela professora Any Bellagamba, versavam sobre biologia, ciências naturais etc. A revista incluía também palavras cruzadas, charadas, quebra-cabeças, capítulos de livros publicados a cada mês, biografias de grandes compositores musicais, como Piotr Ilitch Tchaikovsky, Antônio Bruckner e Giuseppe Verdi, e muitos outros sugestivos assuntos. Havia uma parte na qual se ensinava a elaborar trabalhos manuais, como caixas para presentes, bolsas para carregar livros, estantes para oferecer ao papai etc. Uma das seções interessantes denominava-se "Engenheiro Sesinho". Nela, podíamos aprender a construir um catavento original, por exemplo. Das várias matérias apresentadas que me chamavam a atenção e das quais gostava muito, uma era sobre pássaros e outra, sobre os inimigos do homem. Foi aí que me informei sobre o perigo da barata para nossa saúde. Isso ficou bem gravado na memória. Muitos anos depois, na fase adulta, li A *metamorfose,* a mais célebre novela de Franz Kafka, que muito me impressionou. Há alguns anos, quando estava visitando o museu desse famoso escritor, em Praga, na

República Tcheca, de repente, veio à minha mente a imagem da terrível *Blattodea*, da superordem *Dictyoptera*.

Durante a Semana Santa e em quaisquer outras datas religiosas, as procissões passavam invariavelmente pela rua Duque de Caxias. Lá de casa, assistia-se a todas. Também a tradicional Festa das Neves ficava muito próxima, na rua General Osório, conhecida como rua Nova. No retorno dos passeios em carrosséis, canoas, rodas-gigantes etc., havia uma parada obrigatória na barraca de Dona Nêga, sempre instalada na esquina entre as ruas Nova e Conselheiro Henriques. Era lá que era vendido o melhor cachorro-quente da festa. Lembro-me de um tio, irmão do meu pai, Abelardo Vergara Mendonça, que costumava levar a mim e à minha irmã para esses passeios na Festa das Neves e deliciar-se, na volta, na barraca de cachorro-quente.

Minha cidade, João Pessoa, foi fundada em 5 de agosto de 1585 por colonizadores portugueses, denominada de Cidade Real de Nossa Senhora das Neves. É a terceira capital mais antiga do Brasil. Passou a se chamar Filipeia de Nossa Senhora das Neves, em 1588, em homenagem ao rei Filipe II da Espanha e de Portugal. Durante a invasão holandesa (1630-1654), foi um assentamento da Companhia Neerlandesa das Índias Ocidentais a partir de 26 de dezembro de 1634, por um período de vinte anos, quando recebeu o nome de Frederikstad (Frederica), em homenagem a Frederico Henrique de Nassau, príncipe de Orange. Em 1º de fevereiro de 1654, com o retorno do domínio português, passou a chamar-se Parahyba.

Capa da revista *Sesinho*, n. 54, maio de 1952.

Finalmente, em 4 de setembro de 1930, recebeu o nome de João Pessoa, em homenagem ao presidente do estado, assassinado em Recife.

No centro geométrico de João Pessoa está localizada a Mata do Buraquinho, a maior floresta semiequatorial nativa plana densamente cercada por área urbana do mundo (a da Tijuca é reflorestamento não natural, e a paulistana fica nos limes ou bordas da urbe, além de ficar numa latitude pouco tropical)[51]. Através do decreto federal nº 98.181, a Mata de Buraquinho, com seus 515 hectares, foi declarada, em 1989, área de preservação permanente, ficando sob a responsabilidade do Instituto Brasileiro do Meio Ambiente e dos Recursos Naturais Renováveis (Ibama). Entretanto, 305 hectares permanecem sob a jurisdição da Companhia de Água e Esgotos da Paraíba (Cagepa). A Mata do Buraquinho foi transformada no Jardim Botânico Benjamim Maranhão, por meio do decreto-lei nº 21.264, de 28 de agosto de 2000.

Hans Jorge Kesselring, um entomologista suíço, conhecido internacionalmente em diversas áreas universitárias, casou-se com uma paraibana, radicou-se em João Pessoa e não mais voltou ao seu país de origem. Infelizmente, é muito pouco conhecido no Brasil, e muito menos na terra que adotou como sua. Foi homenageado uma única vez pelo Instituto Histórico e Geográfico Paraibano (IHGP). Conheci-o em 1968 e desde então nos tornamos amigos. Eu trabalhava perto de sua casa, e sempre que surgia uma oportunidade ia visitá-lo. Em um de nossos encontros, me mostrou um livro muito grosso, creio que com mais de mil páginas, escrito em inglês. Explicou-me que era um manual sobre meio ambiente da Suíça, e que toda pessoa que se candidatasse a um cargo político naquele país teria que lê-lo antes de iniciar-se na nova carreira. Criava, caçava e colecionava borboletas. Uma vez por ano, ia a Manaus caçar lepidópteros que vivem na Floresta Amazônica e voam a cerca de 30 metros de altura. Fazia intercâmbio de borboletas que criava no seu quintal com inúmeras universidades estrangeiras. Para se manter, vendia ações na bolsa de valores.

Em 1979, publicou o resultado de uma pesquisa que fez sobre os tipos de borboletas que viviam na Mata do Buraquinho[52]. Foram encontradas 291 espécies de borboletas pertencentes a catorze famílias. Sempre me dizia que, no local onde vivem borboletas, não existe poluição do ar. Morreu modestamente em João Pessoa, com quase 90 anos de idade.

A Mata do Buraquinho (Mata Atlântica) foi preservada por solicitação do patrono da engenharia sanitária brasileira Francisco Saturnino de Brito (1864-1929) ao governo do estado, a partir de 1923, graças à necessidade de se manter o nível do lençol de água de onze poços de alvenaria tipo Amazonas que abasteciam João Pessoa desde 1911, construídos na margem esquerda do Vale

---

51. BARBOSA, Maria Regina de Vasconcellos. *Estudo florístico e fitossociológico da Mata do Buraquinho*. Campinas: Universidade Estadual de Campinas, 1996.
52. KESSELRING, J.; EBERT, H. Relação das borboletas encontradas na Mata de Buraquinho, João Pessoa, estado da Paraíba, Brasil. *Revista Nordestina de Biologia*, João Pessoa, v. 2, n. 1-2, p. 105-118, 1979.

do Jaguaribe pela Parahyba Water Company. Saturnino de Brito, em 1923, por ocasião da ampliação do sistema de abastecimento de água de João Pessoa, estimou que a produção total desses poços era de 33 L/s, ou cerca de 3.000 m³ diários. Na época, daria para abastecer uma população de aproximadamente 20 mil habitantes[53].

O tempo passou e, em 1958, meu pai construiu a casa nº 1.000 da avenida dos Tabajaras, e nos mudamos para lá. Foi nessa nova residência que estudei o final dos cursos ginasial e científico (hoje, Ensino Fundamental II e Médio) e concluí o curso superior de Engenharia Civil (na UFPB, em 1967). No ano seguinte, fui trabalhar no Departamento de Saneamento Básico da Sudene, em Recife, e, a partir de 1969, já casado, fui morar na Praia do Poço. Vivemos por treze anos à beira-mar, intercalados com os períodos de doze meses em São Paulo e catorze meses na Inglaterra.

Na Praia do Poço desfrutei de um tempo maravilhoso. E, em 1982, devido a problemas ocasionados pela distância entre a praia e meu local de trabalho (Cagepa, em João Pessoa), construí a casa nº 297 da rua Jovita Gomes Alves, no bairro Oceania, nosso novo lar. Em 21 de janeiro de 1996, fui morar no exterior e só regressei à terra natal dez anos e dez dias depois, em fevereiro de 2006. Os filhos crescendo, contraindo matrimônio, os netos nascendo.

Os filhos do meu querido primogênito Fábio C. Mendonça (29/11/1969) e de sua consorte Isabel Henrique são os meus dois netos mais velhos. Thiago Henriques Mendonça (3/6/1992) formou-se em Engenharia Ambiental, em 2016, e possui inquestionáveis dons artísticos, herdados da sua bisavó Zuleida Rolim Mendonça; tem muita facilidade para música (já tocou bandolim muito bem) e é exímio desenhista. Já Sérgio Rolim Mendonça Neto (15/9/1993) cursa o quarto ano de Direito e redige muito bem.

---

53. BRITO, Saturnino de. *Projetos e Relatórios – Saneamento de Vitória, Petrópolis, Itaocara, Paraíba e Juiz de Fora – vol. 5*. Rio de Janeiro: Imprensa Nacional, 1943. (Obras Completas de Saturnino de Brito.)

Quatro momentos de minha infância. no carnaval de 1946, em minha fantasia de toureiro; acompanhado de Selda, em nossos trajes de turcos, no carnaval de 1949; novamente nós dois, vestidos como chineses, no carnaval de 1953; no carnaval de 1954, vestido de vaqueiro.

Zuleida, Francisco, Selda e eu – 1951; minha 1ª comunhão – 16 de julho de 1952.

Outros três registros meus importantes: X Jogos Universitários – outubro de 1966; minha formatura – dezembro de 1967; e minha ida a Londres, Inglaterra – outubro de 1978.

Casa de palha pertencente a Romualdo Rolim, no terreno em que foi construída nossa casa na Praia do Poço – Cabedelo, Paraíba, 22 de maio de 1972.

Nossa casa, construída em março de 1973, na Praia do Poço – Cabedelo, Paraíba, 29 de janeiro de 2005.

Casas de nossas famílias na Praia do Poço; meu filho Fábio C. Mendonça
está de chapéu, no mar, e nossa casa é o sobrado que se vê ao centro –
Cabedelo, Paraíba, 5 de dezembro de 1976.

Fábio C. Mendonça – brincando com seu burrinho, 29 de novembro de 1970,
e no Parque Ibirapuera, em São Paulo, 1971; Fábio, Mauro Rolim e Luciana –
17 de agosto de 1976.

Os primos Luciana e Fábio Mendonça, Mauro Rolim (filho de Moacyr) e Raquel e Ricardo Mendonça Neves (filhos de Selda Mendonça e Horácio Neves) – 1972.

Lucinha, Selda e Horácio Neves na Praia do Poço – Cabedelo, Paraíba, 1º de agosto de 1976.

Eu, Lucinha e nossos filhos – novembro de 1982.

Fábio C. Mendonça – Natal, Rio Grande do Norte, 1987.

Os filhos de Luciana e André são Gustavo (1/3/2005) e Caio Mendonça Campos (13/11/2007). Sergipanos como o pai, vivem em Aracaju. Também eles herdaram a veia poética da bisavó Zuleida. Quando Gustavo tinha apenas 8 anos de idade, a professora pediu-lhe que dissertasse sobre sua avó Lucinha. Eis o que escreveu:

> Minha vovó é muito bonita, muuuuuiiiiito carinhosa, muito legal, muito brincalhona, faz tudo que a gente gosta. Minha vovó é velha, mas quando a gente vai brincar na casa dela, é como se tivesse 20 anos. Minha vovó é muito boa contadora de histórias, muito boa cantora de músicas folclóricas. Minha vovó é super-ultra-mega--master melhor que as outras vovós. Ela é tudo isso e muito mais...

Um dos poemas de Gustavo, de julho de 2016, também foi dedicado à sua avó.

### Poema para minha avó

Maria Lúcia Coelho Mendonça
É o nome da minha avó
Eu gosto muito dela
E a amo que só
Minha avó é pessoense
De João Pessoa ela é
Ela gosta muito da gente
E faz muito cafuné

Quando ela vai para Salvador
Eu pergunto pra um guiné
Ué, cadê minha avó?
Tá com tio Lu e tia Zezé.

Gustavo foi classificado em segundo lugar (Megaminx) e em terceiro lugar (Pyranminx) no campeonato de cubo mágico em São José do Rio Preto, São Paulo (8 e 9 de setembro de 2017) e em segundo lugar (Skewb Cube) no campeonato realizado em Salvador, Bahia (2 de dezembro de 2017). Detalhe importante é que todas as pessoas podem participar desses campeonatos, independentemente da idade.

Pedi a Caio, o outro neto, quando tinha só 10 anos, que escrevesse uns versos para mim, a fim de publicá-los no meu livro de memórias. Não teve dúvida e, apenas um dia após meu pleito, em 20 de dezembro de 2017, recebi de sua mãe, Luciana, por e-mail, o seguinte poema:

## Meu avô é...

Meu avô é escritor
E disso eu tenho amor
Meu avô é ajudante
De problemas gigantes

Meu avô é poeta
Poesia é sua meta
Meu avô é inteligente
Mas não sei o que tem em mente

Meu avô é esperto
E também é muito esbelto
Meu avô é legal
E ele não é do mal

Meu avô é amoroso
E também carinhoso
Meu avô é pai
E cuida quando falo ai

Esse é meu avô
E a amizade de seu neto
É maior que seu afeto
Ele é um avô completo.

Por fim, o filho de Juliana e Arnaldo é Théo Coêlho Mendonça da Silva, nascido em São José do Rio Preto, São Paulo, em 2 de fevereiro de 2017. Reside na cidade de Mirassol, a 15 km de sua cidade natal. Suas histórias ainda estão por vir, e ainda pedirei a ele que escreva um poema para mim.

Thiago, Isabel Henriques e Sérgio Neto na Praia do Poço – Cabedelo, Paraíba, 31 de dezembro de 1996.

Thiago Henriques Mendonça (16/7/2009 e 11/9/2012) e Sérgio Neto (16/7/2009).

Meu quinto neto, Théo Coêlho Mendonça da Silva. Na foto, ele está sorridente em sua primeira viagem – Aracaju, Sergipe, outubro de 2017.

Sérgio Neto, Lucinha, eu (com o diploma de professor emérito) e Thiago – 16 de novembro de 2006.

Selda e Horácio Ribeiro Neves, Lucinha e eu na Praia do Poço – Cabedelo, Paraíba, 12 de janeiro de 2008.

Lucinha e eu no Danube Folk Ensemble – Budapeste, Hungria, 15 de setembro de 2013.

*Timão e o polvo*, de
Thiago Henriques
Mendonça. Nanquim
sobre papel Canson, 2015.

Caio, eu, Lucinha e Gustavo no aniversário de Lucinha – Mirassol, São Paulo, 5 de maio de 2017.

## Árvore genealógica de minha família.

| | |
|---|---|
| **Domingos Ferreira de Mendonça** | **Theresa Maria de Jesus Mendonça** |
| **Antônio José Ribeiro**<br>† 22 de março de 1898 | **Caetana Maria da Paixão Ribeiro** |
| **Francisca Maria Vergara** | **Mercedes de Lima Vergara** |
| **Joaquim Napoleão** | **Fortunata Freire de Amparo** |
| **Vital de Sousa Rolim II (Comandante Vital)**<br>☆ Cajazeiras, 1829<br>† Cajazeiras, 24 de abril de 1905 | **Vitória de Sousa Rolim** (prima de Vital de Sousa Rolim II)<br>(sem informação) |
| **Maria Arminda de Carvalho I (Vó Sinhá)** | |
| **Rosendo Tavares da Costa**<br>☆ 1842<br>† 6 de outubro de 1917 | **Francelina Lopes da Costa**<br>☆ 18 de dezembro de 1854<br>† 17 de setembro de 1930 |
| (sem informação) | (sem informação) |

| | |
|---|---|
| **Antônio Soares de Mendonça**<br>☆ Belém de Cajazeiras (PE), 10 de maio de 1845<br>† Parahyba, 18 de outubro de 1921 | **Josefa Ribeiro de Mendonça**<br>☆ 18 de maio de 1850<br>† João Pessoa, 9 de fevereiro de 1943 |
| **José Maria Vergara**<br>☆ Madri (Espanha), 1847<br>† Parahyba, 25 de agosto de 1905 | **Joana de Medeiros Corrêa Vergara**<br>☆ Parahyba<br>† Parahyba, 16 de março de 1926 |
| **Joaquim Gonçalves Rolim**<br>☆ Cajazeiras, 18 de abril de 1864<br>† Cajazeiras, 1899 | **Eulina de Medeiros Rolim (Vó Neném)**<br>☆ Parahyba, 1880<br>† João Pessoa, 25 de outubro de 1952 |
| **Possidônio Tavares da Costa** | **Anna Francisca da Costa** |

| | |
|---|---|
| **Francisco Soares Ribeiro de Mendonça**<br>☆ Várzea Nova (PB), 28 de agosto de 1882<br>† João Pessoa, 4 de julho de 1970 | **Joaquina Vergara de Mendonça (Lili)**<br>☆ Parahyba, 15 de dezembro de 1885<br>† João Pessoa, 7 de junho de 1966 |
| **Romualdo de Medeiros Rolim**<br>☆ Cajazeiras (PB), 25 de outubro de 1895<br>† João Pessoa, 20 de setembro de 1979 | **Edwirges Tavares Rolim (Dedé)**<br>☆ Parahyba, 1º de agosto de 1901<br>† João Pessoa, 10 de setembro de 1983 |

| | |
|---|---|
| **Francisco Mendonça Filho**<br>☆ Parahyba, 29 de agosto de 1908<br>† João Pessoa, 6 de abril de 1992 | **Zuleida Rolim Mendonça**<br>☆ Parahyba, 8 de novembro de 1919<br>† João Pessoa, 4 de abril de 1993 |

132

## Família

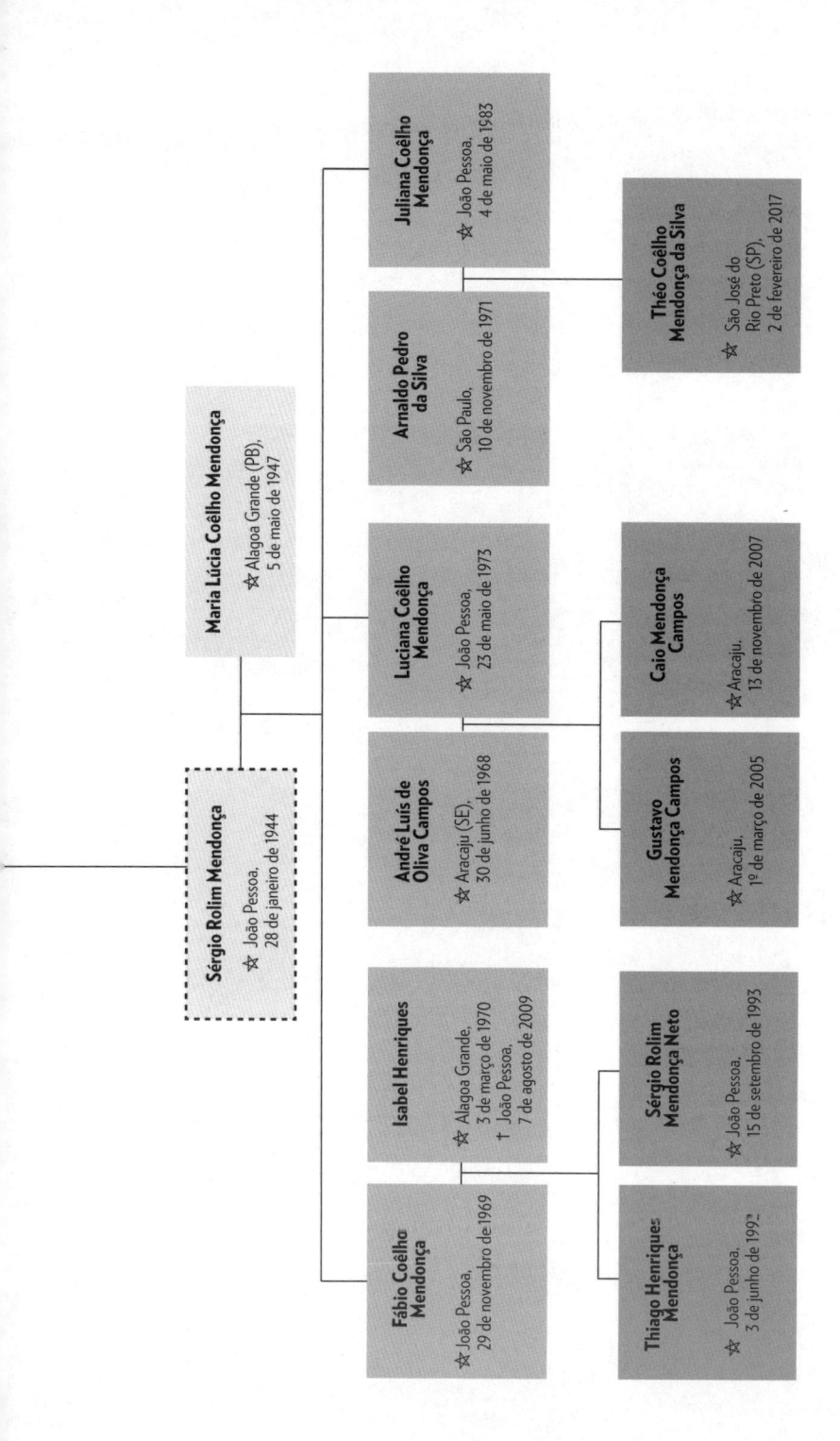

**Sérgio Rolim Mendonça**
☆ João Pessoa, 28 de janeiro de 1944

**Maria Lúcia Coêlho Mendonça**
☆ Alagoa Grande (PB), 5 de maio de 1947

---

**Fábio Coêlho Mendonça**
☆ João Pessoa, 29 de novembro de 1969

**Isabel Henriques**
☆ Alagoa Grande, 3 de março de 1970
† João Pessoa, 7 de agosto de 2009

- **Thiago Henriques Mendonça**
  ☆ João Pessoa, 3 de junho de 1992
- **Sérgio Rolim Mendonça Neto**
  ☆ João Pessoa, 15 de setembro de 1993

---

**Luciana Coêlho Mendonça**
☆ João Pessoa, 23 de maio de 1973

**André Luís de Oliva Campos**
☆ Aracaju (SE), 30 de junho de 1968

- **Gustavo Mendonça Campos**
  ☆ Aracaju, 1º de março de 2005
- **Caio Mendonça Campos**
  ☆ Aracaju, 13 de novembro de 2007

---

**Juliana Coêlho Mendonça**
☆ João Pessoa, 4 de maio de 1983

**Arnaldo Pedro da Silva**
☆ São Paulo, 10 de novembro de 1971

- **Théo Coêlho Mendonça da Silva**
  ☆ São José do Rio Preto (SP), 2 de fevereiro de 2017

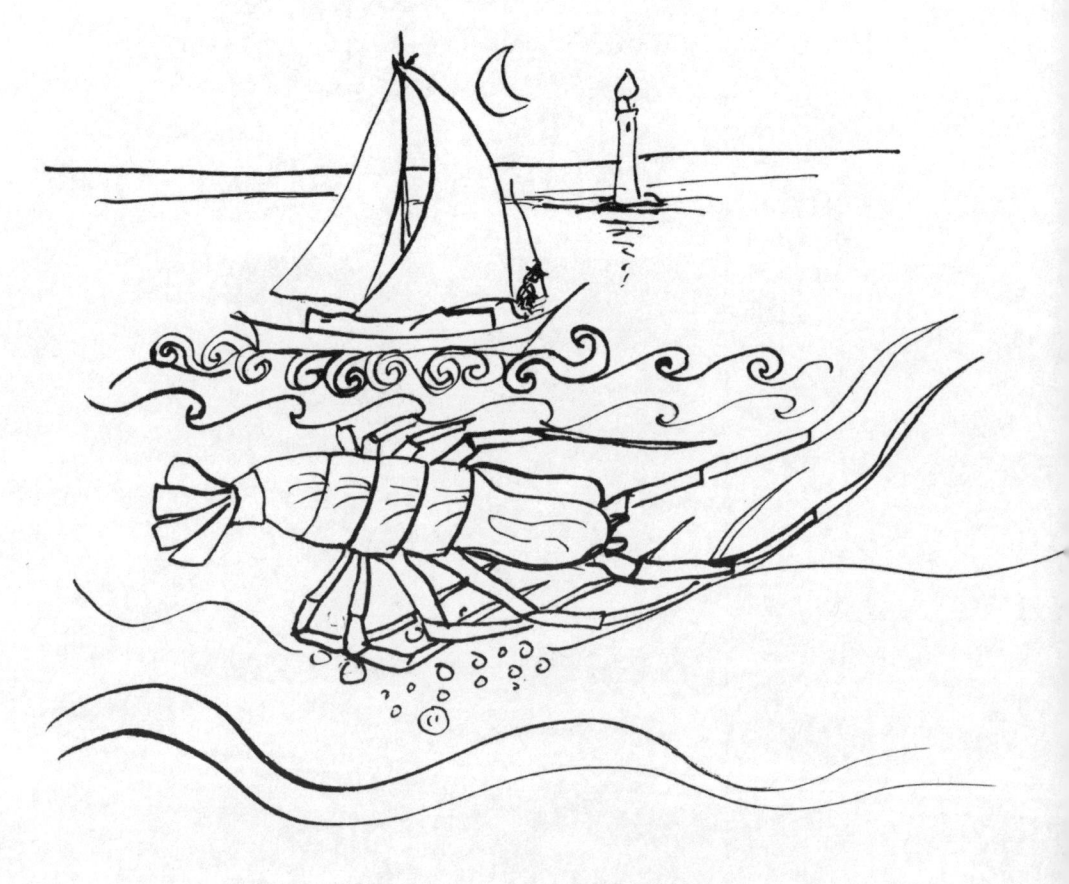
017

# As mulheres de minha vida
*Sérgio Rolim Mendonça*

•―――――――――――•••―――――――――――•

### Eulina de Medeiros Rolim (Vó Neném)

Minha bisavó, a pianista Eulina de Medeiros Rolim (Vó Neném), nasceu em 1880. Quando a conheci, já era viúva do bacharel em Direito Joaquim Gonçalves Rolim. Casou-se novamente – seis anos após o falecimento do seu primeiro marido –, com João Rodrigues Coriolano de Medeiros, em 29 de julho de 1905. Era mãe de Romualdo Rolim e irmã de Maria Arminda Carvalho Ribeiro II, que era casada com Mateus Gomes Ribeiro, pais do agrônomo Evandro de Carvalho Ribeiro e avós dos irmãos Rosas: Liana, Nelson, Clemente, Mateus e Yara. Veio a falecer em João Pessoa, em 25 de outubro de 1952, quando contava 72 anos de idade.

Embora fosse muito moço quando minha bisavó pianista morreu (tinha 8 anos, 8 meses e 27 dias), lembro-me perfeitamente da sua pessoa. Um fato ficaria gravado para sempre nos recônditos da minha memória: um mal-estar que sofreu quando eu lhe fazia uma visita. Como não havia ninguém para ajudar, me ofereci para chamar um médico conhecido, dr. Luiz Gonzaga, colega do meu pai. Morava perto do Palácio do Bispo e sua casa era bastante próxima de onde viviam os meus bisavós Coriolano e Vó Neném, na avenida General Osório, 177. Meu pai também fora avisado, e o serviço médico realizado constou de sangria em um dos braços, costume da época para diminuir crises de hipertensão. Fiquei muito vaidoso por haver sido o responsável por tarefa tão importante. Entendi que havia ajudado a salvar a vida da Vó Neném.

Soube, bem depois, que aqueles bisavós haviam tido vida social bastante intensa quando jovens. A família do meu pai sempre contava que minha tia mais velha, Maria Esther Vergara Mendonça (7/5/1906-13/5/1941), casada com o médico Lauro dos Guimarães Wanderley, era muito bonita. Chegara a ganhar prêmio durante um concurso de Miss Paraíba, realizado muito tempo atrás. Descobri, pesquisando sobre esse tema, que, em 20 de agosto de 1922,

Zuleida (minha mãe), Coriolano, Moacyr (meu tio) e Vó Neném – 1928.

Maria Esther Vergara Mendonça – 1932, 1922 (aos 16 anos, na revista *Era Nova*) e 1935.

fora realizado um concurso para eleger as representantes mais belas de vários municípios do estado, assim como a representante mais bela de toda a Paraíba. Esse concurso aconteceu na redação da revista *Era Nova*, à avenida General Osório, nesta capital, às 13h daquele dia 20.

Em dois trechos da ata do concurso, estava escrito:

> Completa a mesa, usou da palavra o senhor presidente, dizendo que em homenagem à mulher paraibana ia ser escolhida por voto secreto, dentre as fotografias que sobre a mesa estavam, a mulher mais bela do nosso Estado, bem como as que deviam ocupar do primeiro ao quinto lugar [...].
> O senhor presidente referiu-se, então, ao esforço da revista *Era Nova*, promotora do certame, agradeceu o comparecimento de todos, salientando o critério havido e encerrou a sessão da qual eu, Coriolano de Medeiros, secretário *"ad hoc"* lavrei a presente ata, que vai assinada por todos que constituíram a referida mesa julgadora – Coriolano de Medeiros, secretário [...][54].

Da comissão julgadora, presidida por Joaquim Pessoa Cavalcanti de Albuquerque, faziam parte José Américo de Almeida, Severino de Lucena, Adhemar Vidal, Lauro Montenegro, Francisco de Assis e Silva, Vieira d'Alencar, Paulo de Magalhães, Francisco de Sá e Benevides, Edesio Silva e Epitácio Vidal.

Minha tia Esther, aos 16 anos, foi a segunda classificada pelo município de João Pessoa, na época chamado de Parahyba, havendo alcançado o quarto lugar em todo o estado. Era, realmente, muito bonita, como se vê nas três imagens da página anterior. A senhorita Stella Caçador Stähal foi quem logrou alcançar o primeiro lugar, tanto na capital quanto no estado da Paraíba.

## Edwirges Tavares Rolim (Dedé)

Minha avó Dedé nasceu em 1º de agosto de 1901. Era filha do juiz de direito Possidônio Tavares Rolim e de Anna (Yayá) Francisca da Costa. Neta de Rosendo Tavares da Costa e de Francelina Lopes da Costa, tinha por bisavós paternos Antônio Tavares da Costa e Cassemira Acioli Toscano de Brito[55].

---

54. Revista *Era Nova*, edição do centenário da Independência do Brasil, Parahyba do Norte, 1922.
55. TAVARES, Eurivaldo Caldas. *Retrato nobre – dados biográficos de Eurípedes Tavares*. João Pessoa: Unigraf, 1989.

Rosendo Tavares da Costa e Francelina Lopes da Costa, avós de Edwirges.

Possidônio Tavares da Costa e Anna (Yayá) Francisca da Costa,
pais de Edwirges – 16 de agosto de 1919.

Moacyr Rolim,
Edwirges e
Zuleida Rolim
– 1932.

Edwirges Tavares Rolim –
década de 1930.

Carnaval no Clube Astréa: Francisco e Zuleida Mendonça, Alice Wanderley (irmã de Dedé), Romualdo e Edwirges Rolim, não identificada e Abel Wanderley (cunhado de Dedé) – 1942.

Lucinha Mendonça e eu, em nosso casamento, acompanhados de Romualdo Rolim e Edwirges – 21 de dezembro de 1968.

Dedé, Romualdo e o ex-governador Pedro Gondim (*abraçados, ao centro*) e meu sogro Severino de Almeida Coelho (*de camisa branca estampada*), no aniversário de 82 anos de Romualdo – 25 de outubro de 1977.

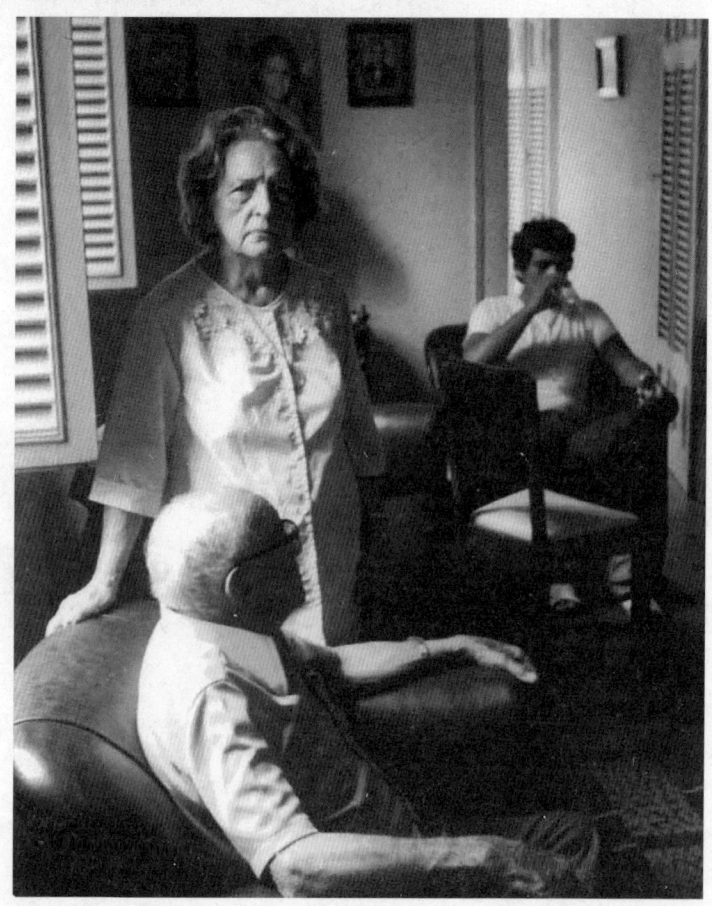

Ocaso de meus avós Dedé e Romualdo – 5 de janeiro de 1979.

Morei por catorze anos na casa dos meus avós Dedé e Romualdo, no n° 90 da rua Conselheiro Henriques, junto a meus pais Francisco e Zuleida e também, posteriormente, com minha única irmã Selda, que nasceria dois anos e meio depois. Foi uma bênção para mim ter tido a oportunidade de conviver com os meus avós por todo esse período, pois fomos educados normalmente pelos nossos pais, sem a condescendência normal que costuma acontecer nas relações de avós e netos.

Meus avós haviam perdido uma terceira filha, de nome Cecy, que tinha, na época, só 5 anos de idade, vítima de enfermidade que não fora possível tratar ante o atraso da medicina na época. Dedé me contou certa vez que, depois da morte da filha, passara cinco anos sem sair de casa. Graças a Deus conseguiu superar e se recuperar, voltando a ser a mesma pessoa de antes.

Possuíam casa na Praia do Poço, onde costumávamos passar quase três meses por ano durante o verão. Todo ano comemorávamos ali, rigorosamente, a entrada do novo ano. Dedé preparava um picado de boi, que era a marca tradicional da festa. Eram cozidos vários quilos de picado, que comíamos com farinha e limão. A quantidade de parentes e amigos participantes era grande. As famílias iam chegando e aumentando durante todo o evento, que era maravilhoso.

Dedé era pessoa muito alegre, festiva e prendada. Na época de veraneio, fazia questão de preparar muitos quitutes, especialmente cavala frita em posta, ensopado, fritada de caranguejo e camarão ao alho e óleo, para saboreio em finais de semana, tudo acompanhado de refrigerantes, cervejas e outras bebidas mais fortes. Ali sempre estavam muitos parentes e amigos. Quem ia à casa de Dedé tinha de comer e beber – não fazê-lo constituía ofensa para ela.

O meu tio Moacyr Rolim[56] contava que meus avós, após o casamento, haviam passado a lua de mel na Praia do Poço, em casa construída com palha de coqueiro. O piso era de terra batida (barro), não havia energia elétrica, a luz era de candeeiro à base de querosene. Tampouco havia água encanada (que só viria a ser implantada muitos anos depois, no final da década de 1970 ou no início da de 1980). O sanitário ficava no fundo do quintal, cercado de paredes de palha, sem teto algum. Uma semana após o matrimônio, já estavam a aguardar a vinda de amigos para visitá-los. Como casaram em 19 de outubro, o verão estava próximo. O primeiro casal a visitá-los num domingo foi um amigo de infância de Romualdo chamado Nabal Barreto, acompanhado da esposa.

---

56. ROLIM, Moacyr Tavares. *Lembranças que ficaram: episódios vividos na Praia do Poço em épocas diferentes, contadas em forma de crônicas*. João Pessoa: Edição do Autor, 2005.

Curioso é que as pessoas, naquela época, eram muito cerimoniosas. Romualdo pedira à minha avó que servisse alguma coisa para o casal, no que foi plenamente atendido. Ela saiu para preparar um chazinho, mas Nabal tinha horror a chá. Pouco depois chegou Dedé com o chá, servido em uma bandeja forrada com um pano bordado, acompanhada de guardanapo, coador, açucareiro e colheres. Nabal não sabia o que fazer, pois não havia como recusar o chá servido por uma fina e educada senhora e que, além do mais, era a esposa de um de seus melhores amigos. Resolveu deixar o chá esfriar e o tomou de um só gole. Para azar de Nabal, minha avó estava a observar e disse em voz alta: "Ele gostou, Romualdo. Vou servir outra xícara". Até hoje não se sabe quantas xícaras o amigo do meu avô teve de tomar.

Minha avó viria a falecer em 10 de setembro de 1983, quando contava 82 anos de idade, vítima de um câncer de fígado, que resultara do acúmulo de pedras na vesícula. Sua enfermidade foi lenta e, talvez por isso, um dia antes de partir (parece até premonição), pediu para se despedir individualmente de filhos, netos e parentes mais chegados, o que me causaria uma grande tristeza.

## Zuleida Rolim Mendonça

Minha mãe, Zuleida Rolim Mendonça, nasceu em João Pessoa em 8 de novembro de 1919, no prédio nº 255 da rua Visconde de Pelotas. Era filha de Romualdo de Medeiros Rolim e Edwirges Tavares Rolim (Dedé). Seus avós paternos eram Joaquim Gonçalves Rolim, bacharel em Direito, e Eulina de Medeiros Rolim. Tinha por avós maternos Possidônio Tavares da Costa, juiz de Direito, e Anna Francisca da Costa.

Romualdo Rolim, seu pai, fora deputado classista em 1934, representando o funcionalismo estadual junto à Assembleia Legislativa do Estado. Posteriormente, foi diretor do Montepio do Estado. Chegou a ocupar várias vezes o cargo de diretor do tesouro no estado da Paraíba, a ponto de ser chamado, pelos colegas, de Diretor Perpétuo. Por duas vezes foi secretário da fazenda, agricultura e obras públicas, quando dos governos de Antenor Navarro e Gratuliano de Brito (interventor). Em 1932, após a morte do presidente João Pessoa (era assim que se chamavam, na época, os governadores de estado), foi nomeado, pelo interventor Gratuliano de Brito, principal assessor do tenente Ernesto Geisel, de quem se tornaria grande amigo.

Único irmão da minha querida mãe Zuleida, Moacyr Tavares Rolim tinha formação em Química Industrial e Administração de Empresas. Foi diretor presidente e fundador da Caern e diretor administrativo da Suplan e da Cagepa.

Zuleida – 1951.

Minha mãe casou-se com meu pai, Francisco Mendonça Filho, em 17 de julho de 1941. Dr. Mendonça, como era chamado, foi precursor de traumatologia e ortopedia na Paraíba, fundador da Faculdade de Medicina e professor emérito da UFPB. Dessa união nasceram os filhos Sérgio e Selda Rolim Mendonça. Tenho a honra de ser, atualmente, o mais velho dos familiares de Coriolano de Medeiros. Com Lucinha (minha esposa, professora de inglês), dei três netos à minha mãe: Fábio (bacharel em Direito), Luciana (engenheira civil) e Juliana (médica). Já a minha irmã Selda Mendonça Neves (enfermeira), casada com Horácio Antônio Ribeiro Neves (médico angiologista, ex-professor da UFPB e ex-funcionário do INSS), daria à minha mãe dois netos: Raquel (enfermeira) e Ricardo Mendonça Neves (médico oncologista).

Minha mãe fez o curso primário na Escola Santa Therezinha, das professoras Tércia e Maria da Luz Benevides. Era muito inteligente e prendada. Tocava acordeão e órgão, talento musical que ressurgiria no bisneto Thiago. Era excelente pintora e tinha uma certa veia poética que transmitiria, geneticamente, a duas de suas netas, minhas filhas Juliana e Luciana. E, ainda, a dois bisnetos: Gustavo e Caio.

Zuleida – 1923 e 1928 (sua primeira comunhão); ao lado, os noivos Zuleida e Francisco na Praia do Poço – Cabedelo, Paraíba, 1938.

Zuleida e Moacyr com sua Vó Sinhá – 1935.

Recentemente, a escritora Regina Targino[57] publicou em livro uma seleção de poesias e depoimentos encontrados no "Álbum de Tércia Bonavides". Dentre as poesias, lá estava uma de minha mãe (de quando tinha apenas 13 anos). Essa poesia cuido de transcrever mais adiante, com observância da ortografia atual.

Zuleida tinha grande vontade de viver. Infelizmente, por um erro médico e/ou pelo atraso da medicina da época, ficou com sequela em uma das pernas, após o segundo parto, o que viria a dificultar enormemente a circulação sanguínea, fazendo com que a perna permanecesse sempre inchada e provocasse o surgimento, vez por outra, de úlceras nas proximidades do tornozelo. Tive o consolo de passar com ela, junto à família, em minha casa, o último dia da sua vida. Almoçamos juntos e sorrimos bastante. Aproximadamente às 17h daquele 4 de abril de 1993, um domingo, logo após Lucinha deixá-la em seu apartamento, veio a falecer repentinamente, vítima de uma embolia pulmonar, consequência de trombo na perna enferma.

―――***―――

### No dia das férias
*(Zuleida Rolim, novembro de 1932)*

Peço a palavra! Senhores
E senhoras – Não é trama
Destes versos incolores
Surgirem extraprograma
Foi coisa minha, somente,
Dizer nesta ocasião
Tudo, tudo quanto sente
Meu pequeno coração.

Depois de tanta alegria,
Tanto prazer de verdade,
Ouvirei, em demasia
Os acordes da saudade
Saudade... tão penetrante

---

57. TARGINO, Regina Rodriguez Bôtto. *Maria Tércia Bonavides Lins: uma educadora para seu tempo.* João Pessoa: Ideia, 2017.

Que até tristeza produz
Saudade sempre constante
De Tércia ou de Daluz.

Saudades que eu vou curtir
Quantas lembranças congregas?
Saudades... que eu vou sentir
Das minhas boas colegas.

Saudade sim, verdadeira
D'aulas da gente, de tudo,
Da hora da brincadeira
Antes da hora do estudo!

Ecoa n'alma um binário
De saudades, desde já,
Desse passeio diário
Que tão cedo voltará!

Desculpe-me, circunstantes,
Colegas e mestres meus;
As saudades são bastantes,
Meus cumprimentos. Adeus.

## Maria Lúcia Coêlho Mendonça (Lucinha)

Lucinha nasceu em 5 de maio de 1947, às 23h30, no prédio nº 56 da rua Getúlio Vargas, em Alagoa Grande, Paraíba. Filha de Severino de Almeida Coêlho, agente fiscal do estado, e Olga Régis Coêlho. Seus avós paternos eram Amaro Feliciano José Coêlho e Olímpia de Almeida Albuquerque, e os maternos, Cândido Régis de Brito e Guilhermina de Almeida Régis.

Comecei a namorar Lucinha em 8 de setembro de 1963, na festa de encerramento dos VII Jogos Universitários da Paraíba, que se realizavam no Clube Astréa. Eu cursava o primeiro ano de Engenharia Civil e estava muito feliz porque a Escola de Engenharia da Universidade da Paraíba (EEUP) recebera o título de campeã de voleibol, tendo sido eu escolhido, pela Federação Paraibana de Desportos Acadêmicos (FPDA), como o melhor cortador de voleibol do certame.

Minha irmã Selda, eu e Lucinha no Colégio das Lourdinas – 8/12/1963.
Lucinha e eu, com roupas idênticas, prontos para o carnaval no Cabo Branco –
João Pessoa, Paraíba, 1964. Lucinha, contemplativa na Praia do Poço –
Cabedelo, Paraíba, 28 de janeiro de 1968.

Nessa época, Lucinha tinha apenas 16 anos de idade e cursava o segundo científico (hoje, Ensino Médio) no Colégio Nossa Senhora das Neves, em João Pessoa. Combinamos nosso primeiro encontro para a saída do colégio, na segunda-feira seguinte. Ocorre que no domingo, véspera do encontro, aconteceria um jogo de exibição em Recife entre as seleções universitárias de voleibol da União das Repúblicas Socialistas Soviéticas (URSS) e de Pernambuco. A seleção soviética acabara de disputar a III Universíade de Verão em Porto Alegre, entre 30 de agosto e 8 de setembro de 1963, havendo se sagrado campeã de voleibol masculino.

Dissera-me Marcus Massa não poder perder essa grande oportunidade de assistir a tão importante partida de voleibol. Confirmei que iria com ele e pedi a uma vizinha, Ronilda Bezerra Correia, coincidentemente colega de classe de Lucinha, que a avisasse que eu não poderia comparecer em virtude dessa inesperada viagem ao Recife. Lucinha, muitos anos depois, viria a me confessar que exclamara, então: "Esse namoro começou bem!". Viria a marcação de novo encontro, este realizado, quando iniciamos nosso namoro.

Os pais de Lucinha viveram até 1964 em Alagoa Grande. Quando começamos a namorar, ela morava em Jaguaribe, na casa dos primos Djalma e Maria Nely de Farias Coêlho. Guardo até hoje na memória imagens desse tempo. Entre elas, a do nosso primeiro encontro e a que está representada numa das fotos seguintes, quando Lucinha aparece em frente a uma Kombi.

Em 1965, o edifício Caricé estava em início de construção. Fica na avenida Getúlio Vargas, 109, em João Pessoa, bem próximo à Lagoa. Naquele ano, iniciaram a venda dos apartamentos. Prestação mensal para os menores apartamentos (90 m² de área útil) de Cr$ 213,00. Estagiando no Departamento de Água e Esgotos da Capital (Daec), eu recebia Cr$ 70,00 por mês. Perguntei a meu pai se ele poderia me apoiar nesse investimento, pagando a diferença sob a condição de eu futuramente lhe pagar a totalidade do valor que viesse a dispender. Assumi o compromisso de utilizar a totalidade do meu salário na compra do imóvel, com a esperança de que, tão logo me formasse, pudesse ressarcir o valor dispendido pelo meu pai. A promessa do construtor era de que o prédio seria entregue no começo de 1968. Assim, tão logo me formasse (final de 1967), deveria contar com alguma reserva monetária, casar no final de 1968 e mudar-me, com minha esposa, para o novo apartamento.

Assim que nos casamos, ao tempo programado, meus pais nos convidaram para passar o veraneio com eles na Praia do Poço. O edifício Caricé só viria a ser concluído anos depois. Como não pretendíamos ficar muito tempo na casa dos meus pais, falei com o meu avô Romualdo para nos alugar uma de suas casinhas pelo preço que cobrava de veranistas para temporada de três meses e dividir esse valor em doze parcelas mensais iguais. Ele não perderia dinheiro e teríamos uma casa para morar, humilde, sim, mas em frente ao mar, na Praia do Poço.

Passamos cinco anos maravilhosos na casa locada de meu avô, que, de tão antiga, numa noite de sábado, teve desabado o telhado do quarto de serviço, onde dormia uma empregada doméstica contratada na véspera. Por sorte, não veio a se machucar muito, restando-lhe apenas alguns hematomas nas pernas. Coisa pouca, mas o suficiente para, no dia seguinte, pedir as contas.

A casa fora construída em taipa, ao alvorecer dos anos 1920, por Coriolano de Medeiros e, após o seu falecimento, foi herdada pelo meu avô. Não era segura, mas vivia-se época de grande tranquilidade, praticamente sem ladrões ou malfeitores, na Praia do Poço, cuja frequência de banhistas ainda era mínima. Verdadeiro paraíso tropical, praticamente inexplorado, a apenas 12 km de João Pessoa. Só em 1973 foi que nos mudamos para outra casa, por mim construída, que será descrita em outro capítulo deste livro.

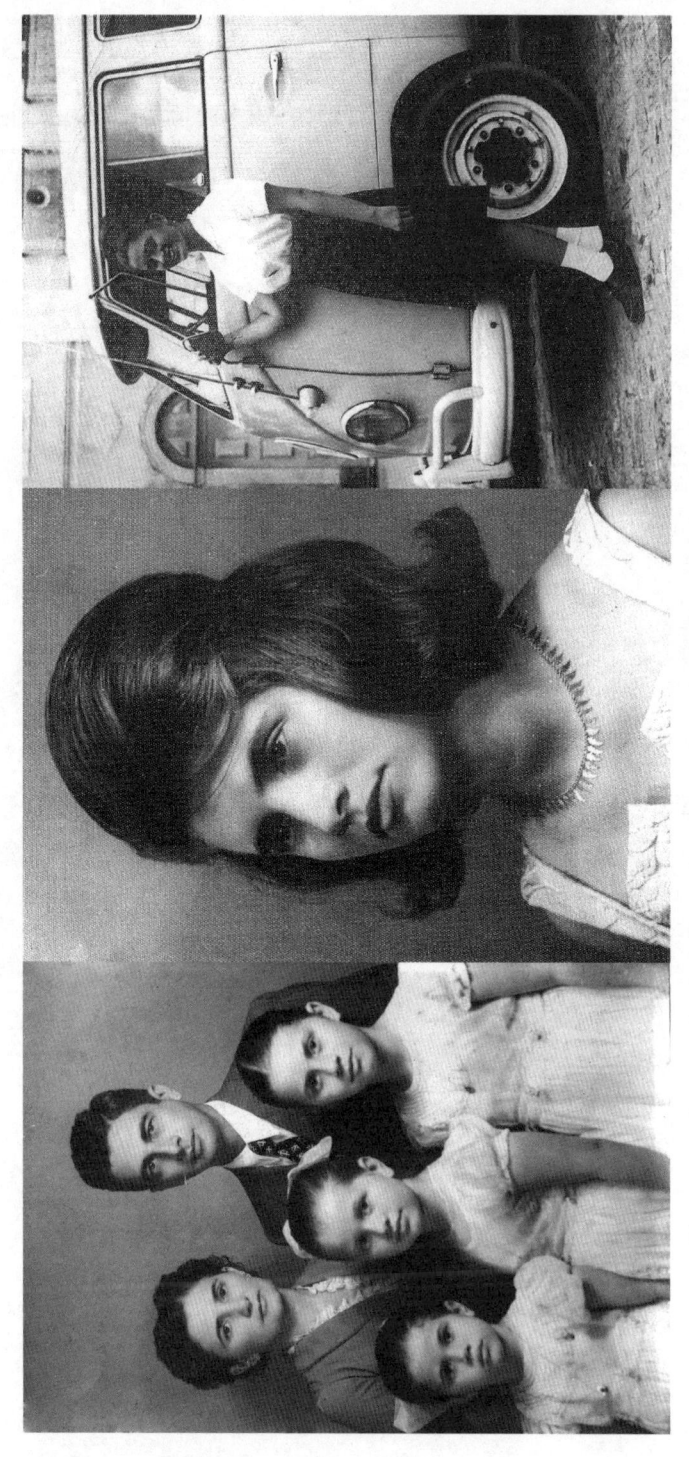

Olga Régis e Severino de Almeida Coêlho com as filhas Valneide, Valdete e Lucinha – 1954. Lucinha em seu aniversário de 15 anos – maio de 1962 – e ao lado da já mencionada Kombi – novembro de 1963.

Heriberto e Valdete R. Navarro, Lucinha e eu no carnaval – Cabo Branco, João Pessoa, 1965. Lucinha e eu, namorando à beira-mar; ao lado, somente Lucinha, sempre elegante, na Praia do Poço – Cabedelo, Paraíba, 1969 e 1975, respectivamente.

Lucinha e eu em nosso casamento, acompanhados de meus pais, Francisco e Zuleida (à esquerda), e dos pais de Lucinha, Olga Régis e Severino Coêlho (à direita), na capela do Colégio das Lourdinas – 21 de dezembro de 1968.

Lucinha e eu –
Havana, Cuba, 2001.

Comemoração de 30 anos
de nosso casamento –
Bogotá, Colômbia, 21 de
dezembro de 1998.

Lucinha e eu – 15 de agosto de 2008.

O apartamento do edifício Caricé, pago em parcelas mensais desde junho de 1965, viria a ser totalmente quitado em maio de 1974. O valor total da aquisição, sem correção monetária, correspondeu a Cr$ 41.234,27, dos quais arquei com Cr$ 36.588,07 (88,7%) e o meu pai, com Cr$ 4.646,20 (11,3%), já que terminou por dispensar-me do pagamento da dívida.

Tive com Lucinha três filhos: Fábio, Luciana e Juliana. E, até agora, cinco netos varões: Thiago, Sérgio Neto, Gustavo, Caio e Théo. Minha querida Lucinha sempre foi meu anjo da guarda. Tudo que consegui na vida foi graças à sua compreensão, à sua bondade, ao seu apoio e ao seu incentivo. Neste 2018, comemoramos 50 anos de matrimônio – ou seja, 55 anos do início de nosso namoro.

## Luciana Coêlho Mendonça

Luciana nasceu às 20h15 do dia 23 de maio de 1973, na Casa de Saúde e Maternidade Roberto Granville, em João Pessoa. Cursou o maternal no Colégio Gepeto e alfabetizou-se em Leeds, Inglaterra, enquanto eu fazia o mestrado sobre Controle da Poluição Ambiental na University of Leeds. Teve então por professora mrs. Cowie, na Gledhow Primary School[58]. De volta ao Brasil, cursou o Ensino Fundamental no Instituto Sagrado Coração de Jesus e o Ensino Médio no Instituto João XXIII e no Central de Aulas. Desde cedo minha querida Luciana queria estudar Engenharia. Sempre lhe dizia, brincando: "Não vale a pena, pense em outra carreira". Ela, muito segura do que queria, voltava sempre a insistir.

Em 1985, fiz, com José Reinolds Cardoso de Melo, projeto de microdrenagem urbana de obra a ser realizada com financiamento do Banco Nacional de Habitação (BNH) no Município de Santa Rita. Descobri, tempos depois, por intermédio de um aluno, que haviam abandonado nosso projeto e contratado engenheiro de outro estado para a realização de um novo estudo. Fiquei bravo. Por que não nos avisaram? Teriam de provar, antes, que o nosso projeto não estava correto. Telefonei imediatamente para o diretor do BNH na Paraíba e pedi-lhe explicações. Disse-lhe que iria ligar para a sede e exigir que nos explicassem a razão de o nosso projeto haver sido rejeitado. Após troca de correspondência, o BNH mandou vir um engenheiro do Rio de Janeiro intermediar a polêmica. Ora, marcaram reunião para as 11h da manhã de uma quarta-feira e tive de buscar Luciana no colégio. Assim, ela teve de me acompanhar na

---

58. A Gledhow Primary School está localizada em West Yorkshire. Disponível em: <www.gledhow.leeds.sch.uk>. Acesso em: 6 mar. 2018.

reunião. Cheguei furioso e logo na entrada vi o diretor de determinada empresa do estado a folhear um livro intitulado *Manual de drenagem urbana*. Disse-lhe o seguinte: "É bom ler tudo para ver se aprende um pouco!". No final, o representante do BNH do Rio de Janeiro pediu-me desculpas e decidiu que o nosso projeto estava correto, mas carecia de algumas pequenas modificações (só para não dar o braço a torcer, porque o projeto estava totalmente correto). Resultado: tiveram de nos pagar novamente para fazer praticamente a mesma coisa. Ou seja, recebemos o dobro do que nos deveria ser pago e, finalmente, o projeto foi executado.

Naquele dia, ao chegarmos em casa para almoçar, Luciana, morrendo de fome (tinha apenas 12 anos), disse: "Painho, desisti de fazer Engenharia". De fato, para uma criança daquela idade, presenciar discussões do porte das que ouviu teria de causar, como efetivamente ocasionou, algum trauma. No caso dela, com duração de aproximadamente três anos, depois dos quais voltou a insistir na carreira. Desde então, nunca mais desistiu da Engenharia. Luciana graduou-se em Engenharia Civil pela UFPB, tendo estudado ali de 1991 a 1995 (quatro anos e meio). Quando, aprovado em concurso público, fui trabalhar na Opas/OMS em Bogotá, Colômbia, Luciana decidiu realizar mestrado em Engenharia Hidráulica e Saneamento na Escola de Engenharia de São Carlos (EESC) da Universidade de São Paulo. E, mais adiante, escolheu concluir o doutorado na mesma área. As duas etapas foram concluídas entre 1996 e 2002. Em São Carlos, conheceu um colega sergipano, André Luís de Oliva Campos, engenheiro químico e de segurança do trabalho, que também fazia doutorado, com o qual contraiu matrimônio, em 24 de abril de 2004. É, atualmente, professora associada da Universidade Federal de Sergipe (UFS) na área de saneamento e meio ambiente, no Departamento de Engenharia Civil (DEC) e no Programa de Pós-Graduação em Engenharia Civil (Proec). O seu marido, André, é engenheiro de processamento da Unidade de Negócios Sergipe/Alagoas da Petrobras (Unseal) e também tem mestrado e doutorado em Engenharia Hidráulica e Saneamento, pela EESC.

Luciana nunca me deu trabalho e sempre procurou escutar e seguir (quase) todos os meus conselhos. Tem dois filhos, Gustavo (1/3/2005) e Caio Mendonça Campos (13/11/2007). Atualmente, reside em Aracaju, Sergipe.

Luciana, com 1 ano de idade – 23 de maio de 1974; em sua formatura –
18 de agosto de 1995; e em Machu Picchu, Peru – 2003.

Turma de Luciana na Gledhow Primary School – Leeds, Inglaterra, 1978/1979.

Profa. Eloisa Pozzi, Luciana, André Campos, Zélio e Valneide Ramos,
Lucinha e eu na defesa de tese de doutorado de Luciana –
São Carlos, São Paulo, 22 de novembro de 2002.

Noivos Luciana e André Campos na Praia de Jacaré –
Cabedelo, Paraíba, janeiro de 2004.

Lises e André Campos, Luciana, eu e Lucinha no casamento de Luciana e André – João Pessoa, Paraíba, 24 de abril de 2004.

André e Luciana com os filhos Gustavo e Caio – Aracaju, Sergipe, 4 de julho de 2009.

## Juliana Coêlho Mendonça

Também em João Pessoa nasceria Juliana, às 11h30 do dia 4 de maio de 1983, na Maternidade Santa Lúcia. Fez o curso primário e até o segundo ano do Ensino Fundamental no Instituto João XXIII, em João Pessoa. Tinha 12 anos quando nos mudamos para Bogotá, na Colômbia. A adaptação à língua espanhola se deu rapidamente, havendo concluído o Ensino Fundamental no Liceo Boston, um ótimo colégio. Para terminar o Ensino Médio, entretanto, optamos por outro colégio, o The English School (Fundación Colegio de Inglaterra), onde estudavam os filhos das pessoas abastadas da Colômbia.

Todos os professores do The English School eram originários da Grã-Bretanha, e o nível de ensino era excelente. Dada a minha condição de funcionário da Opas/OMS, foi fácil mantê-la naquele educandário, pois a organização participava com 75% dos custos da mensalidade. Juliana contou-me que, durante a entrevista para ingressar no colégio, foi tentada a dar respostas erradas a várias perguntas, a fim de não ser admitida. Estava acostumada com as colegas do Liceo Boston e não queria se afastar das amigas. Lamentei por um colega que levou duas filhas para estudar no The English School que não lograram aprovação no exame.

Quando fui trabalhar no México, o que se deu a partir de 30 de janeiro de 2001, Lucinha e Juliana permaneceram por mais seis meses em Bogotá. Juliana precisava concluir o Ensino Médio e pretendia continuar morando na Colômbia, e eu teria de passar aquele período na Cidade do México. Ponderei que, uma vez formada, poderia decidir como quisesse. Àquela época, muito jovem ainda, não era aconselhável que ela permanecesse na Colômbia, um país muito violento. Seria preferível até que voltasse ao Brasil, se fosse o caso. Era uma ótima aluna e estava aculturada como verdadeira colombiana, prestes a submeter-se ao vestibular de Medicina naquele país. Tive de ser muito forte para fazê-la regressar ao Brasil e iniciar, aqui, a vida universitária. Não admitiu voltar para João Pessoa. Primeiro, porque saíra muito criança, já não conhecia quase ninguém; depois, porque queria se formar em Medicina e gostaria de estudar em lugar mais desenvolvido.

Foi assim que, aos 18 anos e meio de idade, saiu da casa dos pais e foi viver com a irmã Luciana, que, na época, já estava por concluir o mestrado em São Carlos. Seria Luciana, dez anos mais velha, quem orientaria Juliana nos afazeres da vida. Matriculou-a num cursinho preparatório para o vestibular. Juliana teve de enfrentar um sem-número de barreiras, melhorar o português, estudar literatura portuguesa, aprender a história e a geografia do Brasil, enfim, se adaptar novamente ao país de origem. Além disso, precisou se acostumar a viver sem a regalia da presença dos pais. Durante dois anos, estudou com afinco, até lograr aprovação no vestibular de Medicina das Faculdades Integradas Padre Albino (Fipa) em Catanduva, São Paulo (2004-2009). No período de 2010 a 2016, fez residência em Clínica Médica, Cardiologia e Medicina Intensiva Adulta nas cidades de Marília, São José do Rio Preto e Catanduva, respectivamente, todas no estado de São Paulo. Obteria, após cada residência, o título de especialista em Clínica Médica, Cardiologia e Medicina Intensiva, respectivamente, pelo Conselho Federal e pelo Conselho Regional de Medicina (CFM e CRM).

Muitos anos depois, já formada em Medicina, perguntei a minha querida Juliana: "Foi bom tê-la convencido a regressar para o Brasil?". Prontamente, retrucou: "Você não me convenceu coisa nenhuma. O que houve foi que você me obrigou!". Embora ainda muito jovem, Juliana já possui grande experiência profissional e de vida, é fluente em inglês e espanhol, e quem não a conheça bem, ao ouvi-la ao telefone, tem a impressão de ser colombiana.

Em 19 de maio de 2012, Juliana casou-se com o médico cardiologista paulistano Arnaldo Pedro da Silva, em São José do Rio Preto. Trabalha nessa cidade e reside, com o marido, em Mirassol, distante 15 km do local de trabalho. É mãe de Théo Coêlho Mendonça da Silva (2/2/2017), de pouco mais de um ano de idade.

Juliana, aos 6 anos – João Pessoa, maio de 1989; em sua formatura do Ensino Médio – Bogotá, Colômbia, julho de 2001; e fera da Medicina, após passar no vestibular – Catanduva, São Paulo, 2003.

Luciana e Juliana – Bogotá, Colômbia, 1999.

Juliana, eu e Luciana, nas festas natalinas – João Pessoa, Paraíba, 1994.

Dr. Adib Domingos Jatene (ex-ministro da saúde e um dos pioneiros da cirurgia cardíaca no Brasil) e Juliana – 23 de setembro de 2006.

Juliana e Arnaldo Pedro da Silva na formatura de Arnaldo –
Catanduva, São Paulo, novembro de 2006.

Dr. Áureo Ciconelli (cirurgião que realizou o primeiro transplante de rim no Brasil)
e Juliana – Catanduva, São Paulo, 27 de março de 2008.

Formatura em Medicina, um dos dias mais felizes de Juliana – Catanduva, São Paulo, 20 de novembro de 2009.

Arnaldo e Juliana em seu casamento, acompanhados de Lucinha e eu – São José do Rio Preto, São Paulo, 19 de maio de 2012.

# A escola de dona Térsia Bonavides
*Hugo Caldas*[59]

• • • • • •

Dizia o poeta que antigamente a escola era risonha e franca. Será que era mesmo?

Estudei na escola de Dona Térsia Bonavides, ali na rua das Trincheiras, 401. Sua irmã, dona Da Luz, também era professora. O espaço físico era muito acanhado: mesinhas e tamboretes de diversos tamanhos, comprados, me parece, na feira de Jaguaribe, se espalhavam por todo o grande salão. Grupos de diferentes estágios estudavam juntos, mas no final tudo dava certo.

Ah, os livros desse tempo! Crestomatia[60]...

De tanto ouvir os alunos mais velhos na hora da lição de leitura (existia, sim!), ainda hoje me lembro de um dos textos:

> Um célebre poeta polaco descrevendo em magníficos versos uma floresta encantada de seu país imaginou que as aves e os animais ali nascidos, se por acaso se achavam longe quando sentiam aproximar-se a hora de sua morte, voavam ou corriam e vinham todos à sombra das árvores onde tinham nascido.

O danado é que não lembro o autor.

Todos, absolutamente todos, sob uma rígida disciplina não só quanto à aplicação nos estudos, mas também, e principalmente, no tocante ao comportamento. É bem verdade que já não se usavam palmatórias, mas beliscões e castigos outros, tais como reguada nos dedos, ou ficar em pé contra a parede. Ah, esses ainda funcionavam e muito bem. E não causavam "traumas". Nun-

---

59. Trecho do blog *Unlimited*, de Hugo Caldas, de 13 de janeiro de 2007. O autor foi de tudo um pouco. Sacristão, aeroviário, ator, autor, cineasta, professor de inglês, empresário e agente franqueado dos Correios. Trabalhou na Panair do Brasil, Varig, Transatlântica Argentina e no US Army. Foi também proprietário de uma rede de seis escolas de línguas em Recife.
60. A bíblia de quem fazia exame de português para admissão ao ginásio (hoje, Ensino Fundamental II).

ca ouvi falar de algum debiloide oriundo de escola que usasse e abusasse de tais métodos de disciplina. Ao contrário, hoje guardo as melhores lembranças daqueles tempos. A não ser que eu seja um tremendo masoquista...

Ceres[61] (deusa romana da agricultura) era uma linda garotinha bem-comportada, que literalmente enfeitiçou o meu coração com os seus olhos lindos e tristes. Sentava perto de mim e eu sentia o perfume que ela usava. Ceres nunca soube, mas foi o meu primeiro grande amor...

Usava-se um tal de Sapato Tank que tinha um emaranhado de chapinhas de ferro no solado. Lembro de dois irmãos, oriundos de Macau, Rio Grande do Norte, que na impossibilidade de ter cada qual seus próprios sapatos, usavam um mesmo par, cada um em um pé diferente e uma mancha de iodo no outro pé, simulando um ferimento. Um desses irmãos adorava beber a tinta dos tinteiros, vivia com a língua como quem come azeitonas, roxa. Dona Tércia costumeiramente implicava com um deles e dizia no maior desdém: "Você, ao continuar desse jeito não chegará a ser ninguém. Não vai dar para nada". Pois bem, contrariando a tudo e a todos, esse garoto se transformou em um empresário riquíssimo. Grande negociante em Recife, mora em uma fazenda no interior do estado para onde vai e vem de helicóptero.

Uma das maneiras de afirmar o "marketing" da escola era poder contar com a presença de ex-alunos que de certa forma tiveram sucesso na vida. Essas personalidades vez por outra nos visitavam e deixavam nos alunos daquela geração que se estava formando o exemplo a ser seguido. Ficávamos, quando das visitas, em estado de êxtase, absolutamente maravilhados.

Meu primo Wilson Santa Cruz, por exemplo, que alcançou o alto oficialato no Exército, foi aluno e orgulho da escola. Roberto Pessoa Ramos, herói da FAB, também foi aluno da escola e esteve por lá de visita após a guerra. Motivo do maior orgulho ter um herói na nossa escola. Aquilo que aprendemos na mais tenra idade jamais será esquecido. Nunca esqueci dona Tércia Bonavides e sua pequena escola.

A vida seguiu seu rumo. Guardo entre as minhas lembranças outras escolas e outros colégios, como o Pio X com seus abnegados irmãos Maristas, o Lyceu Paraibano e o Prof. Otacílio Nóbrega de Queiroz, o Colégio Lins de Vasconcelos, do Prof. Nery (onde tive lições de esperanto), junto aos seus mestres e "lentes" de todas as matérias.

---

61. Ceres Mendonça Lacerda, prima legítima de Sérgio.

As amizades que fizemos e que cultivamos até hoje. Um amigo desses tempos chamou-me a atenção outro dia: "Você se dá conta de que nos conhecemos desde o Jardim de Infância?". É. Acho que antigamente a escola era realmente risonha e franca.

Ceres Mendonça Lacerda (7/7/1937-24/5/2008) e
Carmen Mendonça Lacerda (8/4/1936-15/11/2009).

Flávio Tavares 017

# Minhas queridas professoras
*Sérgio Rolim Mendonça*

Este é um tema que me sensibiliza muito. Sou extremamente agradecido às minhas queridas professoras primárias, dona Francisca Ascensão Cunha (principalmente) e dona Tércia e dona Da Luz Bonavides. Estudei quatro anos com dona Francisca (repeti um ano com ela devido à legislação da época, que proibia menores de cinco anos de estudar e só permitia ingressar no curso ginasial depois de haver completado 11 anos de idade) e dois anos na Escola Santa Terezinha, quando concluí o curso primário.

Francisca Ascenção Cunha[62] era filha de Firmo Cardoso da Cunha e de Teonila Camarão da Cunha. Diplomou-se na Escola Normal da Paraíba, em 21 de março de 1914. Lecionou com eficiência no Engenho Central, de 1914 a 1918. No governo de Camilo de Holanda, foi convidada para lecionar no Quartel da Polícia; posteriormente, foi nomeada para lecionar no Grupo Thomaz Mindelo, e, em seguida, no Grupo Antônio Pessoa. Foi nomeada para a Escola Modelo e, depois, para a direção da Escola de Professores. Também foi fundadora e primeira professora da cadeira de Metodologia. Era muito considerada e admirada pelas suas qualidades de mestra. Entretanto, houve um período em que foi rebaixada do seu nível de ensino – de professora secundária para professora primária. Incrível! O erro foi corrigido durante o governo de Pedro Moreno Gondim, após 22 anos. Quando fomos seus alunos, era aposentada e caminhava com dificuldade devido a um problema de não poder flexionar uma das pernas. Soube que sofria de um reumatismo muito forte. Quem sabe, talvez fosse artrose e/ou artrite.

Era uma professora católica e muito organizada. Na aula de desenho, sempre nos entregava temas bíblicos para pintar. Lembro-me sempre das bodas de Caná, nome de uma perícopa (episódio) bíblica narrada exclusivamente no Evangelho de João (João 2:1-11). A transformação da água em vinho, durante

---
62. FREIRE, Carmen Coelho de Miranda. *História da Paraíba*. 3. ed. João Pessoa: A União, 1981.

Turma do 3º ano primário da escola da professora Francisca Ascensão Cunha:
Walter Figueiredo, Carmelo Figueiredo Franca, Claudio Mello e Silva, Carlos
Fernando da Costa Araújo, dona Francisca, João Bráulio Espínola Nóbrega, eu,
João Cunha Rêgo e Fernando Guedes Pereira Montenegro –
João Pessoa, Paraíba, 1952.

Prova final de português de meu 1º ano primário (quando tinha 5 anos de idade), na escola de dona Francisca Cunha – João Pessoa, Paraíba, 17 de novembro de 1949.

essas bodas, é considerada o primeiro dos milagres de Jesus. Em 1979, quando concluí meu mestrado na Inglaterra, 27 anos depois de haver saído da escola de dona Francisca (1952), fiz uma viagem à Itália e a vários países da Europa. Em Roma, comprei no Vaticano um terço e algumas lembranças para ela com temas do papa João Paulo II. Ficou felicíssima. Dizia-me que tinha muito orgulho de um ex-aluno haver feito mestrado na Inglaterra.

Sempre fui muito ativo e irrequieto. Hoje, seria considerado hiperativo. Às vezes, durante as aulas de dona Francisca, estava cansado e pedia a ela para dormir. Não havia nenhum problema por sua parte, então eu ficava debruçado em minha carteira e dormia. É muito importante que nos primeiros anos de estudo a criança não seja forçada a estudar. Isso poderá levar a traumas futuros, fazendo com que o adulto perca o gosto pelos estudos.

Uma vez, dona Francisca estava nos ensinando história do Brasil. Escreveu no quadro-negro: "Quem descobriu o Brasil foi Pedro Álvares Cabral?". Prontamente me levantei e pedi o apagador. Apenas apaguei a interrogação da frase.

Foram meus conterrâneos na época os irmãos Luiz Antônio e Guilherme Gomes da Silveira D'Ávila Lins – este último é médico e historiador e ocupa, desde 2016, o cargo de presidente do Instituto Histórico e Geográfico Paraibano (IHGP).

Naquela minha prova de português, de quando tinha apenas 5 anos de idade, cito que iria me encontrar com Maria Lúcia por ocasião da missa dominical e que ela era muito bonita. Por uma das coincidências da vida, o nome da minha futura e querida esposa seria Maria Lúcia (Lucinha), e ela, por outra coincidência, também seria muito bonita.

A vida das professoras primárias no nosso país era muito mais difícil no século passado (ainda hoje nenhum governo valoriza a importância da formação dos professores primários e tampouco paga um salário condizente com sua responsabilidade). O preconceito contra as mulheres era ainda muito maior que atualmente. No Japão as pessoas mais respeitadas e valorizadas são os idosos e os professores. Recebi, há algum tempo, por meio do WhatsApp, a cópia de um modelo de contrato de 1923 para professores no Brasil, reproduzido a seguir. Embora acredite que seja verdadeiro, não consegui encontrar a fonte desse importante documento, nem a data exata de sua publicação.

## Modelo de contrato de professores, 1923

Este é um acordo entre a senhorita _____, professora, e o Conselho de Educação da Escola _____, pelo qual a senhorita _____ se compromete a dar aulas, durante o período de oito meses, a partir de 1º de setembro de 1923. O Conselho de Educação se compromete a pagar à senhorita a quantia de ($ 75) mensais.

A senhorita se compromete a:

1. Não se casar. Este contrato ficará completamente anulado e sem efeito se a professora se casar.
2. Não andar na companhia de homens.
3. Ficar em sua casa entre as 8h da noite e as 6h da manhã, a não ser que seja para atender a uma função escolar.
4. Não passar pelas sorveterias no centro da cidade.
5. Não abandonar a cidade sob nenhum pretexto sem permissão do presidente do Conselho de Delegados.
6. Não fumar cigarros. Este contrato ficará automaticamente anulado e sem efeito se a professora for encontrada fumando.
7. Não beber cerveja, vinho ou uísque. Este contrato ficará automaticamente anulado e sem efeito se a professora for encontrada bebendo cerveja, vinho ou uísque.
8. Não viajar em carruagem ou automóvel com qualquer homem, exceto seu irmão ou seu pai.

Maria Tércia Bonavides Lins[63] nasceu na capital paraibana e era filha de Neófito Bonavides e de Adelaide Lins Bonavides. Sua vocação para o magistério foi revelada desde cedo – ensinava na sua vizinhança quando tinha apenas 12 anos de idade. Diplomou-se em 1919, aos 16 anos, prestou serviços gratuitos no Grupo Modelo e foi professora adjunta da cadeira nº 15 Mista do Ensino Primário. Exerceu o cargo de professora de Geografia e História da Escola Industrial – hoje, Instituto Federal da Paraíba (IFPB). Fez parte da Comissão de

---

63. FREIRE, Carmen Coelho de Miranda. *História da Paraíba*. 3. ed. João Pessoa: A União, 1981.

Port. – 10
Arit. – 10
Geogr. – 10
H. do Brasil. – 10
Caligr. – 10

Prova escrita de Português.

Ditado   Média – 10

V. Fernandes

Vegetais do Brasil.

A flora do Brasil é famosa pela sua exuberância e pela sua riqueza. Grande parte do território brasileiro é ocupada por enormes, densas e verdejantes florestas. Nessas matas virgens, notáveis pela sua opulência e beleza, se encontram árvores de inúmeras e variadas espécies, constituindo imensa reserva de madeiras de lei.
Essas madeiras são empregadas em construções civis e navais, em estradas de ferro, na marcenaria e na carpintaria.
Entre elas se destacam o cedro, a aroeira, o pinho, o jacarandá, a peroba, o acaju, a sucupira, e muitas outras.
O Brasil possui também grande número de árvores frutíferas, como a goiabeira, a laranjeira, a mangueira, a jaqueira, o coqueiro; plantas medicinais como a quina, a salsaparrilha, a ipecacuanha e o guaraná; plantas industriais, como o linho, o cânham

Primeira página da prova final de português de meu 4º ano primário (quando tinha 9 anos de idade), na Escola Santa Terezinha – 19 de novembro de 1953.

Exame de Suficiência para o Registro de Professor da Escola Industrial, onde realizou, com outros professores, o Exame Vestibular da Escola Industrial de João Pessoa. Recebeu a medalha de honra ao mérito pelos relevantes serviços prestados à Escola Industrial das mãos do seu diretor, dr. Itapuan Bôtto Targino. Manteve por mais de trinta anos seu curso particular na Escola Santa Terezinha (minha mãe, Zuleida Rolim Mendonça, nascida em 1919, também estudou nessa escola), tendo como auxiliares suas irmãs Maria da Luz, Maria de Lourdes e Maria da Conceição, sempre eficientes. É a patrona da cadeira nº 12 da Academia Feminina de Letras e Artes da Paraíba.

Segundo a dra. Regina Targino[64], dona Tércia viveu em um tempo de turbulências políticas, sociais, econômicas, culturais e educacionais que influenciaram a sociedade e a sua formação. Notabilizou-se como feminista, educadora e empreendedora em uma época – anos 1930 – em que a educação da mulher visava às necessidades do lar, sendo submissa, prendada e eficiente. São palavras de dra. Regina: "[…] dona Tércia criou a Associação Paraibana pelo Progresso Feminino coadjuvada por Analice Caldas, Olivina Carneiro, Maria Fausta de Queiroz, Albertina Correia e outras feministas […]".

Um fato que nunca esqueci e que me deixou muito contente (devido à minha inocência) foi o que ocorreu às 10h da manhã do dia 24 de agosto de 1954, quando recebemos a notícia, na sala de aula de dona Tércia, de que as aulas haviam sido suspensas e poderíamos voltar para nossas casas. Era a notícia da morte do presidente Getúlio Vargas.

Tinha muito medo de dona Da Luz e de dona Tércia; elas costumavam dar beliscões fortes nas orelhas dos alunos indisciplinados e, depois, colocá-los de castigo. Por isso, sempre tentei me comportar bem nas suas aulas, e nunca fui repreendido.

Dona Tércia também tinha seu lado culto e romântico. Possuía um álbum de recordações com depoimentos, poesias, sonetos e desenhos de pessoas ilustres da Paraíba e do Brasil. Nele, escreveram muitas pessoas famosas, destacando-se: Coriolano de Medeiros, José Américo de Almeida, Francisco Mangabeira Albernaz (artista plástico baiano), Carlos Dias Fernandes (jornalista, poeta e romancista), Austro Costa (Academia Pernambucana de Letras), Américo Falcão (um dos maiores trovadores da Paraíba e patrono da Academia Paraibana de Letras – APL), Raul Machado (romancista e patrono da APL), Eudes Barros (poeta, historiador e romancista), Leandro Maynart Maciel (engenheiro, governador e

---

64. TARGINO, Regina Rodriguez Bôtto. Uma mulher fascinante. *Correio da Paraíba*, A6, 3 de junho de 2017.

senador sergipano), Palmyra Guimarães Wanderley (líder feminista, considerada poetisa oficial de Natal e membro da Academia Norte-Riograndense de Letras), Adhemar Vidal (possuidor de vasta produção literária, membro da APL e do IHGP), Raul Bittencourt (médico, deputado gaúcho, secretário executivo do Ministério de Educação e Saúde Pública do governo provisório de Getúlio Vargas), Viriato Correia (jornalista maranhense, autor de vários livros infantojuvenis, romancista, teatrólogo, deputado federal e membro da Academia Brasileira de Letras), dentre inúmeros outros paraibanos famosos.

Praticamente todo o material dessa relíquia foi incluído e publicado no livro da profa. dra. Regina Rodriguez Bôtto Targino[65]. Um desses belíssimos depoimentos oferecido a dona Tércia foi escrito por Coriolano de Medeiros em 8 de outubro de 1922, o qual está transcrito a seguir, com a ortografia atualizada.

Maria Tércia Bonavides Lins (1903-1982).

Tércia,

Desejando que os teus momentos de felicidades se ajustem ao número de palavras que neste álbum se inscreverem, nele tentei registrar algumas linhas. E que tempo me demorei olhando esta folha plácida, alvíssima, imácula fotografia simbólica de tua alma de menina e moça!
Assim, vi-me preso à indecisão, à falta de ideias boas, na ausência de um pensamento feliz. E a minha imaginação doudejou, voou por todo o universo: buscou as cintilações das estrelas ou o deslumbramento de um fio de sol, quis tingir as asas no rosicler

---

65. TARGINO, Regina Rodriguez Bôtto. *Maria Tércia Bonavides Lins – uma educadora para seu tempo*. João Pessoa: Ideia, 2017.

da aurora; tentou embriagar-me com o saudável aroma das flores; debateu-se comovida ouvindo o ciciar dolente da linguagem das fontes; escutou em alegrias a música feiticeira do passaredo em festa; distendeu-se num esforço máximo para beijar a maciez do cetim dos céus; alçou-se silenciosa escutando as formidáveis orquestrações dos mares; subiu alto, muito alto, para descobrir a inspiração sublime, e tombou desiludida, exausta, no seio do impossível!
E assim, Tércia, inteligente, gentil e boa, desculpa:
– Deixo esta folha em branco!

A Escola Santa Terezinha estava localizada na rua das Trincheiras, 401, quase esquina com a avenida João Machado, onde está situada a Igreja de Lourdes. Ficava a apenas uns 400 m da casa de meus avós maternos, Francisco Ribeiro de Mendonça e Lili Vergara Mendonça, que ficava na rua das Trincheiras, 88. Era meu colega na escola de dona Tércia meu grande amigo João Bráulio Espínola Nóbrega – estudou comigo ainda os sete anos dos cursos ginasial e científico. Meu pai, Francisco Mendonça Filho, visitava diariamente meus avós antes do almoço e depois nos levava para casa. Como as aulas na escola terminavam às 11h30 e meu pai, devido a suas atribuições de médico, só chegava depois das 12h, nós dois saíamos da escola e íamos a pé diretamente para a casa de meus avós. Lá, ficávamos nos distraindo em um grande quintal, a colher frutas da época e atirar pedras nas lagartixas. Minha avó Lili diariamente nos oferecia tareco para comermos.

Alguns colegas da Escola Santa Terezinha que estudaram comigo ou foram meus contemporâneos nos dois últimos anos do curso primário (4º e 5º anos): Osório Lopes Abath Filho, João Bráulio Espínola Nóbrega, Breno Machado Grisi, Ivo Sérgio Borges da Fonsêca, Carlos Augusto Steinbach Silva, Gianina Faraco, Lúcia e Cristiano Teixeira, Marisa Melo, Tânia e Carmen Silvia (filhas de dr. Julio Maurício), os irmãos Bertino e Everardo Nóbrega de Queiroz, Teotônio Santa Cruz Montenegro, Emmanuel Ponce de Leon, Agripino Bonavides Gouveia de Barros, Milton Cartaxo, José Reinolds Cardoso de Melo e Antônio Faustino Cavalcanti de Albuquerque Neto – os dois últimos, futuros colegas de turma na Escola de Engenharia da Universidade da Paraíba (EEUP), a partir de 1967.

# Outros caminhos
*Luiz Augusto Crispim*[66]

———————————— ••• ————————————

O tempo e suas assombrações tardias já não me causam tanto medo. Aliás, o medo só se manifesta mesmo na solidão.

Aos poucos, vai me chegando o sossego das boas companhias. Começam a surgir por perto saudosistas assumidos de carne e osso para espantar os fantasmas.

Depois de Marcos Souto Maior e de Everaldo Soares Junior, que ocuparam esta coluna recentemente, é a vez do velho amigo Sérgio Rolim Mendonça, que chega arrastando um baú de lembranças cobertas de estampilhas colecionadas por ele mesmo, quase todas elas com a efígie impressa das professoras dona Tércia e dona Da Luz Bonavides no verso da memória.

Tudo a propósito da entrevista que o estadista dos afetos, Kubitschek Pinheiro, engendrou comigo nesta segunda-feira, no Magazine do *Correio*.

A pretexto de refazer seus próprios caminhos proustianos – conforme ele mesmo confessa – Sérgio Rolim recorda os tempos "tercianos" com a ajuda de um colega seu, Breno Grisi, neste episódio que não estou autorizado a contar e cuja reprodução aqui, espero, não me custe uma execução de cobrança por direitos autorais.

Cheio de verve e senso de humor, o primoroso texto adiante é de Breno Grisi, *apud* Sérgio Rolim Mendonça:

> *O dia em que eu, Breno Grisi, conheci o "lápis-tinta"*: Os irmãos Bertino e Everardo Nóbrega de Queiroz e eu caminhávamos rapidamente pela avenida João Machado, em direção à escola de dona Tércia. Era dia de prova e já estávamos atrasados. Eu segurava uma folha de papel-pautado, enrolada, e dentro dela levava uma caneta-tinteiro Oxford (esta funcionava bem, dia sim, outro não!).

---

[66]. Advogado, jornalista, escritor e um dos maiores cronistas da Paraíba. Crônica publicada no *Correio da Paraíba* em 29 de janeiro de 2009.

Com os passos apressados e a mão que conduzia o papel-pautado enrolado, indo para frente e para trás em movimentos rápidos de quem caminha atrasado, vi minha caneta voando à minha frente... e caindo de ponta na calçada. Nem a tampa conseguiu evitar que a pena se escarrapichasse, tamanho foi o impacto. E ao tentar juntar as partes escarrapichadas da pena, uma delas "torou". Acho que fiquei amarelo de desespero, abafando o verde de raiva!
Estávamos em frente à Maternidade Cândida Vargas. Foi aí que meus amigos Bertino e Everardo me socorreram, quando o primeiro disse: vamos lá em casa buscar um "lápis-tinta" que papai (dr. Otacílio Queiroz) trouxe da viagem (se não me engano, do Recife). Eles moravam pertinho dali, na avenida Maximiano Figueiredo. Fui assim salvo por essa maravilha da tecnologia do ano de 1954, que realmente era um misto de lápis (por ser de madeira) e caneta (por usar tinta). Hoje conhecida por caneta esferográfica, mas que muitos paraibanos continuam chamando de lápis-tinta. Durante a prova o dito lápis-tinta produzia uns borrões, mas o mata-borrão que eu tinha trazido no bolso, companheiro inseparável da minha "recém-falecida" caneta Oxford, resolvia esse pequeno problema. Era verdade que a tinta desse "lápis metido a besta" cheirava a barata e a tinta vazada que atingia os dedos só saía depois de alguns banhos; aliás, não muito frequentes aos 10 anos de idade! Mas salvou-me do olhar fuzilante de dona Da Luz e da cara de ceticismo de dona Tércia, se para a prova eu tivesse aparecido sem caneta e contado essa estória estapafúrdia da "caneta voadora".
Grande abraço para os amigos tercianos,
Breno Grisi.

## Origem do artigo de Luiz Augusto Crispim
E-mail enviado a Crispim, em 29 de janeiro de 2008, às 10h17.

Caro Luiz Augusto,

[...] Esteve recentemente nos visitando Everardo Nóbrega de Queiroz, um dos filhos do nosso saudoso Otacílio de Queiroz, nosso ex-professor na Escola de Engenharia, como também um ícone da cultura paraibana. Ele foi meu colega de infância. Estudamos

Eu, Breno Machado Crisi, Everardo Nóbrega de Queiroz e José Reinolds, amigos e colegas da Escola Santa Terezinha no período 1953-1954 – João Pessoa, Paraíba, 2008.

juntos na Escola Santa Terezinha, das professoras Tércia e Da Luz Bonavides. Fazia 54 anos que não o via. É engenheiro civil, tem mestrado e doutorado em Filosofia na USP e é atualmente auditor da Receita Federal em São Paulo. Breno Machado Grisi e José Reinolds Cardoso de Melo também estiveram presentes (veja a foto anterior). Todas essas lembranças me fizeram recordar nossa juventude, quando éramos alunos de Dona Tércia e Dona Da Luz. Aproveito esta oportunidade para lhe enviar em anexo alguns fatos pitorescos de nossa época na Escola Santa Terezinha [...]

E-mail enviado a mim, em 29 de janeiro de 2008, às 13h51.

Amigo Sérgio,
[...] Não me contive. Ao receber a sua mensagem, quis compartilhar com os nossos contemporâneos da emoção e, sem a sua concordância expressa, nem tampouco a autorização de Breno, resolvi incorporar o belo texto à crônica de amanhã, já que estamos tratando da simbiose do tempo que passou com as lembranças que foram feitas para durar.
Espero que você concorde com o produto final [...].

# Reminiscências do curso ginasial

*Sérgio Rolim Mendonça*

―――――――――•••―――――――――

Estudei os dois últimos anos do curso primário na Escola Santa Therezinha, tendo como professoras dona Da Luz e dona Tércia Bonavides. No capítulo "Minhas queridas professoras" há maiores detalhes dessas famosas mestras.

Ingressei no Colégio Marista Pio X no começo de 1955, após aprovação em exame de admissão realizado em dezembro de 1954, uma espécie de vestibular da época para concorrer a uma vaga na primeira série ginasial. Minhas notas, apenas razoáveis, possibilitaram a média final de 7,17. Nas quatro disciplinas a que me submeti, obtive 7,0 em Português; 6,2 em Aritmética; 7,5 em Geografia; e 8,0 em História.

Em virtude da minha educação puritana, escandalizei-me ao ingressar no colégio. Não conhecia, àquela altura da vida, qualquer palavrão. Por outro lado, fiquei muito feliz em saber que por lá era comum a prática de esportes. Como não me era permitido sair de casa, nunca tivera a oportunidade de participar de alguma "pelada" com meninos da minha idade. Por isso, até hoje não sei chutar uma bola de futebol.

As aulas eram boas, havia muita brincadeira e peripécias dos alunos mais ousados e/ou hiperativos, chamados na época de "impossíveis". Eu também era hiperativo, mas temia ser repreendido. Assim, me controlava. O ensino da religião católica era muito forte. Havia diariamente aulas de religião e a reza do terço.

Havia um coral no colégio, denominado Orfeão Carlos Gomes, regido pelo irmão Luiz Barreto. Participei desse coral durante três anos. Minha voz de menino era a de soprano. Depois que comecei a mudar de voz, dos 13 para os 14 anos, fui afastado do coral, e até hoje não consigo cantar nem no chuveiro. Foi um período bastante movimentado. Durante uma visita do General Juarez Távora a João Pessoa, nosso coral se apresentou no Palácio do Governo da Paraíba, junto à Orquestra Sinfônica da Paraíba, regida pelo maestro italiano Rino Visani, pai de um de nossos colegas da primeira série ginasial, Vittorio

Visani. Estávamos muito orgulhosos da apresentação do nosso coral, tendo sido cumprimentados individualmente pelo famoso marechal, que fora Ministro da Agricultura e dos Transportes nos governos de Getúlio Vargas e por duas vezes candidato a presidente da República. O coral também se apresentou em Natal, Rio Grande do Norte, numa viagem divertida, com muitos colegas. Durante o trajeto, participamos de churrasco numa das usinas do industrial Renato Ribeiro Coutinho, pai do nosso colega Carlos Ribeiro Coutinho.

Os irmãos maristas eram também grandes incentivadores da cultura. Em 12 de junho de 1957, cheguei a ser empossado como acadêmico da Arcádia Pio X (Academia Literária Pessoense), fundada em 21 de junho de 1912. Após a aprovação de trabalho sobre Casimiro de Abreu, tomei posse na cadeira nº 6, que o tinha por patrono. Casimiro José Marques de Abreu era natural da Barra de São João, província do Rio de Janeiro, onde nasceu em 1837 e faleceu em 1860. Dos poetas da sua geração, foi, possivelmente, mais que qualquer outro, o poeta do amor e da saudade. Com efeito, esses dois sentimentos são a alma da sua poesia. Foi ele o mais fiel intérprete de suas próprias comoções elementares, primárias, do amor pelo torrão natal e pela mulher querida[67]. O presidente da Arcádia era Péricles Vitório Serafim – hoje médico e membro da Academia Paraibana de Medicina –, o diretor geral era o irmão Tomás e o secretário, João Ferreira da Rocha.

Também tive participação, por curto tempo, na Juventude Estudantil Católica (JEC). Eram meus colegas Paulo José de Souto, Joel Souto Maior e Osório Lopes Abath Filho, dentre os de que me recordo.

A partir do terceiro ano ginasial, em 1957, comecei a praticar esportes, primeiro no basquetebol, esporte que só pratiquei com o propósito de melhorar minha forma física. No ano seguinte, comecei a jogar voleibol, ao qual me dediquei com afinco durante toda a juventude, ou seja, até a conclusão do curso universitário de Engenharia Civil, na Escola de Engenharia da Universidade da Paraíba (EEUP).

Até a metade do quarto ano ginasial, em 1958, fui aluno bastante estudioso. As notas das provas parciais do primeiro semestre mostraram-se excelentes. Minha nota mais baixa foi, possivelmente, um 8. Entretanto, logo no início do segundo semestre, iniciou-se minha puberdade e, em decorrência dela, quase não consegui aprovação para dar início ao curso científico. A maioria das notas veio situar-se abaixo de quatro. Passei por pouco, graças aos excelentes resultados obtidos no primeiro semestre, que elevaram a média final.

---

67. ABREU, Casimiro de. *Primaveras – vol. 179*. Porto Alegre: L&PM Pocket, 1999.

Diploma de sócio efetivo do Coral Carlos Gomes, do Colégio Pio X –
João Pessoa, Paraíba, 25 de agosto de 1957.

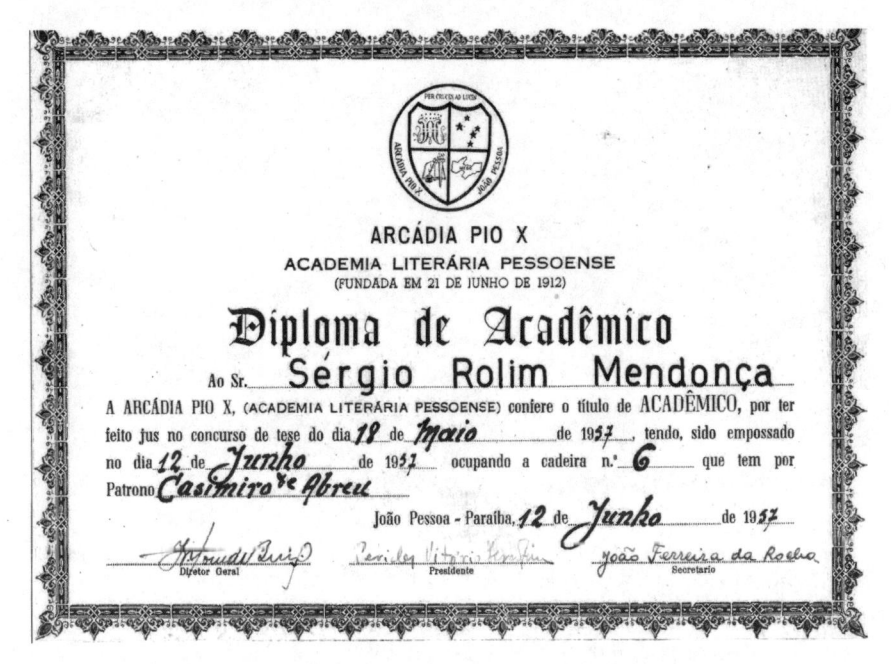

Diploma da Academia Literária Pessoense, Arcádia Pio X –
João Pessoa, Paraíba, 12 de junho de 1957.

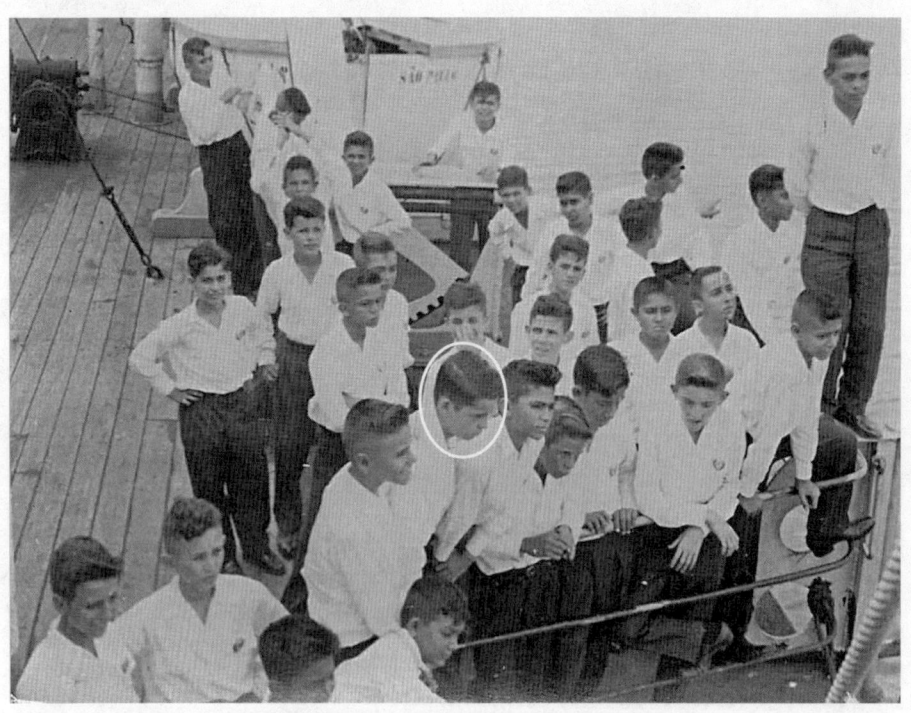

Excursão do Orfeão do Colégio Marista Pio X – Natal, Rio Grande do Norte, 1956.
Na foto, se veem: Carlos Augusto Steinbech Silva, Danilo Rosas, João Bosco, João Bráulio
Espínola Nóbrega, José Humberto Espínola Pontes de Miranda, Carlos Fernandes
Martins, Mateus Rosas Ribeiro, Renato Vieira, Mário Adalberto, Antônio Faustino
Cavalcanti de Albuquerque Neto, Claudio José Lopes Rodrigues, José Roberto Bezerra
Cavalcanti, Marcelo Bezerra Cabral, João Carlos Bezerra de Melo, eu, Carlos Eduardo
Cunha, Luiz Carlos Rangel Soares, Paulo Espínola, José Edigardo Guedes Seixas Maia,
Luiz Gonzaga Siqueira Campos Cantalice...

**Foto à esquerda:** Exibição do Orfeão Carlos Gomes, Palácio do Governo, com a Orquestra Sinfônica da Paraíba, sob a regência do maestro Rino Visani; na foto, nota-se a presença do marechal Juarez Távora (*sentado, de costas e de terno, terceira pessoa da direita para a esquerda*) – 1956. Ocupando diferentes funções na apresentação, também estão: José Edigardo Guedes Seixas Maia, Meinardo Montenegro Rocha, Joaquim Antônio Marques Neto, eu, Luiz Carlos Rangel Soares, Paulo Espínola, Mateus Rosas Ribeiro, Antônio Faustino Cavalcanti de Albuquerque Neto, Marcelo Toscano de Lucena Cavalcanti, Danilo Rosas, Marcelo Bezerra Cabral, irmão Barreto, Ronaldo Delgado Gadelha, José Humberto Espínola Pontes de Miranda, José Roberto Bezerra Cavalcanti...

Churrasco na usina de Renato Ribeiro Coutinho – Natal, Rio Grande do Norte, 1956. Na foto, se veem: José Arnaldo Tavares de Carvalho, Osório Lopes Abath Filho, Paulo Espínola, João Bosco, Claudio Montenegro Rocha, Carlos Eduardo Cunha, irmão Oswaldo, Carlos Fernandes Martins, eu, Claudio José Lopes Rodrigues, Carlos Ribeiro Coutinho, irmão Paulo Berckman, Luiz Gonzaga de Siqueira Campos Cantalice, José Reinolds Cardoso de Melo, Antônio Faustino Cavalcanti de Albuquerque Neto, Renato Vieira, Jorge Furtado, Péricles Ramalho Farias, Rinaldo Souza e Silva...

Turma do 1º ano ginasial do Colégio Marista Pio X, dirigida por irmão Ricardo – 1955. *A partir de cima, da esquerda para a direita:* Aluísio, desconhecido, desconhecido, Marcio Ferreira de Melo, Alcides Lima, desconhecido, Arnaldo Avelar, desconhecido, Barbosa, eu, José Lins Fialho Neto, José Severino de Paula Magalhães, José Jurandy Carneiro, Lúcio Cunha, João Oscar de Miranda Henriques, Luiz Carlos Rangel Soares, Roberto Vieira, desconhecido, José Edilgardo Guedes Seixas Maia, Artur Jader Cunha Neves, Henrique Teixeira, Josemar, Roberto Teixeira, João Bráulio Espínola Nóbrega, Paulo Roberto Jurema Dutra, desconhecido, Claudio José Lopes Rodrigues, desconhecido, Lagartixa Descascada, João Carlos Bezerra de Melo, Vamberto Aranha, Walter Azevedo, Joaquim de Almeida (Quinca Duré), desconhecido, João Bosco, Joaquim Lins, Fénicles Ramalho de Farias, desconhecido, Alberto Moreira Pires Ferreira, Marcos Antônio da Cunha Fernandes, José Porfírio e Vittorio Visani.

188

Turma do 2º ano ginasial do Colégio Marista Pio X, dirigida por irmão Sérgio – 1956. *A partir de cima, da esquerda para a direita*: Martinho Afonso Sá, Aluísio, Carlos Romero Guerra, Martinho Mijão, João Batista Gonçalves da Silva, Avelar, desconhecido, Gilson Cavalcanti de Melo, Efigênio, José Severino de Paula Magalhães, João Bosco, Manoel Londres, Otto Montezuma, eu, José di Lorenzo Serpa, Claudio Montenegro Rocha, Licio Cunha, Cristiano Teixeira, José Edigardo Guedes Seixas Maia, desconhecido, Jarnaci, Claudio Mello e Silva, Vicente Carlos Y Plá Trevas, Paulo Roberto Jurema Dutra, Cesar Marinho de Lima, Luiz Gonzaga de Siqueira Campos Cantalice, Vittorio Visani, Ivo Sérgio Borges da Fonsêca, Athaualpa, João Carlos Bezerra de Melo (primo de Jáder Cunha Neves), Agildo de Lima Machado, desconhecido, desconhecido, Ronaldo Delgado Gadelha, Marcos Antônio da Cunha Fernandes, Pedro Gomes e Silva, Osani Godoy, Luiz Carlos Rosas, Luiz Alexandre Sales de Andrade, Breno Machado Grisi, Hamilton Guedes de Miranda, José Arnaldo Tavares de Carvalho, Rinaldo Ferrer de Andrade e Silva e Marcelo Toscano de Lucena Cavalcanti.

189

Turma do 3º ano ginasial do Colégio Marista Pio X – 1957. *A partir de cima, da esquerda para a direita:* João Batista Gonçalves, João Bosco, Crispim, desconhecido, Gadelha, Alcides Lima, Aderson Figueiredo Diniz, desconhecido, Espedito Pordeus Fernandes, Elmo Braga Maciel, Renato Lima, Alberto Teixeira, Artur Raimundo Diniz de Andrade, Edivaldo Teixeira de Carvalho, Aguinaldo Veloso Freire, Artur Jader Cunha Neves, Luiz Carlos Rangel Soares, Claudio Montenegro Rocha, eu, Paulo Correia de Oliveira, Gilson Cavalcanti de Melo, Aldo Freitas Menezes, desconhecido, Roberto Lúcio, Jamaci, Vicente Carlos Y Plá Trevas, Vital Souto Montenegro, José Edigardo Guedes Seixas Maia, Frasão, João Bráulio Espínola Nóbrega, Antônio Faustino Cavalcanti de Albuquerque Neto, Paulo Roberto Jurema Dutra, Breno Machado Grisi, Paulo José de Souto, desconhecido, desconhecido, Claudino Cesar Veloso Freire, Roberto Veloso Feire, Pedro Gomes e Silva, José Marcelo da Rosa e Albuquerque, Marcos Antônio da Cunha Fernandes, Luiz Alexandre Sales de Andrade, Carlos Antônio de Moura, Ronaldo Delgado Gadelha e irmão Julião.

190

Festa das Nações, no Pátio do Colégio Marista Pio X – 1957.
*Em pé*: Hamilton Guedes Miranda, Ronaldo Delgado Gadelha, Vicente Carlos Y Plá Trevas, Osterne Carneiro, eu, Renato Vieira, Gilson Cavalcanti de Melo e Ivo Sérgio Borges da Fonsêca. *Agachados*: Marcus Antônio da Cunha Fernandes, José Edigardo Guedes Seixas Maia, Breno Machado Grisi, João Bosco, Agildo Lima Machado, Paulo José de Souto, Carlos Antônio de Moura, Paulo Roberto Jurema Dutra, Roberto Veloso Freire, Rinaldo Ferrer de Andrade e Silva e Luiz Carlos Rosas.

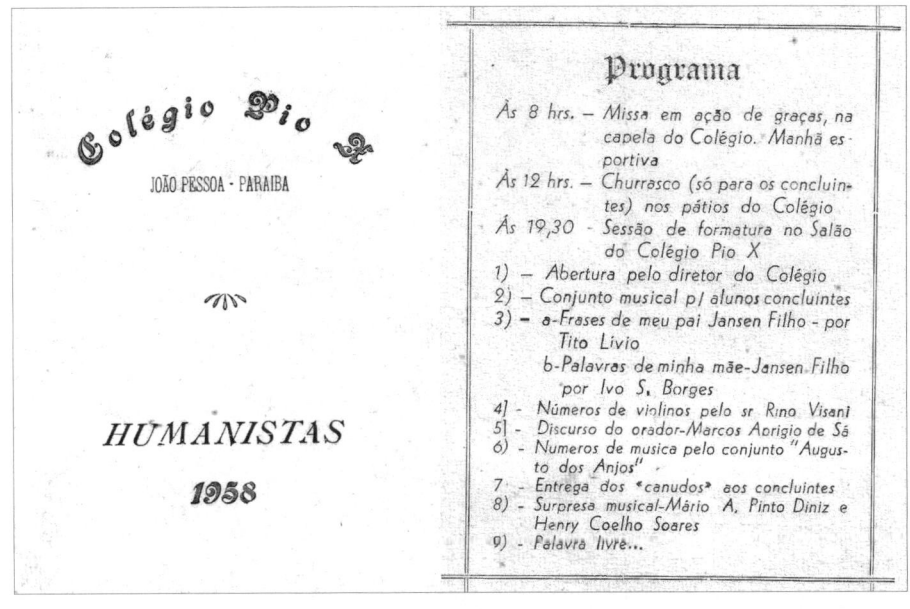

**Colégio Pio**
JOÃO PESSOA - PARAÍBA

**HUMANISTAS**
**1958**

**Programa**

Às 8 hrs. — Missa em ação de graças, na capela do Colégio. Manhã esportiva
Às 12 hrs. — Churrasco (só para os concluintes) nos pátios do Colégio
Às 19,30 - Sessão de formatura no Salão do Colégio Pio X
1) — Abertura pelo diretor do Colégio
2) — Conjunto musical p/ alunos concluintes
3) — a-Frases de meu pai Jansen Filho - por Tito Livio
   b-Palavras de minha mãe-Jansen Filho por Ivo S. Borges
4) - Números de violinos pelo sr Rino Visani
5) - Discurso do orador-Marcos Aprigio de Sá
6) - Números de musica pelo conjunto "Augusto dos Anjos"
7 - Entrega dos "canudos" aos concluintes
8) - Surpresa musical-Mário A. Pinto Diniz e Henry Coelho Soares
9) - Palavra livre...

Convite de colação de grau do Colégio Pio X. Foto: acervo de Luiz Carlos Rangel Soares. "Os concluintes de 1958 do curso ginasial do Colégio Pio X sentir-se-ão honrados com a presença de V. Ex.ª e Ex.ma família às solenidades de sua formatura, no dia 9 de dezembro."

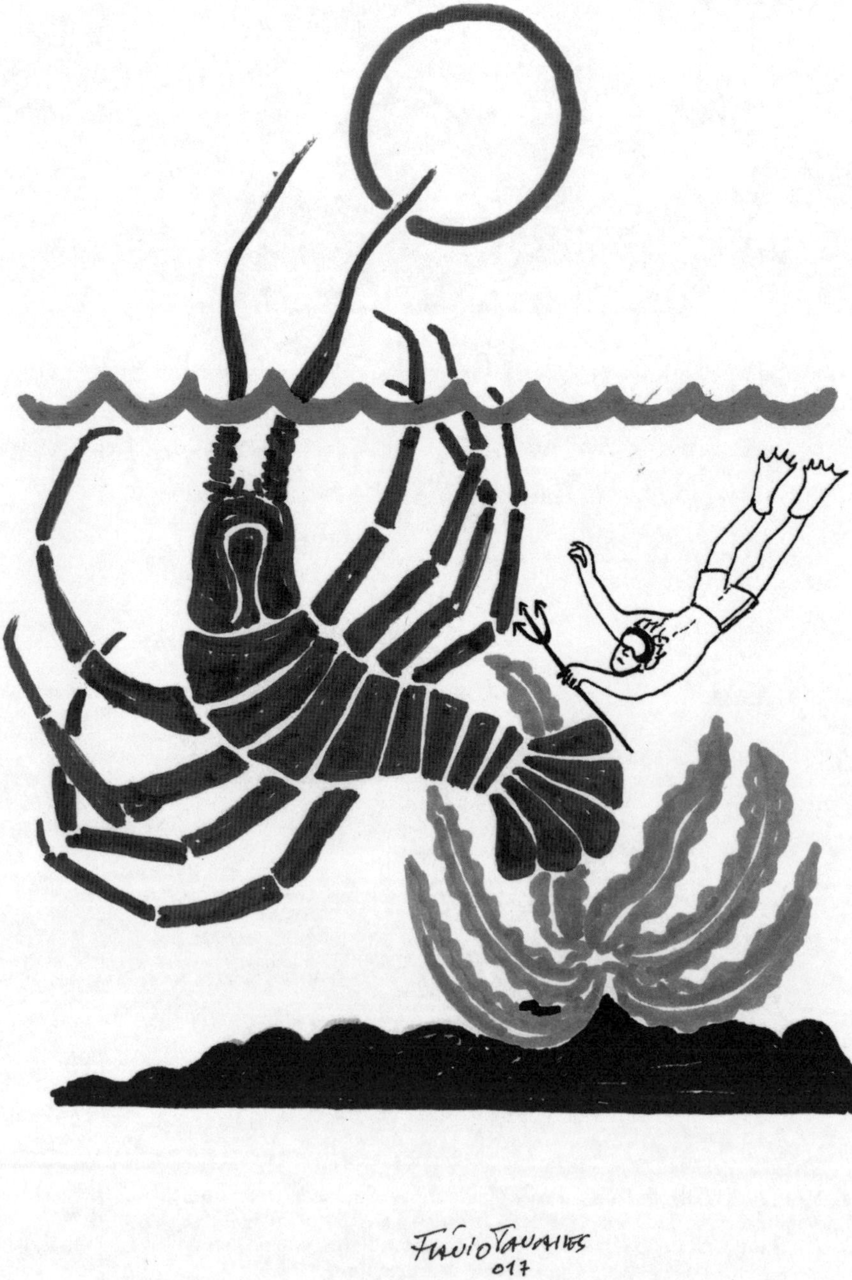
FlávioTavares
017

# Vicente Albuquerque de Souza, o irmão Olavo
*Hugo Caldas*[68]

———————— • ••• • ————————

No Colégio Marista Pio X, irmão Olavo era apenas dez anos mais velho do que a maioria de todos nós. Quase ninguém o notava. Vivia no nosso meio e pouco se diferenciava da estudantada. A não ser pela batina. Tomava conta de várias classes e lecionava várias matérias. Na minha sala ele ensinava Inglês e Matemática. Aprendi o Inglês direitinho, mas a Matemática... Acho que por deficiência minha mesmo. Sujeito mais ou menos alto, forte, simpático, bonito até, na sua aparência de sertanejo rude. As missas aos domingos no colégio eram concorridíssimas. Quase todas as irmãs de nossos colegas enchiam a grande e espaçosa capela só para ver a sua figura imponente, comungando como sempre. Era como se fosse nosso irmão mais velho. Era assim que muitos o consideravam. Nos protegia. Várias vezes, nos jogos de futebol, nas diversas competições entre os colégios da cidade, saía uma briga. Quando não conseguia apartá-las, entrava na refrega, do nosso lado, é claro.

Década de 1970, escola nuperimplantada em Recife, coloco anúncio nos jornais requisitando professores para trabalharem comigo. As vagas foram prontamente preenchidas, logo no dia seguinte. Dois ou três dias depois a secretária avisa que ainda havia uma pessoa se apresentando com o recorte na mão. Dizia que precisava falar com o diretor, pois me conhecia muito bem. Perguntei à secretária de quem se tratava, e ela respondeu que era um sujeito chamado Vicente Albuquerque de Souza.

Procurei em vão pelos recônditos da memória e não consegui descobrir quem poderia ser. Sugeri que ela o despachasse com o argumento de que as vagas haviam sido preenchidas. O insistente senhor não desistira do seu firme

---

68. Trecho publicado em 30 de agosto de 2006, no blog *Unlimited*, de Hugo Caldas. O autor foi de tudo um pouco. Sacristão, aeroviário, ator, autor, cineasta, professor de inglês, empresário e agente franqueado dos Correios. Trabalhou na Panair do Brasil, Varig, Transatlântica Argentina e no US Army. Foi também proprietário de uma rede de seis escolas de línguas em Recife.

propósito: queria me ver, avisa ela pelo interfone. Encurtando a história, esqueci a pessoa e dei-lhe sem querer um tremendo chá-de-cadeira. Puro esquecimento. Quase ao final do expediente me apresso para sair quando dou com o irmão Olavo sentado muito pacientemente no sofá da secretaria, esperando para falar com o diretor. Após um demorado abraço nos pusemos a conversar. Também, como iria eu saber que o tal de Vicente Albuquerque de Souza era o meu querido irmão Olavo! "Mas está mais fácil falar com o rei da Inglaterra do que com vosmicê" – ele tinha esse hábito de usar o arcaico pronome, talvez como um gesto de carinho, coisa a que eu também me acostumei. Não havia evidentemente o lugar almejado. Mas, sendo eu o dono da venda, logo consegui arranjar tudo e, daquela tarde em diante, passou a fazer parte da escola. Ficou por mais de dez anos a trabalhar comigo. Fez inúmeras amizades. Era uma figura que despertava admiração e curiosidade, principalmente quando os alunos descobriam sua condição de religioso. Chegava britanicamente no horário para as aulas, podendo um dia estar pilotando uma possante motocicleta e no outro dirigindo um Jipe Willys 1956. Andava sempre armado. Ao chegar à escola, colocava a arma dentro de uma capa de plástico verde-escuro e entregava à secretária para que fosse guardada no cofre, e a recebia de volta ao final do expediente. Quase toda semana havia uma festa na escola. Sempre se comemorava o aniversário de alguém. Por vezes, as turmas promoviam suas próprias festinhas particulares, das quais participavam alunos, alunas e, obviamente, o professor da classe. Com as turmas de Olavo não era diferente. Uma aluna sua, Rosalina, moça bonita, chegada aos 30, jurou numa das tertúlias que, naquela mesma noite, iria desencaminhar o padre. Ao final da festa, saíram os dois para jantar e alongaram o passeio até a praia, onde passaram a noite, sentados à beira-mar, conversando. Nada aconteceu. Rosalina ficou decepcionada, mas continuou sua amiga. Olavo era assim, uma incógnita. Costumava aparecer nos sábados, à tarde, na minha casa, trazendo sempre uma garrafa de Serra Grande. Sentado ao chão do terraço, enxugava a cachacinha com bons papos sobre qualquer assunto – tudo mesmo, exceto religião – e alguns salgadinhos que minha mulher preparava especialmente para ele. Bebia muito e saía, passos firmes, entrava no jipe e dirigia de volta para o Seminário de Apipucos. Nunca, graças a Deus, aconteceu nada de anormal.

    Foi durante a grande cheia de 1975 que conheci mais a fundo a grandeza daquele homem. Recife estava se acabando debaixo d'água. Incrível, mas se andava de lancha na Praça do Derby. Eu sabia que ele havia deixado o Seminário, não a Ordem, para um projeto de alfabetização com as crianças pobres do bairro de Afogados. Ainda tinha amigos no US Army, então consegui um utilitário 3/4 de tonelada, do exército americano, e parti para retirar Olavo do meio das águas. Cheguei na rua da escola com água pela metade dos pneus. Ele se empenhava em salvar as crianças e os pertences da escola e se recusava terminantemente a sair da casa. Foi retirado na marra com as crianças, livros, mesas, cadeiras e quadros. Conseguimos salvar quase tudo. Ele, que não queria sair, chorando, deu graças ao Senhor por haver conseguido salvar o que lhe foi possível. Pediu dispensa da escola por várias vezes, muitas para viagens à Europa e ao Oriente. Morava em Saint-Étienne e trabalhava em Paris. Passou dois anos em Israel com bolsa de estudos. Ia e voltava da Europa como se fosse e voltasse de João Pessoa. A cada retorno, procurava pelo seu lugar na escola em Recife, que sempre estava lá, aguardando por ele. Na última vez, chegou muito doente. Uma cunhada sua me avisa que ele chegaria pela madrugada. Fui ao aeroporto esperá-lo. Até aí não sabia da doença grave que o acometia. Madrugada fria, uma ambulância entra no pátio de manobras. Numa maca, retiram-no e conduzem-no a um automóvel. Foi quando pude vê-lo. Muito gordo, cabeça raspada. Grande cicatriz no crânio, imensa dificuldade em falar. Tenta, mas não consegue dizer quase nada. Ficamos os dois a chorar, constatando uma situação que acabaria levando-o algum tempo depois. Passei uns dias na maior desolação, não conseguia dormir. Só pensava, pensava. Pensava na estupidez das coisas deste mundo.

Com tanta gente boa por aí que nunca fez absolutamente nada por ninguém, com tanta gente que rouba e mata, acham de levar logo meu melhor amigo. Meu irmão mais velho. Mesmo assim ele não queria se entregar. Tinha começado a escrever um pequeno evangelho que é um primor. Um encanto. Todo rimado como se fosse poesia de cordel. Fui, com a família, em Apipucos, ao lançamento do cordel que trazia a sua assinatura: *O credo de Puebla – a verdade sobre Jesus contada pelo povo*. Tenho guardado comigo exemplar que autografou com os seguintes dizeres: "A Verdade sobre Jesus Cristo Salvador contada ao Hugo, para que venha a nós o Reino de Deus. Olavo, 10/4/1981".

Era quase época de São João – lembro bem – e meu filho, ainda bem pequeno, se esbaldava nos quitutes de milho. Foi quando a doença do Irmão Olavo entrou na sua fase final. Ia vê-lo semanalmente e levava os filhos, na expectativa de animar um pouco o meu amigo. Ele adorava crianças. Mas a doença insidiosa foi tomando conta do seu corpo. Nos derradeiros dias, deu instruções para que o marceneiro do seminário fizesse uma prancha que, colocada sobre um cavalete na cama, serviu para apoiar uma máquina de escrever portátil. Possibilitou que pudesse, valendo-se de um dedo apenas, pressionar as teclas e, assim, se comunicar com as pessoas. Falar, para ele, tornara-se demasiado sacrifício.

Telefonei para vários amigos que foram seus antigos alunos contando do acontecido e sugerindo que viessem ter com ele nesse momento tão angustiante. Apenas um veio: Almir, que até adiou uma viagem de negócios a Nova York para a visita. Ninguém mais. Apanhei Almir no aeroporto e no dia seguinte fomos ao seminário.

Conversamos um bom pedaço pelo dispositivo da máquina na prancha. Despedimo-nos ao notar que ele demonstrava cansaço. Lembro o final da visita. Foi na realidade uma despedida. Almir disse: "Vamos cuidar para que nosso próximo encontro seja bem alegre". Ele, já na brevidade da sua estada por aqui, ainda assim, nos dava lições de vida. "Será alegre sim, na casa do Pai", escreveu ele na máquina. Saímos os dois absolutamente arrasados de Apipucos. Olavo nos deixaria uma semana depois.

———•••———

## Considerações sobre irmão Olavo
*Sérgio Rolim Mendonça*

Fui aluno de inglês do irmão Olavo de 1957 a 1960. Desde os 10 anos, comecei a me interessar por idiomas estrangeiros. Inglês era o meu preferido. Devido às minhas boas notas, ele me dispensava de toda prova oral no final do ano. Em compensação, pedia-me que contasse uma piada em inglês. Como já antevia seu pedido, eu preparava piadas picantes para contar. E a nota era sempre dez. Lembro-me de que dava boas gargalhadas. Realmente, foi o irmão Olavo que mais me marcou durante os sete anos em que estudei no Colégio Marista Pio X. O artigo escrito por Hugo Caldas nos dá uma ideia da grandiosidade desse querido mestre.

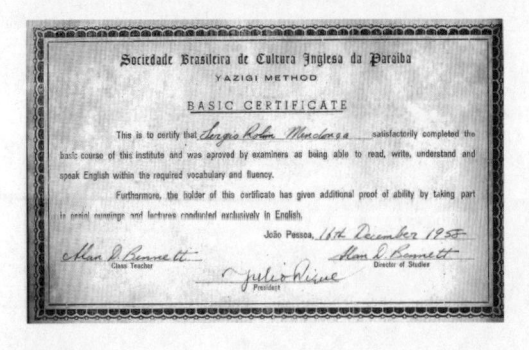

Diploma básico da Cultura Inglesa certificando que completei satisfatoriamente o curso, sendo capaz de ler, escrever, compreender e falar inglês de acordo com os requeridos vocabulário e fluência – 16 de dezembro de 1958.

# Episódios da vida estudantil – o curso científico

*Breno Machado Grisi*[69]

•————————••• ————————•

Ver os colegas de antigamente nos dias de hoje, profissionais com títulos acadêmicos e com destaque na sociedade, competentes, sisudos, não dá para associá-los às figuras irrequietas, energéticas, cheias de ideias criativas e ardilosas, que foram nos cursos ginasial e colegial.

Exemplifico com os episódios vividos por Calui (hoje, médico dermatologista Carlos Fernandes Martins), Sérgio Rolim Mendonça (engenheiro sanitarista de renome internacional) e até mesmo o contador de estórias que ora vos alcança deste blog[70].

No primeiro ano científico, na bagunçada turma de 1959 no Pio X, um de nossos mestres era o irmão Herman, que, já um pouco idoso, era alvo de inúmeras brincadeiras dos (ainda) "pestinhas" adolescentes. O lema dessa turma de desvairados era gritado orgulhosamente por um dos seus comandantes, o Cláudio Macaco Branco (de nome Cláudio Mello e Silva, hoje advogado aposentado do Banco Itaú): "Se a vagabundagem está atrapalhando os estudos… deixe os estudos!". Claudio Mello e Silva estudava em outra turma. Não está na foto da turma do 1º científico apresentada a seguir.

Certo dia, andava o irmão Herman pelo corredor, num intervalo de aulas, quando foi surpreendido por uma "manguitada" bem no meio das costas; ou seja, um atrevido tinha-lhe acertado um fruto imaturo de manga, conhecido como manguito. O irmão Herman virou-se e pensou ter flagrado o agressor, dissimulando com a leitura de um livro, sentado próximo ao acontecimento.

---

69. Graduado em História Natural pela Universidade Federal da Bahia, Mestre em Botânica pela Universidade de São Paulo, PhD em Biologia pela University of Essex, Inglaterra, e pós-doutor pela Rothamsted Experimental Station, Inglaterra. Aposentou-se como professor da Universidade Federal da Paraíba (UFPB). Texto publicado no blog Unlimited, de Hugo Caldas, em abril de 2008.
70. Breno Machado Grisi – Ecologia em Foco. Disponível em: <http://ecologiaemfoco.blogspot.com.br>. Acesso em: 7 mar. 2018.

Era o nosso pacato colega Calui, lendo um livro de José de Alencar, mas que ao ver o irmão Herman vociferando impropérios acusadores em sua direção (se não me engano um... "Ah! Foi você, sêo moleque!"), foi obrigado a correr pelo colégio afora. Dava para se ouvir alguns gritando, entre risadas, "Pega, pega!". O bom preparo físico do Calui *versus* a idade do irmão Herman resultou na vitória do primeiro, que escapou ileso.

A indisciplina reinante era vez ou outra adicionada de toques inusitados, ou, melhor dizendo, ruídos inadequados, como no dia em que Sérgio Rolim encheu uma lata com uns 50 grilos e os soltou em lugares estratégicos na classe, durante as orações (rezávamos o terço, todos os dias, antes do começo das aulas), simulando uma manhã na floresta! Na turma de 1960, que tinha o irmão Herman como regente de classe, arranjava-se qualquer motivo para se interromper as aulas. Carlos Antônio Ribeiro Coutinho (filho de Renato Ribeiro Coutinho, grande usineiro na época) simulou um desmaio que desencadeou os comentários do irmão Herman, "Aula dramática... aula dramática"; então, carregado entre as filas das carteiras, Carlos esforçava-se para conter o riso, sem conseguir. Paulo Roberto Jurema Dutra, vulgo Paulo Cêta (que apelido, hein?), o abanava freneticamente.

Carlos Antônio Ribeiro Coutinho contou-me também que num dia em que houve um intervalo de aula mais longo, juntou-se ele a uns três ou quatro "desocupados igual a ele" e empurraram o jipe marca Gurgel de José Roberto Bezerra Cavalcanti "Peru" até a Lagoa, escondendo-o atrás dos bambus, que, à época, existiam num trecho daquela região. Depois, disseram ao "Peru" que seu jipe tinha sido roubado. Vendo seu desespero, dele se apiedaram e disseram que o Gurgel tinha sido visto na Lagoa. Pobre José Roberto "Peru".

Outra presepada foi aprontada em plena aula do irmão Herman, em que eu, Breno Grisi, fui testemunha, e também José Humberto Espínola de Miranda. "Peru" aparentemente sofreu um desmaio ou leve mal súbito durante a aula. Na confusão instaurada, ao acudi-lo, chamamos Fernando Monteiro, que era escoteiro e acompanhou o grupo, como se fosse uma autoridade médica, até a sala dos escoteiros, onde estavam os medicamentos. Trouxeram-no "com o rosto pintado de mercúrio cromo e enrolado em papel higiênico".

Já no terceiro ano colegial, turma noturna concluinte de 1962, o irmão Luiz, apelidado de Tupiniquim (pelos seus esforços inexauríveis em defesa da língua pátria), às vezes repelia energicamente as nossas interferências. E num desses dias, rejeitou um sussurro meu e gritou "Breno! Pula fora!".

Até que ia sair obedientemente. Mas um colega provocador (se não me engano, o hoje engenheiro civil Tadeu Pinto) incitou-me à irreverência, falando-me pelo canto da boca, "Obedece, Breno! PULA!". E eu "obedientemente" abandonei a sala com uma pequena corrida e um grande pulo. Não precisaria dizer que ao fundo ouviram-se tremendas gargalhadas. "Tô lascado!", ainda pensei. Mas Tupiniquim era também um ser compreensivo. Talvez por façanhas como essas, algumas pessoas me chamavam de "sonso", adjetivo que eu odiava! Dissimulador talvez fosse uma denominação suave mais adequada… e éramos, de verdade, todos felizes.

Turma do 1º científico do Colégio Marista Pio X, dirigida por irmão José – 1959. A partir de cima, da esquerda para a direita: Derivaldo, João Carlos Bezerra de Melo, Paulo Correia de Oliveira, Gilson Cavalcanti de Melo, desconhecido, Aderson Figueiredo Diniz, Renato Caldas Lins, Sérgio Rolim Mendonça, José Edgardo Guedes Seixas Maia, desconhecido, Martinho Afonso Sá, Aécio Pereira, Renato Eduardo Correia Ribeiro Coutinho, Carlos Fernandes Martins, Margarido Pires Ferreira, Joaquim Antônio Marques Neto, Hamilton Duarte Gondim, João Bráulio Espínola Nóbrega, Artur Jáder Cunha Neves, Ricardo César Lianza Lombardi, Vicente Carlos Y Plá Trevas, Ariosvaldo, Luiz Alexandre Sales de Andrade, Lúcio Câmara, Alberto Moreira Pires Ferreira, José Severino de Paula Magalhães, desconhecido, Breno Machado Grisi, Deusdedith, Carlos Antônio Moura, Nelson Neri, desconhecido, desconhecido, Maurílio, Rinaldo Ferrer de Andrade e Silva, Claudino César Veloso Freire, Tito Lívio de Sá Pereira, Marcus Antônio da Cunha Fernandes, Péricles Ramalho Farias, Luiz Carlos Rosas, José Marcelo da Rosa e Albuquerque, Roberto Veloso Freire e Ronaldo Delgado Gadelha. O círculo branco indica Sérgio Rolim Mendonça, e o preto, Breno Machado Grisi.

200

Turma do 2º científico do Colégio Marista Pio X, dirigida por irmão Paulo Berckman, na companhia dos irmãos Ricardo (Mutuca) e Bruno – 1960. *A partir de cima, da esquerda para a direita*: José Eduardo Cunha, Rafael Freire Xavier, Sérgio Rolim Mendonça, Gilson Cavalcanti de Melo, Aderson Figueiredo Diniz, Renato Eduardo Correia Ribeiro Coutinho, José Edilgardo Guedes Seixas Maia, desconhecido, desconhecido, César Marinho de Lima, Agamenon Falcão, Ricardo César Lianza Lombardi, Renato Caldas Lins, desconhecido, Vittorio Visani, José Ferreira de Lima, Mário Peixoto de Oliveira, Alberto Moreira Pires Ferreira, Rinaldo Ferrer de Andrade e Silva, Derivaldo, João Barbosa de Lucena, Tito Lívio de Sá Ferreira, Martinho Afonso Sá, Marcelo Toscano de Lucena Cavalcanti, desconhecido, desconhecido, Margarido Pires Ferreira, Ronaldo Delgado Cadelha, desconhecido, irmão Ricardo (Mutuca), irmão Paulo Berckman, irmão Bruno, Gilverson Cordeiro e desconhecido.

201

Turma do 3º científico do Colégio Marista Pio X dirigida por irmão Herman José – 1961. *A partir de cima, da esquerda para a direita:* Givaldo Menezes, Gilson Cavalcanti de Melo, José Jurandy Carneiro, Nicodemos de Abrantes Cadelha, desconhecido, João Carlos Bezerra de Melo, Renato Eduardo Correia Ribeiro Coutinho, Ricardo Cesar Lianza Lombardi, José Maracajá Coutinho, Manoel Messias da Silva, Marconi, Aderson Figueiredo Diniz, César Marinho de Lima, Dario Gouveia Moniz, Vittorio Visani, Gilverson Corckiro, João Bráulio Espínola Nóbrega, João Teixeira Serrano Jr., José Eduardo Cunha, Rafael Freire Xavier, José Marcelo da Rosa e Albuquerque, Luiz Carlos Rosas, Alberto More ra Pires Ferreira, desconhecido, Renato Caldas Lins, José Severino de Paula Magalhães, desconhecido, João Barbosa de Lucena, Mario Peixoto de Oliveira, Tito Livio de Sá Pereira, irmão Herman José, Ronaldo Delgado Cadelha, Rinaldo Ferrer de Andrade e Silva, Sérgio Roim Mendonça e Marcelo Toscano de Lucena Cavalcanti.

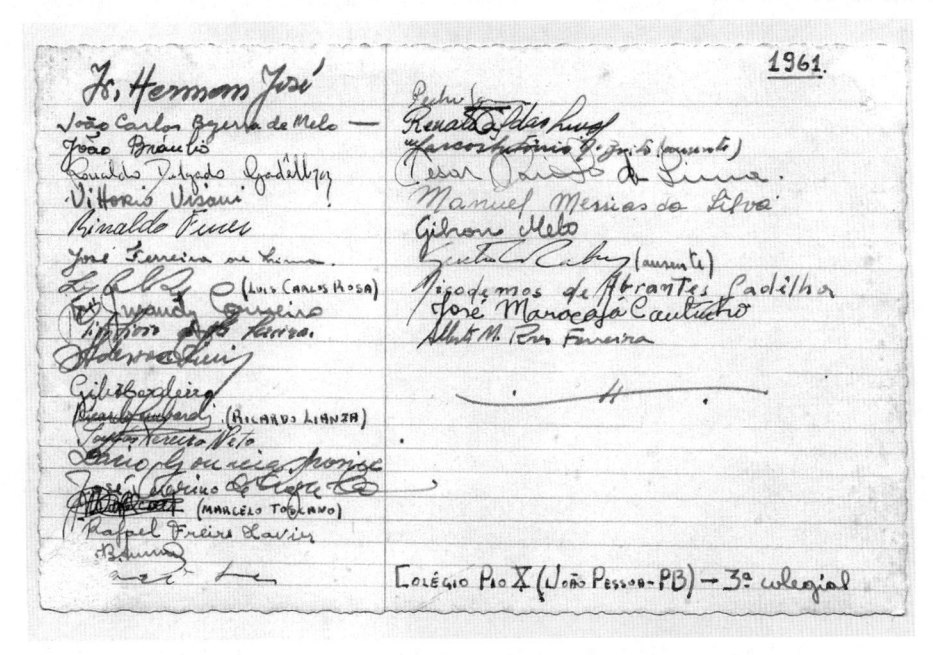

Autógrafos da turma do 3º científico do Colégio Pio X – 1961.

Fachada do Colégio Marista Pio X – João Pessoa. Foto: acervo do Colégio Marista.
Disponível em: <http://marista.edu.br/piox/?p=1347>. Acesso em: 3 jun. 2017.

# Xiranha indecifrável
*José Humberto Espínola Pontes de Miranda*[71]

•─────────── ••• ───────────•

Foi João Bráulio Espínola Nóbrega, primo muito querido, quem me apresentou a Sérgio Rolim Mendonça. Eram colegas de turma no Pio X. A apresentação se transmudaria em amizade e se estenderia aos pais e irmãs de ambos. Com a facilidade das coisas simples e verdadeiras. Era assim naqueles tempos.

No ano de 1963, ingressamos juntos na Universidade Federal da Paraíba. Sérgio, na Escola de Engenharia; eu, na Faculdade de Ciências Jurídicas e Sociais.

Naquele ano, a Escola de Direito cobrou dos vestibulandos conhecimentos em História e Sociologia, apurados por banca examinadora pra lá de exigente. Ofereceu cinquenta vagas, das quais 32 foram preenchidas. Iria ter por colegas, ao cursar o primeiro ano, figuras como Jáder Carlos Coelho da Franca, Maria Emília Coutinho Torres, Antônio de Pádua Lima Montenegro, Maria Helena Guedes Soares de Pinho e Josias Figueiredo de Souza, entre outros juristas de escola. Com os dois últimos teria, ainda, o privilégio de conviver um pouco em Recife, ao exercer a advocacia junto ao TRT da 6ª região, onde eles atuavam como juízes do Tribunal (hoje, desembargadores federais).

Mas voltemos ao ano de 1962, quando ainda cursava o terceiro ano científico no Pio X e tive por professor de Matemática um português que atendia pelo nome de irmão Acácio. Inteligente, culto, pessoa simples, de boa-fé. Boa-fé demais para quem pretendesse ensinar a estudantes em final de curso, caso da nossa turma.

Irmão Acácio costumava escrever uma questão no quadro-negro (que era verde) e perguntar se algum dos alunos se candidatava a resolvê-la. Em dado momento, alguns de seus alentados discípulos decidiram perturbar um pouco

---

71. Fez carreira como advogado do Banco do Brasil, onde se aposentou como chefe da assessoria jurídica regional em Pernambuco. Ocupa a cadeira nº 8 junto à Academia Camaragibense de Letras. E autor de Da citação e do arresto no processo de execução (1978, processual civil), A civilização do não ser – silêncio do Curiango (2009, literatura, ensaios) e O recomeço – um itinerário de tempo cíclico (2013, literatura, romance). Na condição de ensaísta e cronista, tem colaborado com jornais e revistas literárias.

as aulas, com destaque para o autor destas linhas e para Cláudio Mello e Silva, colega mais conhecido como Macaco Branco.

Antes que algum ousado se levantasse para dar solução ao problema, um engraçado qualquer se levantou e disse:

– Não consigo, este problema é difícil pra caralho!

– Quem mais? – indagou o mestre, alheio à malícia do aluno.

– Também não, irmão – logo aduziu outro –, essa xiranha é mesmo indecifrável!

Pobre professor! Ignorante de vocabulário tão rico e supondo tratar-se de alguma gíria local, passou a repetir as palavras que lhe eram estranhas, ar inocente, como se buscasse entender-lhes o significado na frase. Palavras que não se limitariam às referidas acima, claro, pois os alunos, muito criativos, passaram a se valer de todo tipo de palavrão durante as aulas, para deleite geral. Nelas, uma troca permanente: os alunos aprendiam matemática; o professor, palavrões.

De certa feita, surpreendentemente, em dia de prova, para alegria de todos, irmão Acácio colocou um problema no quadro e disse:

– Quero ver qual de vocês vai resolver esta xiranha!

Em meio a boas risadas, não resisti e indaguei do novel dicionarista:

– Mas, professor, essa xiranha que o senhor colocou aí no quadro é indecifrável?

O tempo passou. Ao aproximar-se o término do semestre, irmão Acácio já era considerado um craque em palavrões. Repetia-os constantemente na sala de aula, na tentativa de demonstrar para a turma que dominava o português falado no Nordeste do Brasil. Um completo deleite, alguns alunos chorando de tanto rir, caso de Carlos Augusto Steinbach Silva, nosso querido Papagaio. E tanto o mestre se acostumou a dizer palavrão que o fez ante outros maristas, tendo tido o dissabor de saber, então, que tudo não passara de molecagem dos seus distintos pupilos.

Sem perda de tempo, nosso Isaac Newton, havendo identificado na minha pessoa e na de Cláudio Mello seus mais dedicados professores na arte dos palavrões, chamou-nos para uma conversa em separado e proclamou com frieza tumular:

– Procurem outro colégio para estudar. Aqui, vocês não passam! Busquem outro colégio, na minha matéria já estão reprovados!

Após alguns dias, baixada a poeira e inteirado da impossibilidade de transferência no último ano do curso (existia até resolução do MEC nesse sentido), retornei, na companhia de Cláudio, à presença de Acácio. Dissemos-lhe que estudávamos no Pio X por amor e há sete longos anos; sabíamos de cor o "Atalaia

Marista", hino do colégio; costumávamos rezar na capela e pedir a Deus pela santificação do beato padre Marcelino Champagnat; nossa identidade com os maristas era tanta – dissemos –, que o colégio virara uma espécie de extensão da nossa casa; quisesse nos reprovar, tudo bem, que o fizesse, mas não iríamos mudar para qualquer outro estabelecimento de ensino. Lá é que iríamos repetir o ano letivo e concluir o científico.

Focado em reverter a situação dramática em que me metera e vencer a batalha final, na semana seguinte parti para nova investida. Fui dizer a Acácio que havia contratado um professor particular de matemática para recuperar o semestre perdido. Inalterado, semblante indiferente, o irmão disse ser pura perda de tempo. Para ele, a reprovação já acontecera.

Durante todo o segundo semestre daquele ano de 1962 não mais se disse palavrão na classe, e os colegas passaram a dedicar-se mais ao estudo da matemática. No meu caso, todavia, tal atitude mostrava-se impossível. O que teria a fazer era dedicar-me cada vez mais ao estudo das matérias que enfrentaria no vestibular de Direito, inclusive Sociologia, algo novo para mim. Foi o que fiz.

No que pese haver permanecido alheio ao estudo de matemática, tive a ousadia de pedir ao insigne mestre que me chamasse, de vez em quando, ao quadro, a fim de resolver problemas, tal qual ele fazia com os melhores alunos da classe. Estava sempre atento aos seus ensinamentos, gostaria que comprovasse meu esforço.

Quando acontecia de irmão Acácio me chamar ao quadro-verde – ele passou a fazê-lo vez por outra –, quem me socorria era o colega Tadeu Sobreira Pinto, que se preparava para o vestibular de Engenharia e se valia do fato de sentar-se próximo, em carteira da primeira fila. Aproveitava-se, também, da circunstância de o professor ir postar-se, nessas ocasiões, bem ao fundo da sala, junto a alguma janela.

Nessas ocasiões, ditava Tadeu para mim a solução do problema, tintim por tintim. Tudo sob a complacência dos colegas que lhe ficavam próximos. Esse desprendimento de Tadeu em ensinar aos colegas em dificuldade o levaria a ser escolhido o melhor colega da turma, em consagradora votação.

Foi assim que passei a ganhar a confiança de irmão Acácio, de quem se dizia até ser autor de teorema matemático! Um cientista português, pois. Tão lusitano que chegou a ponto de dizer em sala de aula que eu era exemplo a ser seguido. Na matéria dele, saíra de uma situação desesperadora no primeiro semestre para a recuperação no segundo.

Mesmo sabedor do elogio, não confiava em Acácio. Tinha aquele sentimento, aquela impressão de que a qualquer momento iria aprontar comigo, principalmente quando chegasse a prova final. Não deu outra; foi exatamente o que fez, colocando-me – também ao Macaco Branco – em segunda época (recuperação) na matéria que ministrava.

Muitos colegas já estavam aprovados quando me escolheram para representar a turma na cerimônia de diplomação. Fui ter, então, com o irmão Geraldo, diretor do colégio, para noticiar-lhe o fato, que deveria ocorrer antes da realização das provas de segunda época. E com ele aconselhar-me. Disse-lhe, então, estar muito preocupado com a situação e com o que dela poderia advir para mim. Pragmático, o irmão simplesmente respondeu que o melhor a fazer seria recusar a indicação dos colegas.

Como a turma não aceitou eleger novo orador, irmão Geraldo decidiu ir, pessoalmente, tratar do assunto em classe. Argumentou, argumentou, mas não logrou sucesso. A festa veio a acontecer da forma programada, fazendo eu o discurso em nome dos concluintes. Sentia, apontada para mim, a espada de Dâmocles.

Restava obter aprovação na prova de Acácio ou perder a possibilidade de cursar Direito em 1963. Como conseguir proeza tal, se me voltara, em tempo integral, ao estudo de outras matérias? Um enigma a ser decifrado.

A solução viria de um encontro fortuito que tive com Sérgio Rolim, que formara grupo de estudo para o vestibular de Engenharia com Ricardo Sérgio Lianza Lombardi, Martinho Ubirajara Melo Chianca e João Teixeira Serrano Júnior. Ao tomar conhecimento da dificuldade que estava a enfrentar com irmão Acácio, disse-me Sérgio que o procurasse em determinado dia da semana, pois tentaria orientar-me de forma a enfrentar com alguma chance a prova de segunda época em matemática.

No encontro, a que esteve presente Ricardo Lombardi, colhi orientação segura de como resolver quatro tipos de problema. Disse-me Sérgio que o professor não poderia fugir muito a eles. Passaram-me, então, os dois mestres matemáticos (foi assim que os vi) ensinamentos simples e lógicos que me permitiram nova visão de como resolver ditas questões. E insistiram no assunto até concluírem que bastava, a partir dali, exercitar o desenvolvimento da solução apontada, o maior número de vezes possível. Emprestaram-me livro contendo um sem-número de problemas da espécie. A prova ocorreria dali a uma semana. Cuidei então de, até lá, treinar a solução daqueles problemas.

É chegado o dia "D". Espalhados pela sala, só quatro alunos, muito afastados uns dos outros. Em pé, junto ao quadro-verde, postara-se nosso examinador. Ministrou as instruções iniciais para a prova com ares de inquisidor. E deixou--nos a todos apavorados quando disse, clara e pausadamente:

– Quero ver quem vai passar na xiranha que preparei para vocês...

Ainda não recuperara a fala, quando vi entrar na sala o irmão Geraldo, a todos cumprimentando. Depois, sorridente, voltou-se para o nosso Torquemada e, muito simpático, informou-o:

– Veja como são as coisas, irmão Acácio. José Humberto nunca ficou em segunda época no colégio, foi ficar justamente agora, quando não necessita de matemática, pois vai fazer vestibular para Direito.

Apesar de não esperar mínima condescendência do excelso mestre, principalmente após vê-lo tratar por *xiranha* a prova que preparara para suas prováveis vítimas, pensei que a intervenção do diretor pudesse levá-lo a não ser injusto comigo na hora de corrigir a prova.

Irmão Acácio escreve no quadro-verde três questões e informa que cada uma delas irá valer 1/3 da prova. Duas delas se enquadravam em tipos sobre os quais me debruçara durante toda a semana. Cuidei de resolvê-las rapidamente, sob o olhar atento de Acácio, que já não lembrava Tomás de Torquemada. Com semblante desanuviado, voltara a ser o nosso Isaac Newton, graças a Deus!

Cabe observar que houve, na prova, questão não resolvida por mim. Sérgio e Ricardo não a haviam listado para meu aprendizado de urgência. Teria irmão Acácio, num surto de maldade, colocado na prova uma de suas *xiranhas indecifráveis*? Essa, a questão que não queria calar. E que ficou, até hoje, sem resposta.

José Humberto recebendo o diploma de conclusão do curso científico no Colégio Marista Pio X – 1962.

# Paraíba-Rio-Bogotá
*Evandro Nóbrega*[72]

———————•••———————

Em função de dois artigos aqui por nós publicados sobre Órris Fernandes Barbosa, autor do livro *Secca de 32 – impressões sobre a crise nordestina* (primeira edição em 1935 e segunda edição em 1998), recebemos vários e-mails não apenas da Paraíba, mas de outras partes do país. E agora, chega-nos mais uma correspondência eletrônica, desta vez de Bogotá, Colômbia, mas assinada pelo engenheiro paraibano Sérgio Rolim Mendonça, tratando igualmente de Órris Barbosa, sua esposa Waldina de Mendonça Barbosa, famílias respectivas e temas correlatos.

Sérgio Rolim Mendonça lembra, *en passant*, que Órris Barbosa era tio legítimo de um dos maiores pianistas brasileiros de todos os tempos, Antônio Guedes Barbosa, professor de música da New York University e que faleceu prematuramente, de infarto, aos 49 anos de idade. (Entrevistamos o notável músico paraibano por mais de uma vez, na antiga reitoria, quando de suas raras passagens por João Pessoa. A agenda de apresentações de Guedes Barbosa, no Brasil e no exterior, impunha-lhe longuíssimos períodos de ausência de seu Nordeste natal.)

Em seu e-mail, o engenheiro civil e sanitarista Sérgio Rolim Mendonça diz, entre outras coisas:

> Caro Evandro: meus parabéns pelos artigos sobre Órris Fernandes Barbosa. Sou sobrinho de Waldina Barbosa, sua viúva. Meu pai, Francisco Mendonça Filho, e seu irmão Osmar Vergara Mendonça (irmãos também de Waldina), juntamente com Newton Nobre Lacerda e Lauro dos Guimarães Wanderley, seus cunhados, foram fundadores da Faculdade de Medicina da Paraíba, ao lado de

---

72. Transcrito de artigo publicado na Coluna Evandro Nóbrega, terceira página do Caderno Show do jornal *O Norte*, em 9 de junho de1999, e republicado na Coleção Mossoroense, Série "B" – nº 1685, junho de 1999, Prefeitura Municipal de Mossoró, Fundação Vingt-un Rosado, Mossoró, Rio Grande do Norte, em coedição com o Governo do Estado do Rio Grande do Norte.

destacados médicos e educadores paraibanos [...].
Acredito que você não se lembra de mim [*Mas é claro que me lembro!*]. Eu, sim, me recordo muito bem de você. Em 1975, quando dr. Humberto Carneiro da Cunha Nóbrega era reitor da UFPB, lancei meu primeiro livro, *Manual do reparador de medidores de água*, publicado pela Companhia de Tecnologia de Saneamento Básico do Estado de São Paulo (Cetesb). O lançamento se deu no hall da antiga reitoria da universidade, ali na avenida Getúlio Vargas, perto da lagoa do Parque Solon de Lucena. A pessoa que elaborou meu discurso, com os dados que lhe forneci, foi exatamente você, por solicitude de algum funcionário importante da reitoria, talvez o próprio dr. Humberto [...]. [*Na verdade, Sérgio, foi o chefe de gabinete deste reitor, professor Waldo Lima do Valle.*]

O técnico e escritor Sérgio Rolim Mendonça trabalhou muitos anos como professor da Escola de Engenharia da UFPB, hoje Centro de Tecnologia (CT), e também como engenheiro da Companhia de Água e Esgotos da Paraíba (Cagepa). O e-mail continua:

> Há três anos e meio, participei de um concurso para trabalhar na Organização Pan-Americana da Saúde (Opas), órgão da Organização Mundial da Saúde (OMS) – como Assessor em Saúde e Ambiente na Colômbia, onde estou vivendo até agora. Leio quase todos os dias o jornal *O Norte* e outros órgãos de imprensa da Paraíba, pela internet, para me manter atualizado sobre nossa terra. Aqui em Bogotá, estou às ordens. Um forte abraço etc. [...].

O livro de Órris Fernandes Barbosa, que tanto impressionou intelectuais nordestinos – entre eles (para citar apenas um exemplo), a dra. Mariângela Sitônio Wanderley, do Conselho Estadual de Cultura e ex-diretora do Centro de Ciências Humanas, Letras e Artes (CCHLA) da UFPB –, continua, portanto, a provocar manifestações das mais diversas áreas, desde que, por sugestão da historiadora paraibana Martha Maria Falcão de Carvalho e Moraes Santana, saiu em segunda edição pela Fundação Vingt-un Rosado, de Mossoró.

A mesma instituição lançou, mais recentemente, outro volume intitulado *Ideologia e espaço social em Órris Barbosa – ensaio crítico sobre "Secca de 32"*, num trabalho coordenado pelo professor e historiador José Octávio de Arruda Mello e de que participam nada menos que doze especialistas em diversas áreas historiográficas e disciplinas auxiliares.

Sobre o mesmo tema e além da mensagem eletrônica parcialmente transcrita nos parágrafos anteriores, vinda de Bogotá, recebemos do Rio de Janeiro e-mails de todos os filhos, genros, noras e netos de Órris Barbosa; de Cid Martinho Mendonça Barbosa e da economista e artista plástica Maria da Conceição Barbosa; de Nilder Costa, do Movimento de Solidariedade Inter-Americano (MSIA); de Silviu Grigoriu, enviando excelentes materiais informativos sobre o escritor e administrador Órris Fernandes Barbosa, e da viúva de Órris, Waldina Mendonça Barbosa, enviando mais dados importantes sobre o legado intelectual do falecido marido.

Para variar, nós mesmos estamos concluindo um terceiro trabalho sobre Órris Fernandes Barbosa e sua duradoura contribuição para melhor entendimento do problema-que-nunca-acaba, esse do Nordeste, subjugado, externamente, pela incompreensão mesquinha e fratricida do Sudeste e, internamente, pela má qualidade de alguns de seus políticos colocados em postos-chave.

Um só exemplo: um caso como este, da transposição das águas do rio São Francisco para Pernambuco, Paraíba, Rio Grande do Norte e Ceará, já devia ter sido solucionado há muito tempo, com as obras iniciando-se ou quase concluídas. Mas o que se vê? Lero-lero, negaças, vai-não-vai, indecisões, puxa-encolhe, enganação, sacanagens, safadeza – e o que mais o imaginativo leitor quiser acrescentar a esta pálida lista.

— ... —

## Origem do livro *Secca de 32 – impressões sobre a crise nordestina*[73]
*Sérgio Rolim Mendonça*

Em 1º de março de 1930, foram realizadas eleições para a presidência da República, com vitória do governador do estado de São Paulo, Júlio Prestes. Não tomou posse, sendo posteriormente exilado em virtude do golpe de estado desencadeado a 3 de outubro de 1930. Getúlio Vargas assumiu a chefia do

---

73. BARBOSA, Órris Fernandes. *Secca de 32 – impressões sobre a crise nordestina*. Rio de Janeiro: Adersen Editores, 1935.

Governo Provisório em 3 de novembro de 1930, data que marca o fim da República Velha no Brasil.

A Primeira República Brasileira, ou República Velha, se estendeu desde a proclamação da república, em 15 de novembro de 1889, até a Revolução de 1930, ano em que o Brasil concluiu a sua 13ª presidência por intermédio de Washington Luís.

O governador de Minas Gerais, Antônio Carlos Ribeiro de Andrada, havia assumido compromisso com Washington Luís de só tratar da questão sucessória a partir de setembro de 1929. Contrariando o prometido, enviou uma carta datada de 20 de julho de 1929 ao presidente da República, na qual indicava Getúlio Vargas como o preferido para candidato à presidência do país

Waldina de Mendonça Barbosa e Órris Fernandes Barbosa – década de 1930.

para o mandato de 1930 a 1934. Em consequência, Washington Luís iniciou o processo sucessório consultando os governadores dos vinte estados existentes no Brasil naquela época, indicando o nome do governador do estado de São Paulo, Júlio Prestes de Albuquerque, paulista, como o seu sucessor. Recebeu apoio dos governadores de dezessete estados. Os três estados que negaram apoio a Júlio Prestes foram Minas Gerais, Rio Grande do Sul e Paraíba.

O telegrama de João Pessoa, governador da Paraíba, conhecido como o "Telegrama do Négo", é datado de 29 de julho de 1929, nove dias após Antônio Carlos lançar Getúlio Vargas candidato à presidência da República. No telegrama, João Pessoa, relatando a decisão tomada pelo Partido Republicano Paraibano (PRP), dizia: "Reunido o diretório do partido, sob minha presidência política, resolveu unanimemente não apoiar a candidatura do eminente dr. Júlio Prestes à sucessão presidencial da República".

A Revolução de 1930, ou Revolução de Outubro, foi um movimento armado, liderado pelos estados de Minas Gerais, Paraíba e Rio Grande do Sul, que culminou com um golpe de Estado, o Golpe de 1930, que depôs o presidente da República Washington Luís em 24 de outubro de 1930, impediu a posse do presidente eleito Júlio Prestes e pôs fim à República Velha.

No início do segundo semestre de 1933, Getúlio Vargas já estava novamente em campanha para a presidência da República. Decidiu percorrer no começo de agosto desse ano todo o Nordeste em uma caravana, acompanhado do ministro José Américo de Almeida e do major Juarez Távora, para inaugurar obras contra as secas que haviam sido construídas nos seus três anos de governo provisório.

Fazia parte dessa caravana o jovem advogado e jornalista Órris Fernandes Barbosa, um dos assessores de imprensa do Ministério de Viação e Obras Públicas. Órris era um socialista entusiasmado com a Revolução de Outubro. Seu livro é um relato dessa viagem com a comitiva presidencial.

Órris conta que desde menino já havia ouvido falar das obras contra as secas desde o início da gestão da presidência de Epitácio Pessoa. Não compreendia, entretanto, a finalidade social do empreendimento.

> Só mais tarde, quando comecei a observar e criticar os fatos é que atinei com os motivos reais da alegria convulsiva dos sertanejos com o resultado das obras (estradas de rodagem, linhas férreas, barragens etc.) que foram construídas [...].

Apresenta em detalhes no seu livro toda a produção agrícola do Nordeste, quantitativos e financeiros.

> Lá nos sertões, o labor de um formigueiro humano tocado do entusiasmo dos empreendimentos dirigidos por técnicos estrangeiros – gente que bebia champanhe e uísque, de costumes requintados e esquisitos que contrastavam com a simplicidade da vida sertaneja – trabalhava menos pelo salário do que pela confiança de se aproveitar dos frutos, num futuro próximo, daquela atividade colossal de máquinas que rasgavam o solo, fraturavam o granito para a fundação de açudes e erguiam barreira de terra e pedra. Esse entusiasmo era o misticismo da própria salvação da terra [...].

Criticou as obras do porto do rio Sanhauá, cujos recursos, recebidos pelo governo estadual durante a administração do presidente da República Epitácio Pessoa, foram todos desviados, e nada foi construído. Foram gastos na época cerca de 20 mil contos de réis. Dizem que Epitácio Pessoa, depois que soube desse roubo, nunca mais retornou a João Pessoa.

Sobre os efeitos da crise econômica mundial de 1929, relatava que éramos escravos do automóvel, da gasolina, do cinema da América do Norte, do carvão, da locomotiva e do navio da Inglaterra. Éramos apenas o país do café, ou seja, pequena potência política.

E para satisfação do nosso nacionalismo, que vive do narcisismo estéril que proclama o verde de nossas florestas, o azul dos céus, o ouro escondido dentro da terra (aliás, industrializado pelos ingleses do Morro Velho e contrabandeado por estrangeiros de toda espécie) e a grandeza absorvente da Amazônia, o que é o Brasil?

A catástrofe econômica e financeira, segundo Órris, implicou a queda de um regime político. Daí ter sido fácil a vitória da Revolução de 1930, o Outubrismo.

Sobre os nordestinos, descreve que famílias inteiras de sertanejos, reduzidas a frangalhos humanos, enchiam os caminhos, sob o céu sinistramente azul, com as portas do coração trancadas pela fome, abandonando-se à retirada sem destino. A região seca, de muito sol, grandes distâncias, ventos fortes, pedregosa e áspera, obrigou o sertanejo a calçar alpercatas de couro grosso e a alimentar-se sobriamente de rapadura, farinha, leite, queijo e carne seca, gêneros de primeira necessidade no sertão nordestino.

Elogiando o Governo Provisório, cita que este abandonou a atitude clássica que norteava a linha neutra do Estado equilibrada no liberalismo econômico e interveio com decisão na resolução do problema da seca, de acordo com o novo plano que foi aprovado em 1931, devido a insistente atuação do ministro José Américo de Almeida junto à boa vontade do ditador Getúlio Vargas. Na Paraíba, o governador Antenor Navarro não parava, determinando medidas urgentes, que facilitavam a ação dos engenheiros encarregados das obras realizadas nos sertões. Essa forma produtiva de socorros aos flagelados efetuou-se com regularidade, sendo criados três centros agrícolas em Alagoa Grande, Guarabira e Bananeiras.

Segundo Órris, desde os princípios de 1932 a água escasseava assustadoramente nos locais das obras. Houve trechos de rodovia em que a água foi transportada a mais de 10 km de distância, a um preço considerável. A água de bebida era conseguida ainda em quantidade precária ainda, e quase sempre era de péssima qualidade. Alguns trechos não puderam ser estudados por absoluta falta de água. No começo de 1933, a epidemia já havia dizimado grande número de flagelados, com cifras impressionantes. O lixo exposto e os dejetos ressequidos de homens e animais apodreciam (como acontece em inúmeras cidades brasileiras, onde o serviço de limpeza pública é deficiente), e ali proliferavam moscas em verdadeiros enxames, propagando os germes das doenças gastrointestinais. Dos vermes intestinais, o mais encontrado foi a lombriga (*Ascaris lumbricoides*). Outro problema encontrado foi a necessidade de reflorestamento da região. Em consequência, foi constituída a Comissão de Reflorestamento do Nordeste, sob a direção do agrônomo José Augusto Trindade. Ninguém apontou um deslize sequer na aplicação de tão vultosas obras. O regime das empreitadas, de tanta sedução para políticos e protegidos, despareceu totalmente, com a execução das obras pelo Estado.

O principal açude construído foi o Piranhas, que teria o papel de armazenar a água necessária para o aproveitamento das águas de Sousa e alimentaria o açude São Gonçalo, situado a 20 km a jusante dessa barragem. O São Gonçalo distribuiria pelos canais de irrigação, transformando em celeiros permanentes as terras marginais do rio do Peixe, na época com pouca atuação econômica. O Pilões, açude que também fazia parte do sistema do Alto Piranhas, teve sua capacidade reduzida de 200 milhões de metros cúbicos para 13 milhões, com a finalidade de que não fossem prejudicadas as fontes termais radioativas de Brejo das Freiras, onde o governo pretendia erguer uma pequena cidade de repouso.

Durante o período dessa viagem pelo Nordeste, Getúlio Vargas, José Américo e Juarez Távora se hospedaram na casa de residência do engenheiro chefe no São Gonçalo. No alpendre, Getúlio Vargas sem abandonar seu charuto filosófico, com sua calça de brim e com ar de extrema simplicidade, descansava depois de muitas horas ao sol, a balançar-se pacificamente numa cadeira de molas. Na outra sala da casa, deitados à nordestina, em redes de cores vivas, encontravam-se os senhores José Américo e major Juarez Távora.

No final do seu livro, Órris comenta que os artífices dos golpes fulminantes e decisivos que destruíram a crosta subjugadora dos instintos de luta daquelas pobres populações agrárias foram João Pessoa e José Américo de Almeida.

> Quando a Revolução entregou a esse homem do Nordeste (José Américo de Almeida) a pasta de ministro da viação e obras públicas, não faltou quem julgasse que esta seria a melhor maneira de liquidar a boa-fé política de um provinciano. Entretanto, foi através da ação de José Américo que o Outubrismo (Revolução de 1930) teve a sua melhor expressão revolucionária e, portanto, humana, ao enfrentar o difícil problema das secas [...].
> Não fora a facilidade de um governo ditatorial – livre das discussões morosas das câmaras legislativas – apoiando todas as deliberações

dos técnicos da Inspetoria de Secas, o problema nordestino não teria sido levado a bom termo, coerentemente e em tão pouco tempo, dentro de um plano conjunto. E estaríamos, agora, a registrar outra tentativa frustrada, num esconjuro de vinditas inexoráveis [...].
É uma afirmação que faço com a consciência tranquila [...].

―― ··· ――

## Considerações sobre a família de Órris Barbosa
*Sérgio Rolim Mendonça*

No início de janeiro de 1960, meu pai me presenteou com uma viagem ao Rio de Janeiro, para passar 45 dias na casa de uma tia, Waldina. Viajei pela primeira vez de avião pela saudosa Panair do Brasil, um pouco antes de completar 16 anos. A empresa foi uma das companhias aéreas pioneiras do Brasil. O voo Panair do Brasil 026 era uma linha aérea que ligava a América do Sul à Europa por meio da aeronave *Douglas DC-7*. A linha aérea tinha seus terminais em Buenos Aires e Londres, sendo realizadas escalas no Rio de Janeiro, em Lisboa e em Paris. Creio que meu voo foi realizado em uma aeronave *Constellation*, que era o avião da Panair que realizava as rotas nacionais.

Durante minhas férias, tive um contato mais chegado com meus tios Órris e Waldina e os primos Zélia, Marília e Cid. Quem também estava hospedada na casa desses tios era a prima Célia Mendonça Lacerda, filha do médico Newton Nobre Lacerda, casado com outra tia, Maria Mendonça Lacerda. Foi um período excelente para mim, em que pude conhecer o Rio de Janeiro, onde moravam as famílias de dois outros tios, irmãos do meu pai: Edilberto Vergara (Bebeca), com sua esposa Cleide e seus filhos Tamara e Rodrigo; e Mario Vergara Mendonça (falecido em 1955), com sua esposa Laura Novaes e seus filhos Francisco Octávio e Mário Romeu Novaes Mendonça.

Tive a oportunidade de jogar voleibol diariamente no Fluminense (tio Órris era sócio). Saía do apartamento de minha tia, apanhava um bonde (o bilhete custava Cr$ 3,00) e chegava até o bairro das Laranjeiras, onde se localizava aquele sodalício. Na época, já era atleta de voleibol e fui convidado a jogar por esse famoso clube, conhecido como pó de arroz (em razão da cultura aristocrática do Fluminense, pessoas negras tinham dificuldades em ser contratadas pelo clube).

Tenho certeza de que o meu pai me teria autorizado a mudar-me para o Rio de Janeiro. Estava encantado com a Cidade Maravilhosa, mas não tive coragem de pedir-lhe tal coisa. Fiquei com medo de me desviar dos estudos, devido à facilidade de diversão na cidade, e de me afastar da família. Posteriormente, cheguei a ser titular da seleção paraibana de voleibol, passando pelas fases juvenil, adulta e universitária no período de sete anos até minha formatura, em 1967.

Outro fato marcante daquelas férias no Rio de Janeiro foi a minha participação em um baile de gala num dos salões muito bonitos do Fluminense, também no bairro das Laranjeiras, que ainda se mantêm muito bem conservados. Esse baile marcou o encerramento do curso ginasial (hoje Ensino Fundamental II) de Vânia Costa Carvalho, amiga de infância das primas Zélia e Marília Mendonça Barbosa. Vânia, que era muito ligada a Marília, reside atualmente em Piratininga, praia de Niterói, no Rio de Janeiro, e Marília, com sua família, em João Pessoa. Fomos os seis à festa: Zélia, Marília, Cid Martinho, Célia Mendonça Lacerda, Vânia e eu. A orquestra era uma das mais famosas da época, a coqueluche do momento, com Waldir Calmon, que acabara de lançar seu famoso *long-play*, Uma noite no Arpège.

Fui com um *smoking* emprestado do futuro pianista internacional Antônio Guedes Barbosa, ainda muito jovem naquele tempo. Tinha corpo parecido com o meu, sendo mais gordo e de pescoço menor. O traje caiu muito bem em mim, à exceção do pescoço, pois o meu era mais comprido e fino. Na festa, eu seria o par de Vânia, recordou-me a prima Zélia, numa noite que passaria em preocupação constante ao dançar: puxava o colarinho para trás, surgia grande folga; tentava puxá-lo para frente, a folga ressurgia maior. A despeito desse pequeno detalhe, a festa desenvolveu-se de forma sensacional, principalmente para um jovem de apenas 15 anos, que vinha tendo o prazer de desfrutar intensamente da capital do país numa convivência de 45 dias com tios e primos maravilhosos.

Zélia Barbosa, Cid Martinho, eu, Célia Lacerda e Marília Barbosa – Rio de Janeiro, janeiro de 1960.

Visita ao Cristo Redentor. *No destaque*, eu, Zélia Barbosa, tio Bertinho (Edilberto Vergara Mendonça), Célia Lacerda e Marília Barbosa – Rio de Janeiro, 1960.

Nota publicada no *Jornal da Associação Brasileira de Engenharia Sanitária* (Abes), do Rio de Janeiro, sobre o lançamento de meu livro – 4 de setembro de 1975.

## LANÇADO MANUAL DO REPARADOR DE MEDIDORES

Em solenidade presidida pelo reitor da Universidade Federal da Paraíba, prof. Humberto Carneiro da Cunha Nóbrega, foi lançado em João Pessoa, no último 4 de setembro, o "Manual do Reparador de Medidores de Água", de autoria do eng. Sérgio Rolim Mendonça, responsável naquele estado pelas obras da CAGEPA e Coordenador-Executivo do Programa BNH.

Ao eng. Paulo Cezar Pinto, o autor da importante publicação declarou: "Durante minha experiência no setor de hidrometria, começada em 1968, com a implantação do serviço hidrométrico de João Pessoa, pude tomar contato mais estreito com a manutenção de medidores de água. Verifiquei que a principal dificuldade encontrada para o engenheiro era a falta de bibliografia especializada necessária para a solução dos problemas surgidos. Desde aí passei a acumular anotações e a pesquisar, aqui e ali, o que havia sobre o assunto. Dessas notas, frutos de minha própria experiência, e do pouco que colhi em outras fontes, resultou o Manual, que hoje ofereço aos colegas de todo o Brasil".

Sérgio Rolim Mendonça é formado pela EE-UFPB, atual Centro de Tecnologia da UFPB e fez o curso de Engenharia Sanitária da Faculdade de Saúde Pública da USP. É consultor da SUDENE para sua especialidade.

Sobre planos de medição, já realizou várias consultorias para a CAGECE e CAEMA. Nosso colaborador eficiente, está ajudando a organizar na Paraíba a Seção Estadual da ABES. Um detalhe muito importante: SRM, além de técnico, profissional e homem público, é desportista. Campeão de volibol, chegou a integrar o quadro da seleção paraibana, tendo disputado diversos campeonatos regionais e nacionais.

JORNAL DA ABES, Rio de Janeiro (RJ), V. 1 – Nº 9 – set 1975

Carnaval no Clube Cabo Branco. *Em pé*, Consuelo Abath, Carmen e Ceres Mendonça Lacerda e Marília e Zélia Mendonça Barbosa; *agachados*, Luís Romero Guedes Maciel, Mario Romeu Novaes Mendonça, eu e Francisco Octávio Novaes Mendonça – 1961.

Autógrafos durante o lançamento do livro: eu, Paulo Cristóvam de Araújo, Sebastião Rocha e Edvaldo Ferreira Ouro – João Pessoa, Paraíba, 4 de setembro de 1975.

Meu discurso no *hall* da reitoria da UFPB: *ao fundo*, prefeito Hermano Augusto de Almeida, Guarany Marques Viana, reitor Humberto Nóbrega, Maria Lúcia (Lucinha) Coêlho Mendonça, Romualdo Rolim, Selda Pires, Gertrudes Medeiros, Sebastião Rocha, Osmar Vergara Mendonça, Antônio de Souza Neves, não identificada, Terezinha Cavalcanti, Ozanira Maia e Carmen Mendonça Lacerda – João Pessoa, Paraíba, 4 de setembro de 1975.

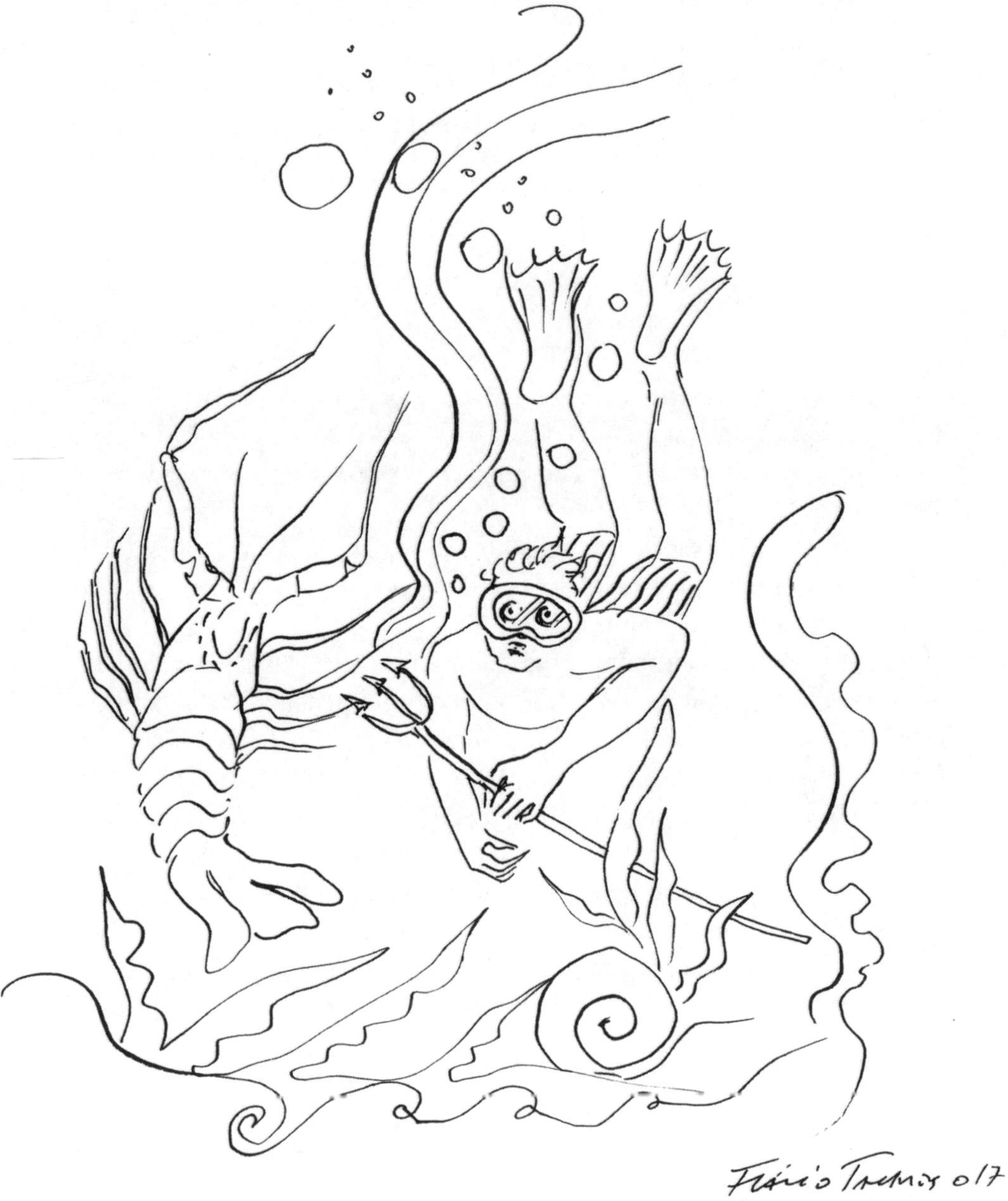

# Escola de Engenharia da Universidade da Paraíba (EEUP) 1967 – discurso de 30 anos e um pouco de história

*Sérgio Rolim Mendonça*[74]

Inicialmente quero agradecer ao meu amigo prof. Orlando Villar Filho, ex--aluno e ex-sócio, a gentileza de ceder o Centro de Tecnologia da UFPB para a celebração da missa de ação de graças pela comemoração dos nossos 30 anos de formados.

Quero também agradecer ao engenheiro Wiliam Veloso, presidente do Clube de Engenharia da Paraíba, pela cessão deste clube para a realização do nosso churrasco de confraternização.

Uma moção de agradecimento especial ao meu grande amigo e colega de turma, José Reinolds Cardoso de Melo, sem cujo apoio não teria sido possível a realização deste evento, além da ajuda do nosso colega Ceciliano de Carvalho Vanderlei e da esposa Ana Maria para a organização da missa de Ação de Graças.

E, finalmente, quero fazer uma homenagem especial à memória de nossos dois amigos e colegas José Castelo Branco Lins e José Lucas Marinho de Pontes Filho, falecidos prematuramente, e também à memória de vários ex-mestres, com destaque para os engenheiros José Neutel Correia Lima, Hélio Gomes Magalhães, Hélio Ferreira Guimarães, Luciano César Vareda (em 1948, já havia obtido o título de *Master of Science* em Engenharia Sanitária na University of North Carolina, nos Estados Unidos), Otacílio Nóbrega de Queiroz e Zenonas Stazevskas; também ao ex-secretário da Escola de Engenharia, José Augusto Nobre, e ao nosso querido Alcides Galvão de Siqueira, o "Timoshenko", que

---

74. Discurso proferido por ocasião da comemoração dos 30 anos de formatura da turma do prof. Serafim Rodríguez Martínez, de 1967, na Escola de Engenharia da Universidade da Paraíba (EEUP), 27 de dezembro de 1997.

nos vendia livros técnicos com prestações a perder de vista e, vez por outra, nos presenteava com suas poesias.

Exatamente há trinta anos e cinco dias, nossa turma estava recebendo seu diploma, no auge do Golpe de 1964, com a participação do presidente da República, marechal Costa e Silva, e do reitor da Universidade Federal da Paraíba, dr. Guilhardo Martins Alves. Alguns colegas não conseguiram chegar ao Clube Cabo Branco, local da formatura, pois ficaram detidos no Grupamento de Engenharia por protestar contra a revolução.

Eram tempos difíceis para os estudantes, pelo refreamento dos impulsos inerentes à sua juventude e principalmente pelo cerceamento de sua liberdade.

Mas vamos aos fatos amenos. Quando passamos no vestibular, todos tinham que levar trote e raspar a cabeça, após ter ingerido dose razoavelmente elevada de um coquetel preparado pelo colega da turma anterior, Antenor. A composição da beberagem até hoje desconheço. Suponho que fosse uma mistura de aguardente, conhaque, rum e açúcar. Só sei que, depois de algumas doses, já estávamos com coragem suficiente para desfilar pelas principais ruas da cidade, cada qual carregando um cartaz criticando organizações privadas e governamentais, nacionais e multinacionais.

Da nossa turma, dois conseguiram escapar do trote e não rasparam a cabeça: Luiz Nelson de Oliveira e Marcio Javan Ayres Viana. O diretório estudantil resolveu suspendê-los por um ano, sem direito a participação nos Jogos Universitários. A Escola de Engenharia possuía pouquíssimos alunos e, consequentemente, muito menos atletas. O vestibular era muito rígido. Nos dois anos anteriores ao nosso, só haviam ingressado dois alunos. Luiz Nelson e Marcio Javan eram ótimos atletas, principalmente de voleibol, e nós precisávamos deles para as Olimpíadas. Depois de muita polêmica, a suspensão foi anulada para que pudessem participar dos jogos. Conclusão: pela primeira vez fomos campeões de voleibol, além de conseguirmos muitas vitórias em outras modalidades e no campeonato geral, muitas vezes.

Era uma época de ouro para os estudantes universitários. Os *feras* de engenharia eram valorizadíssimos. Grandes partidos para as mocinhas da cidade. Quem não se lembra das festas do Clube do Estudante Universitário (CEU), no restaurante Cassino da Lagoa? E das cachaças na Churrascaria Bambu?

Como disse, a Escola de Engenharia era muito pequena e muito unida. Lembro que um colega de uma turma mais adiantada furou uma greve, tendo os colegas decidido por unanimidade não mais falar com ele em sinal de protesto. O colega não aguentou a pressão, tendo, depois de algum tempo, solicitado transferência para o Rio Grande do Sul e nunca mais retornando à nossa querida João Pessoa.

Politicamente, nossa classe era dividida em comunistas e burgueses. Quem não se interessava por política era burguês. Eu, que me interessava muito mais por esportes, era burguês. Reinolds, que na época já tinha algumas ideias liberais, era o "americano".

Tivemos a ventura de ser alunos na época em que o curso era seriado; as aulas eram só pela manhã, das 7h às 12h, de segunda a sábado. Todos tinham tempo suficiente para estudar e estagiar à tarde, com possibilidades antecipadas de unir a teoria à prática antes da conclusão do curso. Um dos grandes males da Revolução de 1964 foi "americanizar" o curso universitário, criando as disciplinas e o sistema de créditos semestrais, com o intuito de dificultar a reunião dos alunos, evitar a união e a amizade entre eles e, consequentemente, acabar com o aparecimento de novos líderes. Quando estávamos cursando o primeiro ano, a maioria de nossos livros eram franceses, pois o Brasil era influenciado fortemente pela cultura francesa. Quem não se lembra das aulas de Cálculo Diferencial e Integral, com o professor Hermano José da Silveira Farias, estudando por Granville? E das aulas de Geometria Analítica, usando como referência Papelier, ministradas pelo saudoso professor e gênio Hélio Ferreira Guimarães?

E assim, lamentavelmente, nas novas gerações já não se comemora reunião da turma, porque praticamente ninguém mais se conhece nem teve oportunidade de permanecer com os colegas por um período razoável de convivência, além de todos perderem demasiado tempo com aulas irregulares nos três períodos, matutino, vespertino e noturno, e não terem tempo para estagiar, fazendo com que os recém-graduados entrassem no mercado de trabalho sem um mínimo de experiência profissional.

Podemos dizer, portanto, que vencemos, mesmo admitindo que o simples sucesso profissional é um critério limitado de realização pessoal. Na verdade, "vencer na vida" é também ter a oportunidade de praticar o bem e servir à causa da humanidade. Aproveitemos este momento – que merece um tom solene, mesmo com toda a desconcentração, para não ser esquecido – para agradecer. Agradecer a Deus, que nos deu a imensa dádiva da amizade que nos aproxima.

Agradecer a nossos pais, a nossas esposas e nossos filhos, a nossos colegas e amigos, aos bedéis que tanto nos ajudaram (em particular, a Antônio Carlos Santiago), a nossos mestres (em especial, ao nosso querido prof. Serafim Rodríguez Martínez, nosso paraninfo, diretor e amigo), ao prof. Vitoriano González y

González, nosso patrono; aos mestres José Carlos Dias de Freitas, Luiz Alvares Coelho, Ivanilton Martins Dinoá, Joacil de Brito Pereira, Harley de Paiva Martins, Carlos Alberto Lins de Albuquerque, Amarílio Sales de Melo, Guilherme da Cunha Pedrosa, Arnaldo Moura Bezerra e tantos outros, e ao nosso amigo e conselheiro de longas datas, padre Juarez Benício Xavier, que hoje celebrará nossa missa de confraternização e Ação de Graças.

Agradecer também a todos que nos ajudaram e nos ajudam. E também aproveitemos este momento especial para comemorar. Pois, parodiando o poeta e sábio nordestino Ascenso Ferreira, hora de vadiar, vadiar, que ninguém é de ferro.

Vestibular na EEUP: *à frente*, Antônio Lopes da Silva Neto, Paulo José de Souto, Valdemiro Gabriel do Nascimento e Antônio Faustino Cavalcanti de Albuquerque Neto; *atrás destes*, Francisco das Chagas Lopes (da turma de 1964); *e mais ao fundo, à esquerda*, Marcos Tadeu Rodrigues Simões, Evandro de Almeida Fernandes, João Teixeira Serrano Jr., Francisco Auspício de Medeiros e Martinho Ubirajara Melo Chianca – 1963.

## Primeiros edifícios da Cidade Universitária, em João Pessoa
*Sérgio Rolim Mendonça*

No ano de nossa formatura, estavam sendo construídos os blocos que hoje fazem parte do Centro de Tecnologia, Campus I, na Cidade Universitária, conforme detalhes apresentados a seguir.

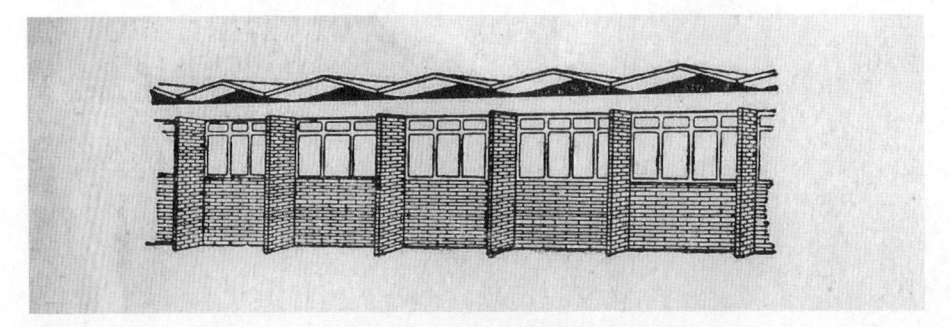

Desenho ilustrativo de cada bloco destinado à EEUP.

Primeiros blocos em construção destinados à EEUP, na Cidade Universitária – João Pessoa, Paraíba, 1967.

O único bloco concluído no começo do ano de 1967 foi o local onde nossa turma pioneira estudou e concluiu o 5º ano de Engenharia Civil, na EEUP. Nossas aulas eram à noite. Para facilitar nosso transporte, a reitoria fretava um ônibus para nos levar e trazer durante os cinco dias úteis da semana. A condução nos apanhava às 18h30 no Parque Solon de Lucena, na esquina da avenida Camilo de Holanda, e nos levava de volta para o mesmo local a partir das 23h.

A EEUP formou 31 engenheiros. Foi uma turma que obteve muito sucesso na vida profissional, com destaques na Paraíba, em todo o Brasil e no exterior. Dentre eles, contamos com dois doutores, um mestre, sete professores universitários, um secretário nacional de saneamento, um diretor financeiro do Banco Nacional de Habitação (BNH), um superintendente do Departamento de Águas e Energia do estado de São Paulo (DAEE), um diretor da Sudene, dois diretores da Cagepa, um secretário de estado da Paraíba, sete que ocuparam cargos de superintendentes e/ou diretores no Departamento de Estradas e Rodagens da Paraíba (DER/PB) e dois na Petrobras, um grande especialista em cálculos estruturais, três grandes empresários da construção civil, um especialista em explosão submarina (*underwater blasting*) e dois consultores da Organização Pan-Americana da Saúde (Opas/OMS) que trabalharam em vários países das Américas.

Possuímos também um colega de turma *hors-concours*: Flavio Mousinho Moreira. Estudou apenas os dois primeiros anos conosco, transferindo-se posteriormente para a Universidade Federal do Rio Grande do Norte (UFRN). Devido à sua grande amizade, o consideramos nosso colega de turma. Participa sempre de nossos encontros. Atualmente é um grande empresário da construção civil e sócio de quatro grandes empresas no estado do Rio Grande do Norte.

―― ••• ――

## Engenheiros civis da EEUP 1967 – turma do prof. Serafim Rodríguez Martínez

- Antônio Augusto Torres Camelo
- Antônio Faustino Cavalcanti de Albuquerque Neto
- Antônio Lopes da Silva Neto
- Argemiro Brito Monteiro da Franca
- Ceciliano de Carvalho Vanderlei
- Cláudio Montenegro Rocha
- Edson Gomes Pinto

- Evandro de Almeida Fernandes
- Francisco Auspício de Medeiros
- Francisco Miguel Diniz
- Francisco Xavier de Carvalho
- José Castelo Branco Lins
- José Leal Soares da Silva
- José Lucas Marinho de Pontes Filho
- José Othon Soares de Oliveira
- José Reinolds Cardoso de Melo
- Luiz Carlos Rangel Soares
- Luiz Nelson de Oliveira
- Marcelo Bezerra Cabral
- Marcio Javan Ayres Viana
- Marcos Tadeu Rodrigues Simões
- Martinho Ubirajara Melo Chianca
- Maurício Silveira
- Paulo Bezerril Júnior
- Paulo José de Souto (orador da turma)
- Renato Magalhães da Silva
- Sérgio Rolim Mendonça
- Tadeu Sobreira Pinto
- Tarcísio Fagundes de Sousa
- Valdemiro Gabriel do Nascimento
- Yvon Luiz Barrêto Rabêlo

## Homenagem ao querido professor e amigo Correia Lima

Conheci o engenheiro José Neutel Correia Lima quando ingressei no curso de Engenharia Civil na UFPB. Foi fundador e catedrático da disciplina Cálculo Diferencial e Cálculo Integral na EEUP e meu professor durante o primeiro ano. Era seu assistente o engenheiro Hermano José da Silveira Farias. Correia, como era conhecido, morou em João Pessoa de 1951 a 1957, quando foi engenheiro e diretor do DER e, posteriormente, diretor do Departamento de Saneamento do Estado da Paraíba. Regressou a Recife para trabalhar como gerente da fábrica de tubos de aço Armco.

Quando fui seu aluno, em 1963, as disciplinas eram ministradas no período de um ano, e o professor Correia Lima estava com sua segunda mudança para João Pessoa programada, para trabalhar novamente no DER, deixando sua mãe muito enferma em Recife. Por conta disso, ministrou poucas aulas nesse tempo. Quando estava no quinto ano de Engenharia, voltei a me encontrar com o professor Correia Lima. Ensinou mais duas disciplinas: Organização das Indústrias e também Direito Administrativo e Legislação.

Correia Lima trabalhou mais de dez anos no DER, onde ocupou vários cargos de direção. Foi, ainda, superintendente da Superintendência dos Estádios da Paraíba (Sudepar), diretor da Sociedade Anônima de Eletrificação da Paraíba (Saelpa, atual Energisa) e diretor da Empresa Brasileira de Planejamento de Transportes (Geipot), além de ter feito diversos trabalhos de consultoria em vários estados brasileiros.

Minha maior aproximação com Correia foi fora do âmbito profissional. Meu avô, Romualdo de Medeiros Rolim, costumava alugar a ele uma pequena casa de veraneio na Praia do Poço, em Cabedelo. Correia foi seu inquilino durante muitos verões, e essa casa estava situada a apenas duas casas de distância daquela em que eu morava. Por isso, tivemos um convívio social bastante intenso, em que pude conhecer sua grande figura humana de personalidade marcante, muito culto, altamente generoso e dotado de enorme prazer em ajudar as pessoas. Geralmente aos domingos, durante o veraneio, Correia se reunia à beira-mar com seus amigos mais íntimos, em frente à sua casa na Praia do Poço, para tomar cerveja e comer caranguejo cozido no molho de coco. Eram seus companheiros mais frequentes nesses eventos os médicos Tito Livio de Sá Pereira, Horácio Antônio Ribeiro Neves, Carlos Branco e Alberto Urquiza Wanderley e os engenheiros Carlos Pereira de Carvalho, Hélio Gomes Magalhães e Luiz Alvares Coelho.

Em 1978, quando eu já havia conseguido uma bolsa de estudos para fazer o mestrado na Inglaterra, apareceram vários entraves burocráticos à minha ida. Qualquer professor universitário que necessitasse sair do Brasil para realizar alguma tarefa no exterior, à época do regime militar, carecia de provar não ser comunista para, posteriormente, sua liberação ser assinada pelo Ministro da Educação e Cultura. Nessa época, era titular da pasta o ministro Ney Braga. Não havia problema para mim, pois nunca me envolvera em questões políticas ou participara de movimento contra os militares. O responsável pelos trâmites junto à reitoria era João Viana da Fonseca Neto, coronel do Exército, um simpático maranhense conhecido como coronel Viana. Quase todo dia, ia à reitoria saber sobre minha liberação, que não chegava. Estava a três semanas de minha viagem à Inglaterra. Comecei a ficar desesperado.

Foi quando decidi telefonar para Claudio Oliveira Araújo, amigo que fiz à época em que foi presidente da Companhia de Saneamento do Paraná (Sanepar). Chegou a convidar-me, em 1976, para trabalhar naquela conceituada empresa, com oferta salarial que correspondia ao dobro do que recebia na Cagepa. Recusei o convite para não perder a vista que tinha do mar na Praia do Poço. Foi chefe de gabinete de um dos governadores do Paraná e tinha muitos amigos políticos. Quem sabe pudesse me ajudar e fazer meu processo andar mais rápido, já que o ministro Ney Braga também era paranaense. Fez o que pôde, mas não conseguiu nada. Tudo dependia de a reitoria receber informação do Serviço Nacional de Informações (SNI) a meu respeito.

O reitor da UFPB era Lynaldo Cavalcanti de Albuquerque, que contratara engenheiros estrangeiros, por dois anos, para, na condição de professores visitantes, lecionarem na Escola Politécnica de Campina Grande. Como o Sanecap tinha convênio com a Escola Politécnica na área de medições hidrológicas, da qual eu era coordenador, tive oportunidade de conhecer o professor Vaclav Elias, de quem me tornaria grande amigo. A respeito do professor Vaclav, um especialista em hidrologia que falava fluentemente dez idiomas, vale lembrar que, antes de vir ao Brasil, em 1977, foi diretor do Instituto de Hidrodinâmica da Academia de Ciências da Tchecoslováquia. Chegou em Campina Grande cerca de nove anos depois da invasão da URSS à Tchecoslováquia, após o movimento liderado por Alexander Dubček, que pretendia implantar reformas liberalizantes no país, as quais contrariavam a política internacional centralizadora da União Soviética. Este movimento ocorrido durante a Guerra Fria – Estados Unidos *versus* União Soviética (1947-1991) – ficou conhecido como "A Primavera de Praga". Antes de viajar, o professor Vaclav teve de deixar em Praga os próprios filhos, reféns do governo comunista. Só assim pôde ter autorização para vir trabalhar por dois anos no Brasil. Contudo, possivelmente por ser originário de um país comunista, ficaria, em Campina Grande, isolado pelos colegas.

Entre os professores, havia alguns ingleses. Um deles, John Jones, de origem galesa, também seria discriminado em Campina Grande, isto pelos próprios britânicos. Não é raro ingleses discriminarem pessoas outras da Grã-Bretanha, pela sua nacionalidade diferente. Assim acontece em relação a escoceses, irlandeses e galeses, caso do dr. John Jones, que, por isso, se aproximaria mais do prof. Vaclav, tornando-se, em consequência, também meu amigo. Foi ele o fundador do curso de mestrado em Eletricidade da Escola Politécnica, do qual se sentia orgulhoso. Como consultor da Companhia Hidrelétrica do São Francisco (Chesf), tornou-se amigo do ex-presidente daquela hidrelétrica, André Dias de Arruda Falcão Filho, que veio a falecer tragicamente num acidente de helicóptero, devido à falta de combustível, quando inspecionava obras na sua área de atuação.

Ansioso por encontrar solução ao meu problema, decidi apelar ao professor John Jones, supondo que uma carta sua, vinda da University of Leeds, poderia ser útil. Passei telegrama ao meu amigo John nos seguintes termos: *"Time running out. Only three weeks for my departure to England. Yet no authorization so far"* ("Tempo acabando. Só três semanas para minha ida à Inglaterra. Nenhuma autorização ainda"). Sem qualquer resposta dele, vi o tempo passar e o prazo, de fato, a se esgotar. O coronel Viana, como sempre, sem novidades.

Eu costumava jogar tênis três a quatro vezes por semana, e no sábado, quando só restavam duas semanas para a esperada viagem, após duas partidas bem disputadas, puxei o assunto com outro tenista, figura polêmica que também veio a se tornar grande amigo. Tratava-se do coronel Joaquim Maia Martins (paraquedista do Exército, faixa preta em karatê, ex-secretário de segurança do governo Clóvis Bezerra Cavalcanti). Conversei com ele, contei-lhe minha situação. Muito atento a tudo, disse-me: "Segunda-feira, às 6 da manhã, vá ao 15º batalhão de infantaria motorizado, no bairro de Cruz das Armas. Apresente-se lá para conversar comigo". Obviamente, cheguei ao quartel pela manhã, às 5h30. Fiz novo resumo do meu caso. Ele imediatamente telefonou para um amigo militar em Brasília. Escutei-o a dizer: "Tenho um amigo aqui em João Pessoa que nunca foi comunista, é muito estudioso, professor universitário, e até agora seu processo não foi liberado pelo SNI para que possa viajar a Leeds, onde pretende realizar mestrado pela UFPB". Às 14h30 desse mesmo dia recebi um telefonema da reitoria dizendo haver chegado minha liberação pelo SNI. Ufa! Saberia, posteriormente, que a ficha corrida de cada candidato tinha de receber aprovação nas catorze seções do SNI então existentes no país. No meu caso, por azar, numa dessas seções, o processo fora extraviado. Dada a intervenção do graduado militar de Brasília, todo esse trâmite veio a ser superado. Devo, pois, um agradecimento todo especial ao coronel Maia Martins, pela palavra que deu em meu favor, sem a qual não teria sido possível minha viagem à Inglaterra.

Aquilo que imaginei ser a parte mais difícil estava, pois, resolvido. Estivera tão focado nesse objetivo que, enquanto me preparava para viajar, constatei que todo o esforço poderia vir a ser inútil. Apesar de a minha liberação pela Cagepa ter sido aprovada um ano antes do início do processo junto à Coordenação de Aperfeiçoamento de Pessoal de Nível Superior (Capes), aquela companhia decidiu desautorizar o meu afastamento. Perplexo, tratei do assunto com o professor Correia Lima, que se mostrou indignado e imediatamente se ofereceu para me ajudar. Escreveu, então, em meu nome, longo arrazoado dirigido ao engenheiro José Carlos Dias de Freitas, que fora meu professor de Física Geral I na UFPB e, na época, ocupava o cargo de secretário de transportes, energia e comunicações da Paraíba (governo Ivan Bichara Sobreira). Graças a esse arrazoado e à visão do professor José Carlos, a Cagepa reautorizou minha viagem à Inglaterra.

Quando estava na cidade de Leeds, onde concluí meu mestrado, recebi uma carta de Correia, datada de 17 de abril de 1979. Transcrevo alguns trechos a seguir:

[...] Meu amigo Sérgio,
[...] Infeliz do homem que tem amigos relaxados...
[...] Daqui a pouco vou me encontrar de novo com você aqui pelas ruas e só agora me tomo de brios e "ao correr ou ao bater dos dedos, ou dos teclados"... é que lhe faço a primeira carta! Falta de tempo? Que nada! Relaxamento e sobretudo preguiça!
[...] Tenho recebido notícias suas, através de cartas que li, das mãos de seu avô Romualdo, ou de comentários de sua irmã Selda ou de seu cunhado Horácio [...]

Referia-se também às novas mudanças efetuadas no primeiro Governo Burity.

[...] Eu, particularmente, estou com dois convites para Recife, e propenso a aceitar a Presidência da CONESP (Sudene) [Companhia Nordestina de Abastecimento (Superintendência do Desenvolvimento do Nordeste)].
[...] Caso não vá para Recife, meu plano é voltar a ensinar na UFPB em regime de 40 horas semanais e aguardar aposentadoria nesse nível, na Universidade. Depois... é tentar a vida.
[...] Bem, um abraço muito amigo do José Neutel Correia Lima [...]

Para quem não sabe, Correia era poeta. Meu amigo e colega de turma de engenharia Yvon Luiz Barreto Rabelo me contou que Correia, quando era secretário adjunto de transportes, energia e comunicações da Paraíba, no segundo governo Burity, emprestou-lhe um caderno de poesias que havia escrito. Yvon recebeu esse material em total confiança, e Correia lhe pediu que, quando o devolvesse, fizesse uma poesia no mesmo estilo do autor para provar que o havia lido. Infelizmente, nosso amigo Yvon não pediu permissão para tirar cópia desse documento histórico, tampouco elaborou a poesia solicitada por Correia.

Correia Lima nasceu em Recife no dia 4 de dezembro de 1921. Seu falecimento, em 5 de outubro de 1997, na capital pernambucana, foi muito sentido por todos que tiveram o prazer e a sorte de conviver com essa grande figura humana.

Marie Elias, eu e Vaclav Elias – República Tcheca, Praga, outubro de 1995.

Luciana, Maria Lúcia (Lucinha), Fábio, Eira Jones e John Jones – interior da Inglaterra, setembro de 1978.

Eu, Edson Pinto, Martinho Chianca, Luiz Nelson, Reinolds e Paulo Souto em visita ao porto de Cabedelo com o prof. Edvaldo Francisco da Cunha (*de costas*) – João Pessoa, Paraíba, 1966.

Paulo Bezerril, Marcelo Cabral e eu (*em pé*), Tereza Bezerril, Luiz Carlos e Maria Helena Rotta Soares (*sentados*) – Natal, Rio Grande do Norte, 1992.

Comemoração de 10 anos de formatura da EEUP, no Hotel Tavares Correia: *em pé*, Chico Xavier, Yvon Rabelo, Faustino Cavalcanti, Renato Magalhães, Luiz Carlos Soares, Edson Pinto e eu; *agachados*, Flavio Mousinho, Marcio Javan, Paulo Bezerril e Argemiro Franca – Garanhuns, Paraíba, 1977.

Comemoração de 10 anos de formatura da EEUP, no Hotel Tavares Correia: *em pé*, Tadeu Pinto, Luiz Carlos Soares, José Reinolds, Renato Magalhães, eu, Marcio Javan, José Othon e Heriberto Navarro (meu cunhado); *agachados*, Flavio Mousinho, Marcelo Cabral, Paulo Bezeril, Martinho Ubirajara Melo Chianca, Castelo Branco e Chico Xavier – Garanhuns, Paraíba, 1977.

Comemoração de 30 anos de formatura da turma da EEUP 1967, no Centro de Tecnologia da UFPB: *em pé*, Marcelo Cabral, José Leal, Argemiro Franca Paulo Bezerril, Marcio Javan, Luiz Nelson, Renato Magalhães, Cláudio Montenegro falando com José Othon, padre Juarez e Ceciliano Vande-lei; *sentados*, Yvon, Reinolds, Auspício, Martinho, Paulo Souto, Flavio Mousinho, eu e Tadeu Pinto – João Pessoa, Paraíba, 27 de dezembro de 1997.

Colegas da turma do prof. Serafim Rodríguez Martínez, da EEUP 1967: Marcelo Bezerra Cabral, Flavio Mousinho Moreira, Marcio Javan Ayres Viana, eu, Argemiro Brito Monteiro da Franca, Edson Gomes Pinto, Luiz Nelson de Oliveira e Tadeu Sobreira Pinto – João Pessoa, Paraíba, 24 de abril de 2004.

## Pisando na grama
*Luiz Augusto Crispim*[75]

Sempre que posso, visito os lugares adormecidos no regaço do tempo. Vou lá e volto. Gosto de rever a minha cara no espelho das águas da Lagoa, de estender o braço nesse abraço com cheiro de maresia, em que me acolhe o Cabo Branco, de dividir com as árvores da Bica a forquilha onde haverei de aninhar todas as lembranças do menino-passarinho que fui um dia em Tambiá.

Gosto de pisar na grama desses paraísos perdidos por aí. Lá não é proibido pisar na grama nem muito menos em sonhos que ficaram para trás.

Diante dos altares da natureza, como esses, eu rezo. Às vezes, sem palavras, só com o olhar. Porque rezar é a melhor maneira de sentir saudade de Deus.

Alguns passos mais adiante, quando refaço velhos caminhos de mim, acabo sempre visitando os sítios que os homens foram plantando ao longo dessas alamedas fantasiadas de jardins do paraíso.

Carrego comigo apenas o sentimento do mundo, que para mim não passa de um bodoque empunhado pelos meninos-passarinhos que nem eu. Mas pobre de mim, que não aprendi a voar e que só sei atirar nas saudades que voam demasiadamente perto do meu coração.

É o caso desse voo em que me lança a turma de engenheiros Serafim Rodríguez Martínez, por iniciativa do primo Argemiro Franca, a me cobrar lembranças dos anos 1960, quando todos nós começamos a nos entender por gente.

Vocês, engenheiros, são plantadores de jardins nos canteiros de obras de Deus.

Grande é o risco de quem pratica as artes da memória. O memorialista é apenas um ficcionista que finge lembrar das coisas que os outros já esqueceram...

Por isso é que não me presto a fazer história...

Sou capaz de fazer versos ante as obras dos homens, que é quase a mesma coisa de rezar aos pés dos andaimes de Deus.

Mas é normal, também, que o primeiro nome que me vem à lembrança seja o da própria lenda que empresta expressão e figura à turma que está completando quarenta anos de formados. Essa lenda se chama Serafim Martinez.

Como vou me esquecer?

Naqueles tempos, meus amigos, as lendas andavam pelas calçadas da Du-

---

75. Artigo publicado no *Correio da Paraíba*, A6, João Pessoa, em 9 de novembro de 2007.

que de Caxias, da General Osório, apeavam-se dos bondes em pleno ponto de Cem Réis, vestiam ternos de linho branco e atendiam pelos nomes de Hélio Soares, Flodoardo da Silveira e Flósculo da Nóbrega na minha Faculdade de Direito, mas também de Serafim Rodríguez Martínez, de Vitoriano González y González e de Ivanilton Martins Dinoá na Escola de Engenharia de vocês.

Como esquecer Faustino, Argemiro, Ceciliano, Claudio, Edson, Auspício, Castelo Branco, Leal, Othon, Reinolds, Luiz Carlos, Luiz Nelson, Marcelo, Javan, Marcos Tadeu, Martinho, Paulo Souto, Paulo Bezerril, Renato, Sérgio Rolim, Tadeu Pinto, Tarcísio, Valdemiro, Yvon, Antônio Augusto, Antônio Lopes, Evandro, Flavio, Francisco Xavier, José Lucas e Maurício Silveira?

Como vou esquecer do paraíso?

Concluintes e homenageados da turma do prof. Serafim Rodríguez Martínez da EEUP 1967.

## 40 anos de saudade
*(Tarcísio Fagundes de Sousa[76], dezembro de 2007)*

Meus colegas, meus amigos,
Estamos aqui reunidos,
Depois de 40 anos
De ausência e sofrimento
Para matar a saudade
Da nossa firme amizade
Naquela Universidade
Vivida com sentimento.

Até parece que a vida
Não nos causou despedida,
De desencontros eternos;
Que saudade de outrora,
Meu coração se apavora,
No meu peito ainda mora
Resquícios do meu caderno.

Sérgio Rolim, na verdade,
Cultiva nossa amizade
Com tudo que tem direito,
Pra quem tiro o meu chapéu...
Tadeu Pinto, Marcio Javan,
Auspício, Nelson, amanhã,
José Othon, eu sou seu fã,
José Leal, nosso *Borel*.

Faustino e Edson Pinto,
Eu falo sério, não minto,
Ele era conhecido
O grande *Mago Vidão*;

---
76. Tarcísio Fagundes de Sousa é poeta e foi colega da turma do prof. Serafim Rodríguez Martínez.

Paulo Bezerril, meu amigo.
Flavio Mousinho, eu consigo,
E a Claudio eu sempre digo
Que é corda do coração.

E assim vamos tocando
A vida, valorizando
Os bons amigos de fato
Em todas fases da vida...
Quero rimar a amizade
Com muita felicidade,
Sufocado na saudade
Desta minha despedida.

Comemoração dos 45 anos de formatura da turma da EEUP 1967: *em pé*, José Leal, Auspício, Luiz Carlos, Paulo Bezerril, Tarcísio, Antônio Augusto, José Othon, Martinho e Faustino; *sentados*, Chico Chaves (amigo), Tadeu, eu, Paulo Souto, Chico Xavier e Marcelo Cabral – Gravatá, Pernambuco, dezembro de 2012.

Homenagem ao prof. José Carlos Dias de Freitas, quando dos 50 anos de formatura da turma da EEUP 1967: Yvon Luiz Rabelo Barreto, José Othon Soares de Oliveira, José Carlos Dias de Freitas, eu, Marcelo Bezerra Cabral, Leda Freitas e Lucinha Mendonça – Recife, Pernambuco, 2 de agosto de 2017.

Homenagem aos familiares do prof. Serafim Rodríguez Martínez, quando dos 50 anos de formatura da turma da EEUP 1967: Francisco Alves Chaves, José Othon Soares de Oliveira, Regina Targino, eu, Itapuan Bôtto Targino e Yvon Luiz Rabelo Barreto – João Pessoa, Paraíba, 12 de agosto de 2017.

Turma da EEUP 1967, do prof. Serafim Rodriguez Martinez, na Pousada Aruanã, em comemoração aos 50 anos de formatura: Martinho Chianca, Antônio Faustino Cavalcanti, Claudio Montenegro, Yvon Rabelo, Tarcísio Fagundes, eu, José Othon, Luiz Nelson, Flavio Mousinho, José Leal e Chico Chaves (amigo) – Conde, Paraíba, 2 de dezembro de 2017.

# Vida esportiva
### Sérgio Rolim Mendonça

## Introdução

Tive uma criação à antiga e, mesmo sendo hiperativo, só comecei a praticar esportes a partir dos 13 anos de idade. Suponho que meu pai tivesse medo de que, aprendendo a jogar futebol, eu perdesse o gosto pelos estudos. Tanto é assim, que nunca aprendi a chutar uma bola. Lembro-me de estar me preparando para disputar um campeonato brasileiro, a essa altura já como titular da seleção paraibana de voleibol juvenil, quando um tio, Osmar Vergara Mendonça, comentou: "Em vez de estudar, vai perder o seu tempo jogando voleibol?". Noutra ocasião, ao disputar os XVIII Jogos Universitários Brasileiros, em Recife, fui acometido de uma infecção purulenta nos olhos e tive de ir a um médico. O meu avô Romualdo Rolim era muito amigo de um renomado oftalmologista, o dr. Altino Ventura, paraibano radicado em Recife. Aproveitei para consultá-lo. Enquanto respondia às perguntas de praxe, perguntou-me o que fazia naquela cidade. Quando lhe disse que disputava um torneio esportivo, arregalou os olhos e indagou: "Por que não está em João Pessoa, concluindo os seus estudos de Engenharia, em vez de perder o seu tempo jogando?". Como é fácil de concluir, era essa a mentalidade da época.

Em 1957, graças aos incentivos dados aos esportes pelos irmãos maristas do Colégio Pio X, sob a coordenação do irmão Fernando, comecei a jogar basquetebol. Naquele ano, o jornal *O Norte* chegou a publicar reportagem sobre o campeonato de basquete que teve a participação dos alunos do Pio X, em notas de Arnaldo Junior. Em disputa: Vasco da Gama, Palmeiras, Cabana e Flamengo. Participei jogando pelo Palmeiras. A seguir, trechos da reportagem com suas devidas atualizações ortográficas.

> No primeiro jogo o "Five" do Vasco da Gama derrotou o Palmeiras pela apertada contagem de 43 × 42, depois de um primeiro tempo adverso de 14 × 15. A vitória dos comandados de Carrinho foi justa,

já que aproveitaram melhor as oportunidades surgidas. Jogaram e marcaram – Vasco da Gama: Roberto Lúcio, pintor famoso em Recife (12); Foguetão, engenheiro civil Luiz Gonzaga Siqueira Campos Cantalice (8); Carrinho, coronel do Exército Luiz Carlos (23); Ednaldo; e Jorge. Palmeiras: Remo Germoglio, engenheiro civil (17); Betão Avelar, agrônomo (19); Meinardo Montenegro, ex-irmão marista (2); Sérgio Rolim, engenheiro civil e sanitarista (4); e Luiz Carlos Rosas. Funcionaram como juízes: Ronaldo Gadelha e Arnaldo Junior com regular trabalho [...].

Na partida principal o Cabana levou de vencida ao Flamengo pela contagem de 59 × 32. A vitória do quadro cabanense foi merecida, já que dominou amplamente seu adversário, do começo ao fim da partida. Jogaram e marcaram – Cabana: Val, Genival Leal de Menezes Filho, bancário (31); João Oscar Henriques (15); Luciano Henriques, médico (9); Marcelo Porto, economista (15); Claudino Veloso, agrônomo (4); Ronaldo Gadelha, engenheiro civil (2); e Luiz Carlos Soares, engenheiro civil e sanitarista (2). Na direção do encontro esteve a dupla Carrinho e Lula Foguetão com um bom trabalho [...].

## Como comecei a jogar voleibol?

Nas férias escolares de 1958, conheci dona Altair Guedes Pereira Montenegro e os filhos Maria Lúcia, Maria Marta e Fernando. A família morava na rua Odon Bezerra, muito próxima ao Colégio Pio X. Era julho quando se improvisou ali uma rede de voleibol amarrada, de um lado, na frondosa mangueira e, do outro, numa estaca fincada junto ao muro lateral do terreno da casa. Foi então que comecei a jogar voleibol, junto de Marcus Antônio de Souza Massa, Marcelo Bezerra Cabral e Alberto Jorge Pereira Peregrino (Betozinho), amigos fraternos desde aquela época. Massa continua vivendo em João Pessoa. Marcelo casou-se com Maria Marta e reside em Recife há muito tempo. A casa de dona Altair era vizinha da casa de Beto português e ficava em frente às casas de Denise Moura e de Marcia Guedes Pereira, esta última sobrinha de dona Altair. Algumas pessoas de que me lembro e que jogavam comigo nessas férias de julho de 1958 eram: as irmãs Maria Marta e Maria Lúcia Guedes Pereira (o irmão Fernando não gostava de jogar, algumas vezes atuava como juiz de nossas partidas); Marcia Guedes Pereira; as irmãs Dilsen, Denilde e Denise Moura, na época, namorada de Emerson Monteiro, seu atual marido;

os irmãos Fernando e Beto português, além da irmã Olívia; Helly Campos Silva e seus primos Djair e Chiquinho, hoje médico ortopedista residente em Cuiabá, Mato Grosso; Marcus Massa, Marcelo Cabral (meu colega de turma de Engenharia) e algumas vezes Betozinho, hoje médico neurologista, residindo em Uberlândia, Minas Gerais.

Iniciou-se 1959, e logo pedi ao meu pai para comprar uma rede de voleibol e uma bola. Atendido, adquiri dois canos galvanizados de 75 mm de diâmetro, aos quais adaptei um tê, e assim funcionaram como duas estacas, possibilitando amarrar a rede. Capinei a vegetação rasteira existente, arrancando os muitos carrapichos que havia e construindo um campo de areia bem em frente à nossa casa, na Praia do Poço. Jogávamos diariamente pela manhã e à tarde. Todos os veranistas participavam, porém só havia em cada partida onze vagas. A 12ª vaga era sempre minha, claro, eu era o dono do campo e da bola. Com esse intenso treinamento, melhorei rapidamente.

Tornei-me muito amigo de Marcus Massa, hoje economista e profundo conhecedor do mercado de investimento em ações da bolsa de valores. Estudávamos no Pio X e, sempre que saíamos do colégio, seguíamos juntos para as nossas casas. Eu morava na avenida Tabajaras, ele pouco mais adiante, na rua Alice de Azevedo. Por isso, tínhamos bastante tempo para conversar. Como gostava muito de matemática, vez por outra o ajudava nessa matéria, dando aulas particulares. Ao findar-se o primeiro semestre de 1959, certo dia comentou comigo que estava chateado por não estar se desenvolvendo no voleibol o quanto queria. Aconselhei-o a não desistir e a perseverar sempre.

Foi quando chegou o início dos I Jogos Ginásio-Colegiais. A essa altura, já me enfronhara como cortador de voleibol e tinha certa liderança na equipe que viria a ser a seleção juvenil do Pio X para disputar aqueles jogos. O esquema tático usual nos times de voleibol da época era a manutenção de três cortadores e três levantadores. Chegado o momento de decidir o time titular, Massa foi escalado como reserva. Ao saber do fato, tentei interceder por ele e avisei-o: "Só há uma maneira de você figurar entre os titulares: sendo meu levantador". Massa aceitou, e fomos campeões de voleibol daqueles jogos estudantis. Eu tinha 1,73 m de altura e Massa, 1,87 m. Na foto que apresento adiante, os cortadores estão em pé e os levantadores, agachados. Anos mais tarde, Massa desenvolveria muito o seu voleibol e se tornaria um dos melhores cortadores de várias seleções da Paraíba, tendo sido, também, excelente técnico de voleibol.

Desde aqueles jogos, passei a me interessar muito pelo voleibol e a me dedicar com afinco àquela modalidade esportiva. Por muito tempo, joguei basquetebol com o único fito de melhorar a minha forma física. Pedi a um tio-avô, Abel Wanderley, especializado em capotaria de automóveis, que fabricasse um cinto de couro com suspensório e seis bolsos laterais. Comprei 6 kg de chumbo em cinta e os dividi em seis partes iguais, três das quais pesei e dobrei cuidadosamente, havendo colocado pedaços de 1 kg em cada bolso. Depois que terminava toda a ginástica, para ficar ainda mais em forma, fazia um exercício chamado "canguru", em que nos agachávamos e levantávamos a cada vez, durante 150 vezes, com esses 6 kg amarrados na cintura. No meu auge, em 1963, cheguei a receber o apelido de João Preparo, tamanha era a minha forma física. Cheguei a pular 1,05 m saltando parado. Tocava no aro de basquete com duas mãos (o aro está situado a 3,05 m de altura) e o agarrava com uma mão, apenas com meus 1,73 m.

Pratiquei judô a partir dos 20 anos e descobri tratar-se de um esporte espetacular, tanto para a saúde quanto para a autoafirmação. Quando se pratica judô, o sangue circula por todo o corpo, da cabeça aos pés. Tive por professor o japonês Kawamura. Um excelente professor. Radicou-se em João Pessoa e, posteriormente, se casou com a irmã do pintor paraibano Raul Córdula. É dono, atualmente, de uma academia de judô em Recife. Kawamura acreditava muito em mim, por minha constância e disciplina. Treinava diariamente, exceto aos domingos. Sendo japonês e tendo crescido com a cultura da disciplina, da perfeição e do respeito, tão arraigados na sua pessoa, enganou-se um pouco comigo, pois considerou que minha capacidade de atleta era maior do que era na realidade. Em determinada ocasião, Kawamura organizou um torneio de judô entre Paraíba e Pernambuco. Seriam 23 lutas, e eu seria um dos participantes. Convidei a todos os amigos e familiares, incluindo um casal mais idoso, sr. Francisco Guimarães Nóbrega e dona Maria José Espínola Nóbrega, pais do meu grande amigo de infância João Bráulio Espínola Nóbrega. Esse casal quase não saía de casa e só foi assistir à luta por conta da grande consideração que tinha por mim. A Paraíba venceu 21 dessas lutas. Apenas duas derrotas sofridas. Eu estava entre os derrotados. Kawamura selecionava os atletas para definir com quem lutariam. Como o japonês superestimava a minha capacidade, escolheu um adversário mais alto, mais pesado e bem mais forte do que eu. A decepção foi grande para mim e também para os pais de João Bráulio, que me disseram ter ficado com medo de que eu morresse, dado meu grande esforço e minha raça durante a luta. De toda maneira, foi um grande aprendizado. Numa das fotos a seguir apresentadas, vê-se um flagrante daquela luta, sendo possível aquilatar a desproporção entre minha pessoa e a do meu oponente.

## Campeonatos interestaduais disputados

- V Campeonato Brasileiro de Voleibol Juvenil, Recife, Pernambuco, 1961.
- VII Campeonato Brasileiro de Voleibol Juvenil, Natal, Rio Grande do Norte, 1963.
- XI Campeonato Brasileiro de Voleibol Adulto, Brasília, Distrito Federal, 1964.
- XVII Jogos Universitários Brasileiros, Recife, Pernambuco, 1964.
- IV Jogos Universitários Norte Nordeste, Maceió, Alagoas, 1965.
- XVIII Jogos Universitários Brasileiros, Curitiba, Paraná, 1966.
- V Jogos Universitários Norte Nordeste, João Pessoa, Paraíba, 1967.

## Títulos estaduais e interestaduais

| Ano | Título | Jogos/Clube |
|---|---|---|
| 1959 | Campeão de Voleibol Juvenil | I Jogos Ginásio-Colegiais, Colégio Marista Pio X |
| 1960 | Campeão de Voleibol Juvenil | II Jogos Ginásio-Colegiais, Colégio Marista Pio X |
| | Campeão de Basquetebol Juvenil | II Jogos Ginásio-Colegiais, Colégio Marista Pio X |
| 1961 | Campeão de Voleibol Adulto | III Jogos Ginásio-Colegiais, Colégio Marista Pio X |
| | Campeão de Basquetebol Adulto | III Jogos Ginásio-Colegiais, Colégio Marista Pio X |
| | Campeão Paraibano de Voleibol Adulto | Clube Astréa |
| 1962 | Campeão de Voleibol do Torneio UESC | Combinado |
| 1963 | Campeão Paraibano do Torneio Início de Voleibol Adulto | Clube Astréa |
| | Campeão de Voleibol do Torneio UESC | Escola de Engenharia (EEUP) |
| | Campeão de Voleibol do Torneio promovido pelas Bandeirantes | EEUP |
| | Campeão Paraibano de Voleibol Adulto | Clube Astréa |
| | Campeão de Volelbol | VII Jogos Universitários da Paraíba, EEUP |
| 1964 | Campeão de Voleibol | VIII Jogos Universitários da Paraíba, EEUP |
| 1965 | Vice-Campeão de Voleibol | IX Jogos Universitários da Paraíba, EEUP |
| | 3º lugar de Voleibol pela Paraíba | IV Jogos Universitários Norte Nordeste, Maceió, Alagoas |

| | | |
|---|---|---|
| 1966 | Campeão de Voleibol | III Campeonato de Voleibol Misto da Praia do Poço, Time Caravela, Cabedelo, Paraíba |
| | Campeão de Voleibol | I Torneio das Escolas de Engenharia Paraíba/Pernambuco, EEUP |
| | Campeão de Voleibol | Torneio promovido pelo Santos Futebol Clube, Clube Astréa |
| | Campeão de Voleibol | X Jogos Universitários da Paraíba, Escola de Engenharia (EEUP) |
| | Campeão Paraibano do Torneio Início de Voleibol Adulto | Clube Astréa |
| | Campeão Paraibano de Voleibol Adulto | Clube Astréa |
| 1967 | Campeão de Voleibol | Torneio Início do IV Campeonato de Voleibol Misto da Praia do Poço, Time Caravela, Cabedelo, Paraíba |
| | Campeão de Voleibol | XI Jogos Universitários da Paraíba, EEUP |
| | Vice-Campeão de Voleibol pela Paraíba | V Jogos Universitários Norte Nordeste, João Pessoa, Paraíba |

## Jogos interestaduais de voleibol disputados

| Ano | Partidas e placares | | |
|---|---|---|---|
| 1960 | Colégio Marista Pio X | 2 × 0 | Colégio Marista de Recife |
| 1961 | Seleção Juvenil da Paraíba | 2 × 3 | Seleção Universitária de Pernambuco |
| | Seleção Juvenil da Paraíba | 3 × 0 | Seleção Juvenil de Pernambuco |
| | Seleção Juvenil da Paraíba | 2 × 3 | Seleção Juvenil de Minas Gerais |
| | Seleção Juvenil da Paraíba | 0 × 3 | Seleção Juvenil de Minas Gerais |
| | Seleção Juvenil da Paraíba | 3 × 0 | Seleção Juvenil do Rio Grande do Norte |
| | Seleção Juvenil da Paraíba | 2 × 3 | Seleção Juvenil do Ceará |
| | Seleção da Praia do Poço | 3 × 2 | Seleção de Goiana, Pernambuco |
| 1962 | Clube Astréa | 2 × 0 | Clube América de Natal |
| | Seleção da Praia do Poço | 2 × 1 | Clube América de Natal |
| | Colégio Estadual de João Pessoa | 1 × 3 | Gaúchos de Olinda |

| | | | |
|---|---|---|---|
| | Clube Astréa | 0 × 2 | Clube Jet de Recife |
| | Clube Astréa | 0 × 3 | Sport Clube de Recife |
| | Clube Astréa | 1 × 3 | Seleção Universitária de Pernambuco |
| | Seleção Juvenil da Paraíba | 3 × 0 | Seleção Juvenil de Pernambuco |
| | Seleção Juvenil da Paraíba | 3 × 1 | Seleção Juvenil de Brasília |
| 1963 | Seleção Juvenil da Paraíba | 3 × 0 | Seleção Juvenil de Brasília |
| | Seleção Juvenil da Paraíba | 3 × 0 | Seleção Juvenil de Alagoas |
| | Seleção Juvenil da Paraíba | 3 × 0 | Seleção Juvenil da Bahia |
| | Seleção Juvenil da Paraíba | 2 × 3 | Seleção Juvenil do Ceará |
| | Clube Astréa | 3 × 2 | Clube Jet de Recife |
| | Clube Astréa | 2 × 3 | Clube Jet de Recife |
| | Seleção Adulta da Paraíba | 1 × 3 | Seleção Adulta de Minas Gerais |
| | Seleção Adulta da Paraíba | 3 × 1 | Seleção Adulta do Pará |
| | Seleção Adulta da Paraíba | 3 × 0 | Seleção Adulta de Santa Catarina |
| | Seleção Adulta da Paraíba | 3 × 2 | Seleção Adulta de Alagoas |
| | Seleção Adulta da Paraíba | 1 × 3 | Seleção Adulta de Pernambuco |
| 1964 | Seleção Universitária da Paraíba | 2 × 3 | Seleção Universitária do Rio Grande do Norte |
| | Seleção Universitária da Paraíba | 0 × 3 | Seleção Universitária da Guanabara |
| | Seleção Universitária da Paraíba | 3 × 0 | Seleção Universitária do Rio Grande do Norte |
| | Seleção Universitária da Paraíba | 3 × 0 | Seleção Universitária do Paraná |
| | Seleção Universitária da Paraíba | 3 × 1 | Seleção Universitária do Rio Grande do Norte |
| | Seleção Universitária da Paraíba | 1 × 3 | Seleção Universitária do Ceará |
| | Seleção Universitária da Paraíba | 3 × 0 | Seleção Universitária do Rio Grande do Norte |
| | Seleção Universitária da Paraíba | 1 × 3 | Seleção Universitária de Alagoas |
| 1965 | Seleção Universitária da Paraíba | 3 × 0 | Seleção Universitária do Pará |
| | Seleção Universitária da Paraíba | 1 × 3 | Seleção Universitária de Pernambuco |
| | Seleção Universitária da Paraíba | 3 × 0 | Seleção Universitária da Bahia |

| | | | |
|---|---|---|---|
| 1966 | Seleção Universitária da Paraíba | 2 × 3 | Clube AABB de Recife |
| | Seleção Universitária da Paraíba | 2 × 3 | Seleção Universitária de Pernambuco |
| | Seleção Universitária da Paraíba | 0 × 3 | Seleção Universitária de Pernambuco |
| | Seleção Universitária da Paraíba | 3 × 0 | Seleção Juvenil do Rio Grande do Sul |
| | Seleção Universitária da Paraíba | 3 × 1 | Seleção Universitária do Rio Grande do Sul |
| | Seleção Universitária da Paraíba | 3 × 0 | Seleção Universitária de Alagoas |
| | Seleção Universitária da Paraíba | 2 × 3 | Seleção Universitária de Pernambuco |
| | Seleção Universitária da Paraíba | 1 × 3 | Seleção Universitária da Guanabara |
| | Seleção Universitária da Paraíba | 0 × 3 | Seleção Universitária de Minas Gerais |
| | Escola de Engenharia da Universidade da Paraíba | 2 × 0 | Escola Politécnica de Pernambuco |
| 1967 | Seleção Universitária da Paraíba | 3 × 2 | Clube AABB de Recife |
| | Seleção Universitária da Paraíba | 3 × 2 | Seleção Universitária de Alagoas |
| | Seleção Universitária da Paraíba | 3 × 0 | Associação Atlética de Sergipe |
| | Seleção Universitária da Paraíba | 3 × 1 | GEAR de Salvador |
| | Seleção Universitária da Paraíba | 3 × 2 | Sport Clube de Recife |
| | Seleção Universitária da Paraíba | 3 × 1 | Seleção Juvenil de Pernambuco |
| | Seleção Universitária da Paraíba | 1 × 3 | Clube AABB de Recife |
| | Clube Astréa | 3 × 2 | Clube Náutico de Recife |
| | Seleção Universitária da Paraíba | 1 × 3 | Clube AABB de Recife |
| | Seleção Universitária da Paraíba | 3 × 2 | Seleção Juvenil de Pernambuco |
| | Seleção Universitária da Paraíba | 2 × 3 | Centro Desportivo do I Exército do Rio de Janeiro |
| | Seleção Universitária da Paraíba | 2 × 1 | Sport Clube de Recife |
| | Seleção Universitária da Paraíba | 3 × 2 | Seleção Juvenil de Pernambuco |
| | Seleção Universitária da Paraíba | 3 × 0 | Seleção Universitária do Pará |
| | Seleção Universitária da Paraíba | 3 × 0 | Seleção Universitária do Ceará |
| | Seleção Universitária da Paraíba | 3 × 0 | Seleção Universitária de Alagoas |
| | Seleção Universitária da Paraíba | 1 × 3 | Seleção Universitária de Pernambuco |
| | Clube Astréa | 3 × 2 | Clube Fênix Alagoana |

# Eleições para a diretoria da Associação Atlética da Escola dc Engenharia (AAEE)

Soube, em 18 de outubro de 1966, que haveria eleições para a diretoria da AAEE e que, até então, só havia uma chapa inscrita. O candidato à presidência era o meu colega Potengí Holanda de Lucena (Popó), que acabara de ingressar na nossa Escola de Engenharia. Era o candidato da esquerda, muito em voga na época, para contestar o governo militar. Conhecia-o havia cinco anos, desde os tempos em que participamos da seleção juvenil de voleibol da Paraíba, em 1961. Despertada a minha atenção, resolvi, quando faltava praticamente uma semana para a eleição, formar outra chapa e concorrer no pleito. Realmente, a possibilidade de ganhar era bastante remota, devido à exiguidade de tempo para realização da nossa campanha eleitoral. Seguiu-se semana muitíssimo agitada para, em tempo recorde, resolver todos os trâmites legais próprios das eleições e conseguir divulgar o nosso programa de campanha. Fui o candidato da oposição, tido como de direita, apontado como burguês, pela única razão de que não me metia em política estudantil. As eleições foram realizadas em 27 de outubro de 1966, e fui eleito para um mandato de um ano.

A AAEE ainda não era reconhecida oficialmente. No período da nossa gestão, ela foi registrada sob o nº 1545, conforme publicado no Diário Oficial, em 16 de maio de 1967. Isso só foi possível graças ao apoio do nosso colega Agripino Bonavides Gouveia de Barros, candidato derrotado à vice-presidência na chapa de Potengí Lucena. Agripino era sobrinho do governador João Agripino.

Durante as olimpíadas universitárias, os colegas membros da Charanga Ferro de Engomar (só trabalhava quente) que não praticavam esportes ficavam na arquibancada, bebendo e torcendo. E um deles, que cantava e tocava muito bem – nosso colega de turma José Leal Soares (Boréu), hoje engenheiro aposentado da Petrobras e maestro de um importante coral em Natal –, modificava as letras de músicas famosas e as adaptava, junto de outros colegas mais velhos, para cantar durante os jogos da EEUP. Desses colegas, lembro-me principalmente de Hélio Vicente de Araújo (Hélio Pescocinho), Maurício Montenegro e Edmilson Fonsêca (Muriçoca). Nossos principais adversários eram os colegas da Escola Politécnica de Campina Grande (Polí). Graças à memória privilegiada do amigo José Leal, transcrevo a seguir algumas estrofes de três dessas canções.

>Polí, eu fiz tudo pra você gostar de mim,
>ai meu Deus, foi uma decepção,
>Engenharia, Engenharia
>outra vez é campeã.
>Essa mania que você tem
>de jogar bola
>nós temos também,

mas confiei em Nosso Senhor,
Engenharia foi quem ganhou.

\* \* \*

Eu bem sabia que Campina um dia,
haveria de ter mar,
esta sim é de amargar,
botaram um motor novo em Bodocongó,
e agora vai ter onda até no gogó.
E os meninos,
engenheiros de Campina,
já andam programando
campeonato de piscina.
Agora, sim,
quero ver se a turma é boa,
se ganhou da Engenharia,
dentro de João Pessoa.

\* \* \*

Fi, fi, fi, ri, fi, fi,
A Engenharia está aqui.
Ela faz Medicina chorar,
ela faz o Direito errar,
ela faz a Economia falir,
ela faz até pipi na cabeça da Polí.

Ao fim do nosso mandato, em 1967, a EEUP veio a sagrar-se campeã dos XI Jogos Universitários da Paraíba, junto da Polí, coincidentemente no ano de minha formatura.

Aos 30 anos de idade, comecei a jogar tênis. Infelizmente, muito tarde para o início da aprendizagem desse difícil esporte. Porém, consegui jogar razoavelmente graças ao meu preparo físico, tendo logrado ocupar, no decorrer do ano de 1976, o 11º lugar no I Ranking Paraibano de Tênis, categoria adulto, conforme diploma expedido pela Federação Paraibana de Tênis em 18 de dezembro de 1976. Em 1995, fui campeão do Torneio Papai Noel Bowl de Duplas Mistas, com Luciana Mendonça Dinoá, guardando a taça como grata recordação daquele evento. Aos 62 anos de idade, em razão de problema de saúde (desgaste no joelho esquerdo), era chegado o momento de parar. Tenho muito orgulho dos meus feitos esportivos, mais até do que do sucesso profissional.

Seleção juvenil titular de voleibol do Colégio Marista Pio X, campeã de voleibol juvenil nos I Jogos Ginásio-Colegiais: *em pé*, Foguetão (Luiz Gonzaga Cantalice), eu e Roberto Jardim; *agachados*, Marcus Massa, Betozinho (Alberto Jorge Peregrino) e Roberto Neves (Bodocongó) – 1959.

| | | |
|---|---|---|
| PRESIDENTE: — | Potengi Holanda de Lucena | 80 |
| | Sérgio Rolim Mendonça | 91 |
| VICE - PRESIDENTE: — | Agripino Bonavides Gouveia de Barros | 63 |
| | José de Brito Silva | 104 |
| SEC. - GERAL: — | Luiz Sálvio Galvão Dantas | 64 |
| | Antônio Carlos Marinho | 77 |
| 1o. SECRETÁRIO: — | Rosane Bezerra Correia | 67 |
| | José Moacyr Uchôa | 100 |
| TESOUREIRO: — | Reginaldo Dutra de Andrade | 57 |
| | Marcílio Toscano Franca | 104 |

27/10/1966.

Contagem de votos para as eleições da diretoria da AAEE – 27 de outubro de 1966.

Seleção juvenil titular de basquetebol do Colégio Marista Pio X, campeã de basquetebol juvenil nos II Jogos Ginásio-Colegiais: *em pé*, Remo Germoglio e Luciano Henriques; *agachados*, Meinardo Montenegro, Betozinho (Alberto Jorge Pereira Peregrino) e eu – 1960.

Atletas do Pio X representando com seus respectivos troféus a conquista do Bicampeonato dos II Jogos Ginásio-Colegiais: Caju, Marcelo Cabral, Luciano Henriques, eu, Robertão, irmão Fernando, Ronaldo Diniz, George Cunha, Genival Leal de Menezes (Val), Meinardo Montenegro, Roberto Lúcio, Afrânio Melo e Marcio Javan – 1960.

## Astréa Vence Apertado
*1960*

Em difícil partida, válida pelo campeonato da cidade, o Astréa derrotou, na noite de terça-feira a representação do Cabana, pelo escore de 3 a 2 em partida que teve lances de sensação, como se vê do escore apertado.

QUADROS

As equipes apresentaram-se com todos seus valores máximos, tendo alinhado com as seguintes constituições:

ASTRÉA — Clemente, Nelson, Massa, Mateus, Sérgio ( o melhor da noite), Maia. Interviram ainda, Beto e Walace.

CABANA — Edmundo, Bebeto, Val, Ipojucan, Gabinio

Vilberto e Marcus.

ARBITRAGEM

Nos atuais campeonatos promovidos pela FAP (basquete e voleibol) está se constituindo um problema de grande envergadura a questão das arbitragens, geralmente entregues a elementos sem a devida competência, como o caso da partida entre Astréa e Cabana, onde o sr. José Veloso cometeu os maiores absurdos, chegando ao cúmulo, como é de seu costume, de inventar artigos para a regra, além de desacatar os participantes do encontro.

Equipe titular: Clemente e Nelson Rosas, Marcus Massa, Mateus Rosas, eu e Walter Maia; *no destaque*, "Sérgio (o melhor da noite)" – Jornal O Norte, 1960.

Seleção juvenil titular de voleibol da Paraíba no Campeonato Brasileiro de Voleibol Juvenil: *em pé*, eu, Mateus Rosas e José Aíres; *agachados*, Marcos Antônio de Almeida, Abílio (Vovô) e Alberto Jorge Pereira Peregrino (Betozinho) – Natal, 1963.

Medalhas obtidas por mim entre 1959 e 1967.

Equipe adulta de voleibol do Astréa: Mateus Rosas, eu, Walter Maia, Marcus Massa, Clemente Rosas, Wallace, Ednaldo e Betozinho (Alberto Jorge Peregrino) – 1961.

Flagrante da partida de voleibol entre as seleções da Praia do Poço (sede do jogo) e da Praia Formosa: *bloqueando*, Newton Guedes e Betozinho (Alberto Jorge Pereira Peregrino); *cortando*, eu; *ao fundo*, Fernando Bundinha e Remilson Honorato – Cabedelo, Paraíba, 1962.

Equipe bicampeã de voleibol dos VII e VIII Jogos Universitários da Paraíba, 1963 e 1964: *em pé*, Silvio Guedes, Carlos Eduardo Cunha (Caré), eu, Adilson (Bicho do Mangue), Luiz Nelson de Oliveira e José Francisco Nóbrega; *agachados*, Marcio Javan Ayres Viana, Luiz Carlos Soares, Ronaldo Gadelha, Mario Adalberto e Helly Campos Silva.

Atletas da seleção de voleibol da EEUP, bicampeões em 1963-1964 e 1966-1967: Marcio Javan Ayres Viana (eleito pela Federação Paraibana de Desportos Acadêmicos [FPDA] como o melhor levantador dos VII Jogos Universitários da Paraíba de 1963) e eu (eleito pela FPDA como o melhor cortador dos VII Jogos Universitários da Paraíba de 1963). Fonte: FPDA, Relatório Exercício de 1963, presidente Guarany Marques Viana, 21 de março de 1964.

Seleção adulta de voleibol da Paraíba: *em pé*, Emmanuel, João Carlos Romano Ayres, Marcus Antônio de Souza Massa, eu, Marcio Tróia e Cleodon Urbano; *agachados*, Marcos Antônio de Almeida, Vavinho (Álvaro), José Aíres e Marcio Javan Ayres Viana – Brasília, Distrito Federal, 1964.

Luta interestadual de judô de que participei, no campeonato entre Paraíba e Pernambuco, no Clube Astréa – João Pessoa, Paraíba, 1964.

Equipe vice-campeã de voleibol dos IX Jogos Universitários da Paraíba: *em pé*, Paulo Bezerril, Luiz Carlos Soares, José Francisco Nóbrega, Adilson, Luiz Nelson de Oliveira e Potengí Lucena; *agachados*, Ronaldo Gadelha, Marcio Javan Ayres Viana, eu, Marcelo Bezerra Cabral e Carlos Eduardo Cunha (Caré) – 1965.

Notas publicadas no *Correio da Paraíba* sobre campeonato de voleibol de 1966, que teve como campeão o Clube Astréa. A seleção masculina de voleibol daquele ano era formada por Marcus Massa, Potengí Lucena, Marcio Javan, eu e Alberto Jorge, jogadores do Astréa, e por José Aíres, cortador do Cabo Branco – João Pessoa, Paraíba, 25 de dezembro de 1966.

Equipe vice-campeã de voleibol dos V Jogos Universitários Norte Nordeste: *em pé*, Betozinho (Alberto Jorge Peregrino), Marcus Massa, Ombreira, Cabedelo, Pelópidas Seixas, Marcos Pacamom (Cabedelo) e Newdon Emmanuel Victor; *agachados*, Tarcio Toscano, José Aíres, Potengí Lucena, eu, João Ayres e Amaral – João Pessoa, Paraíba, 15 a 23 de julho de 1967.

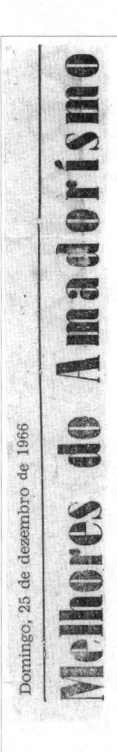

**A UNIÃO**

*Tênis*

João Pessoa, domingo 9 de abril de 1978

Fernando Melo

### Torneio de aniversário Sergio Mendonça

Comemorando natalício Sérgio Mendonça realizou interessante competição com a cobertura do Departamento de Tênis do Cabo Branco.

Sérgio que é o nº 23 do Ranking Paraibano convidou Karl Rzepka, Eduardo Stenglein, José Augusto Padilha, João Ayres, Edson Costa, Eudoro Chaves e Horácio Neves para dele participarem.

O resultado final veio coroar o aniversariante Sérgio que realmente era o melhor e grande favorito, com 80% das chances. O torneio teve início na sexta-feira à noite e encerrou-se no sábado pela manhã com entrega de prêmios aos quatro primeiros colocados que foram, merecidamente: 1º Sérgio Mendonça, 2º José Augusto Padilha, 3º João Romano Ayres e 4º Horácio Ribeiro Neves.

Houve *drinks* com salgadinhos em fartura, decorrendo a festinha em clima de contentamento e cordialidade.

### FOTO

Ilustra a nossa coluna deste domingo os participantes do Torneio Sérgio Mendonça. Da esquerda para a direita, Edson Costa, João Ayres, Karl Rzepka, Augusto Padilha, Sérgio Mendonça, Horácio Neves Eduardo Stenglein e Eudoro Chaves.

Competição de tênis que organizei no Clube Cabo Branco, entre 31 de março e 2 de abril de 1978, em comemoração ao meu aniversário, noticiado pelo jornal A *União*: *na foto*, Edson Costa, João Ayres, Karl Rzepka, Augusto Padilha, eu, Horácio Neves, Eduardo Stenglein e Eudoro Chaves. Classificação do torneio: 1º Sérgio Rolim Mendonça; 2º Augusto Padilha; 3º João Ayres; 4º Horácio Neves – João Pessoa, Paraíba, 9 de abril de 1978.

Encontro dos ex-atletas do basquetebol Gustavo Oliveira, Afrânio Melo, Remo Germoglio e Arael Costa (*em pé*) e dos ex-atletas do voleibol Marcio Javan e eu (*sentados*) – 26 de setembro de 2006.

Velha guarda de voleibol do Astréa na casa de Artur Moura, no Bessa: Marcio Javan, eu, Marcus Massa e os três irmãos Rosas (Mateus, Nelson e Clemente) –João Pessoa, Paraíba, 26 de setembro de 2006.

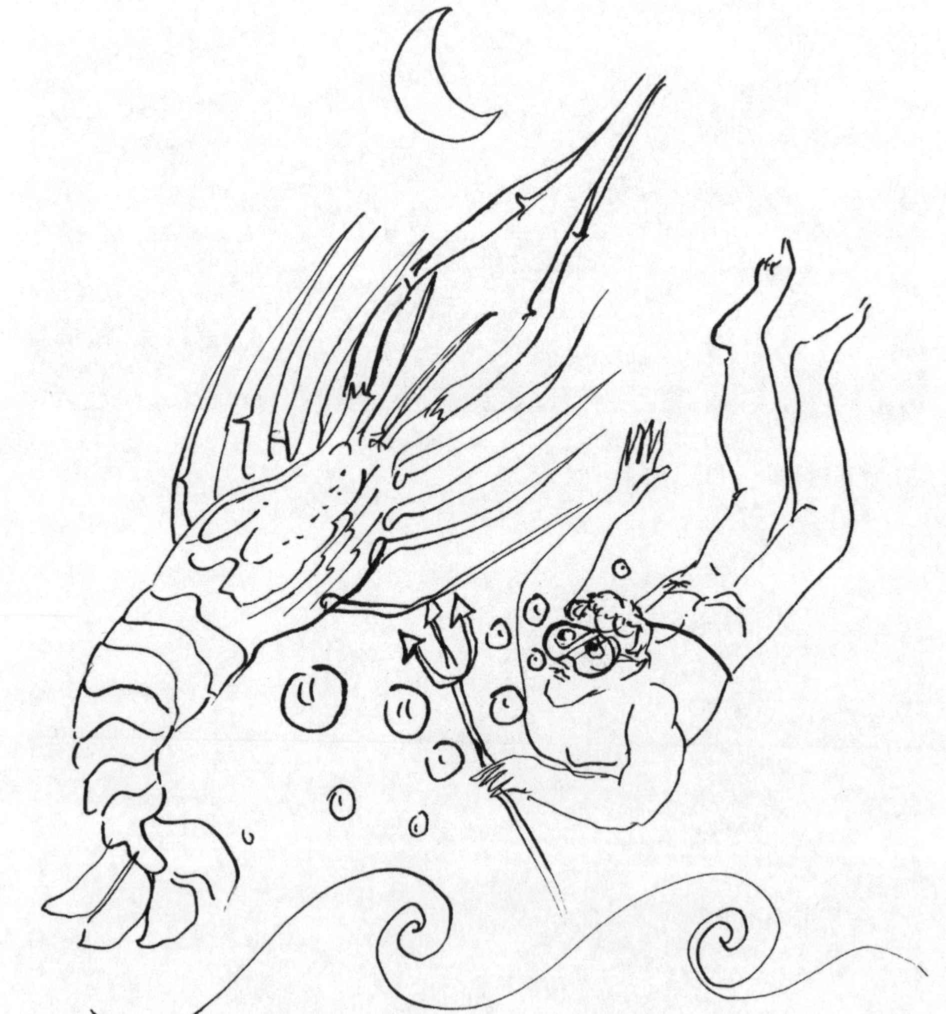

# Estudos e treinamentos no exterior
*Sérgio Rolim Mendonça*

———————————•••———————————

## Estados Unidos

Em fevereiro de 1973, concluí a construção de uma casa com dois andares na Praia do Poço, faltando apenas aplicar o piso do primeiro andar. Exclusivamente com recursos próprios. Gastei aproximadamente 100 mil cruzeiros. O terreno fora doado pelo meu avô Romualdo Rolim. Consegui juntar 90 mil cruzeiros com a venda de um terreno e o ganho com duas consultorias feitas em Fortaleza, no Ceará, e São Luís, no Maranhão, que resultaram na elaboração dos projetos de oficinas de hidrômetros para a Companhia de Água e Esgoto do Ceará (Cagece) e a Companhia de Saneamento Ambiental do Maranhão (Caema), respectivamente. Os 10 mil cruzeiros restantes foram emprestados pelo meu pai, Francisco Mendonça. O dinheiro foi devolvido em um ano, sem juros e sem correção monetária, de fato, um empréstimo de pai para filho.

Estava muito feliz por possuir casa própria totalmente paga, com apenas cinco anos e dois meses de formado. Aumentava essa alegria a notícia de que havia sido selecionado para um programa de treinamento de 45 dias (de final de abril a início de junho de 1973) nos Estados Unidos. Era parte do Programa de Cooperação Técnica no campo de Controle de Poluição das Águas, patrocinado pela Agência para o Desenvolvimento Internacional dos Estados Unidos (Usaid).

Foram selecionados nove brasileiros, sete deles ocupando cargos de destaque no país nas esferas federal e estadual. Os outros dois eram engenheiros da Cagepa, eu e Marco Antônio Mayer. Até hoje não consegui descobrir por quem fui indicado. Tinha, na época, 29 anos. Participaram desse treinamento: Humberto Chaves de Azevedo, coordenador de programas e análises, e José Fernandes Jr., assessor (ambos funcionários do Banco Nacional da Habitação – BNH, do Ministério do Interior, no Rio de Janeiro); Claudio H. Oliveira Araújo, diretor, e Roberto P. Streitenberg, chefe de treinamento e pesquisa (ambos do DAEE Paraná, hoje Companhia Paranaense de Energia – Copel);

Nelson Vieira de Vasconcelos, diretor regional do serviço de poluição das águas, José N. Mutarelli, diretor regional de Taubaté, e José F. Furquim de Campos, diretor da Divisão de Operações do Departamento de Controle da Poluição (todos da Companhia Ambiental do Estado de São Paulo – Cetesb).

O treinamento foi excelente, e tivemos a oportunidade de visitar os estados de Washington (Seattle e Lago Washington), Óregon (Portland), Califórnia (emissário submarino de Los Angeles), Texas (Houston, Dallas, San Antonio, Austin [University of Texas] e College Station Texas [A&M University]), Flórida (Miami), Geórgia (Atlanta) e Michigan (Lago Michigan e Purdue University) e a capital dos Estados Unidos, Washington, DC. Em várias cidades que visitamos, tivemos a honra de ser recebidos pelos respectivos prefeitos, que nos entregaram simbolicamente as chaves dos seus municípios.

As visitas técnicas incluíam palestras em várias universidades, visitas a estações de tratamento de esgotos industriais e a visita a uma fábrica, na Flórida, onde se industrializava suco de laranja. O grupo visitou, ainda, a famosa fábrica de embutidos Swift, depois vendida à JBS, a fábrica de produtos farmacêuticos Lilly, além de um laboratório de controle de qualidade do emissário submarino

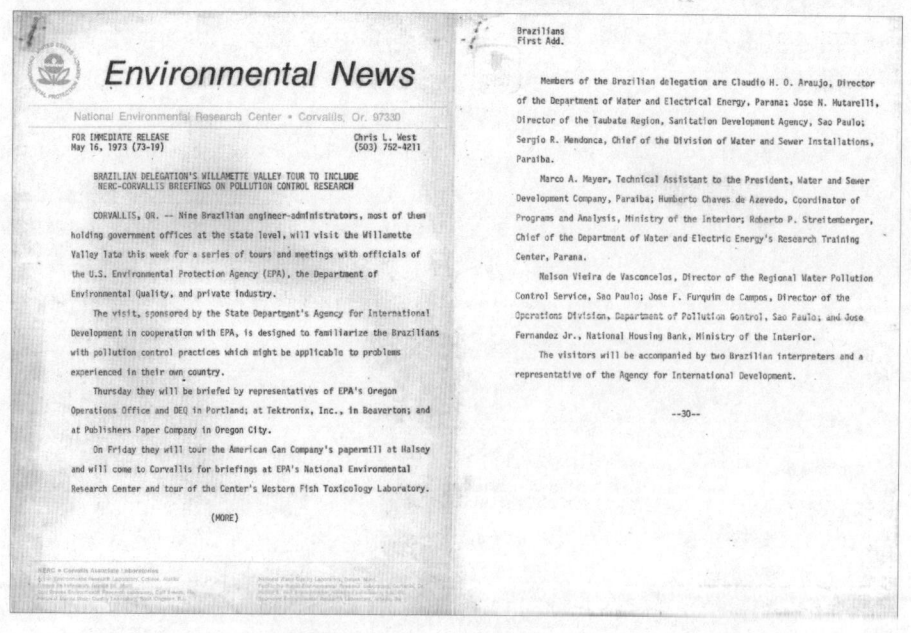

Notícia sobre a participação minha e de outros oito brasileiros no Programa de Cooperação Técnica patrocinado pela Agência para o Desenvolvimento Internacional dos Estados Unidos.

de Los Angeles e do exame da infiltração de esgotos no solo da Califórnia, para só lembrar algumas delas. Visitamos também o início da construção do gigantesco sistema de reúso de esgotos tratados no Condado de Muskegon, Michigan. O efluente desse sistema seria tratado por meio de três lagoas aeradas em série, de cerca de 3,2 hectares cada uma, seguidas de duas lagoas de armazenamento, cada qual com 344 hectares de área e tempo de detenção de três meses. A razão para o elevadíssimo tempo de detenção previsto nessas duas lagoas seria o rigoroso inverno que assola anualmente o estado de Michigan. Durante o inverno, não há tratamento de esgotos, pois as águas ficam congeladas por muito tempo. O efluente final é que seria destinado à irrigação agrícola através de aspersores.

Numa dessas visitas, tivemos a oportunidade de participar de um almoço oferecido pelo conhecido prof. Earnest F. Gloyna (reitor da Faculdade de Engenharia da University of Texas), autor do primeiro livro que divulgou internacionalmente os processos dos sistemas de lagoas de estabilização. *Waste Stabilization Ponds* foi publicado pela Organização Mundial da Saúde (OMS) em 1971, na sede da entidade em Genebra, Suíça. Guardo, até hoje, cópia desse exemplar.

Contudo, meu maior obstáculo para participar desse curso foi decidir se deveria ir ou não para os Estados Unidos. Minha querida esposa Lucinha (Maria Lúcia), naquela ocasião, estava grávida do nosso segundo filho, e a previsão de nascimento era final de maio de 1973, mas o curso se encerraria em 6 de junho. Fiquei em uma grande encruzilhada. O que fazer? Uma oportunidade de ouro na minha vida, quando tinha iniciado havia ainda pouco tempo a atividade profissional. Lucinha deixou-me decidir, embora tivesse eu a certeza de que intimamente ela preferia que eu não viajasse. Decidi ir, na esperança de que o meu filho nascesse após o meu retorno. Naquela época, as comunicações por telefone eram muito dispendiosas e difíceis. Para telefonar dos Estados Unidos para o Brasil era necessário procurar uma cabine telefônica e solicitar uma "*collect call to anyone*" (chamada a cobrar), que era mais barata.

Minha querida filha Luciana Coêlho Mendonça nasceria em 23 de maio. Só o soube três dias depois. E só pude vê-la pela primeira vez quando tinha pouco mais de duas semanas de vida. Ela é hoje engenheira civil pela Universidade Federal da Paraíba, professora associada da Universidade Federal de Sergipe, em Aracaju, com mestrado e doutorado em Engenharia Sanitária pela Escola de Engenharia de São Carlos, da Universidade de São Paulo. No final de setembro de 2017, esteve representando o Brasil no México, integrando o Comitê Acadêmico que participou da segunda etapa da Oficina sobre Indicadores Ambientais do Projeto "Nuevo Aeropuerto Internacional de la Ciudad de México (NAICM)".

Casa em que vivemos durante o mestrado – Leeds, setembro de 1978 a setembro de 1979.

## Inglaterra

No ano de 1977, busquei informações sobre bolsas de estudo na Inglaterra. Estive no British Council em Recife e recebi dados das principais universidades que promoviam cursos em nível de mestrado na Grã-Bretanha. Das cinco principais informações recebidas, o que mais me interessou foi o programa da University of Leeds. Esse curso pretendia fornecer uma compreensão básica das causas e dos efeitos da poluição ambiental, com particular ênfase em métodos de controle da poluição de todos os tipos de fontes contaminadoras. Haveria também a preocupação com fatores políticos e sociais, econômicos e legais, que interagem constantemente com os aspectos puramente técnicos. O nome do curso era "M.Sc. Environmental in Water Pollution Control", e ele abrangia os seguintes temas: poluição do ar, do solo e da água; modelo de dispersão de poluentes; outros aspectos da poluição; seminários industriais; e projeto de pesquisa que seria realizado pelo aluno sobre um problema de controle da poluição, culminando com a apresentação de uma dissertação. A duração do mestrado era de um ano e custava, em 1977, cerca de 20 mil libras esterlinas. Para ser seu aluno, o estudante teria que ser muito rico ou conseguir uma bolsa de estudos.

Tive muita sorte em conseguir uma bolsa de estudos do governo britânico. Também recebi mensalmente, durante esse período, salário de professor em tempo parcial pela UFPB e proventos mensais da Cagepa com desconto de 30% do meu soldo de engenheiro, o que não deixou de ser um sacrifício, porque levei comigo a minha esposa Lucinha e meus dois filhos, Fábio e Luciana.

Por feliz coincidência, o mestrado que escolhi era o melhor realizado na Europa naquela época – um curso destinado a europeus, e não a estudantes de países em desenvolvimento. Do total de vinte estudantes inscritos (um deles, o paquistanês S. Chaudry, não aparece na foto mais adiante porque chegou atrasado), havia quatro ingleses, uma galesa, um americano, um norueguês e um irlandês. Existem excelentes cursos de engenharia sanitária na Europa, porém estão orientados exclusivamente a alunos de países em desenvolvimento (consideram-nos menos capazes). Fui o primeiro estudante a concluir a dissertação de mestrado. O segundo foi o colega americano Ben Lee Underwood. Foi um período excepcional, em que muito aprendi, com a universidade me dando incentivo para que eu prosseguisse depois de meu regresso ao Brasil, estudando ainda mais.

Na Inglaterra, residi com a família no térreo do seguinte endereço: 12 The Drive, Roundhay Park, Leeds, LS8 1JF. No primeiro andar moravam o proprietário, o psicólogo prof. dr. Stratton, professor da University of Leeds, e sua esposa alemã mrs. Hanks. A casa ficava a aproximadamente 100 m do belíssimo Roundhay Park, que é enorme. Havia 15 campos de futebol e inúmeras quadras de tênis. Área muito linda, eu não imaginava quanto.

Na época em que estive em Leeds, a polícia britânica andou procurando um assassino em série (*The Yorkshire Ripper*). Foram divulgados cartazes com o desenho de um homem barbudo e a oferta de recompensa correspondente a 50 mil libras esterlinas a quem desse informações precisas dele à polícia. O pior para a minha família era que esse criminoso vivia justamente entre Leeds e Bradford, numa distância de apenas 10 km. Vivia e trabalhava por lá. Finalmente, em 2 de janeiro de 1981, Peter William Sutcliff, motorista de caminhão, de origem tcheca, foi preso. Havia assassinado treze mulheres, a maioria prostitutas, e tentara matar outras sete. Condenaram-no a trinta anos de prisão, praticamente para o resto da sua vida.

Vale a pena comparar a polícia brasileira atual com a estrutura da polícia britânica da época (final dos anos 1970), quando os ingleses já possuíam tecnologia altamente sofisticada de computadores com sistema de chamadas de rádio no valor de 50 milhões de libras esterlinas. O Centro da Polícia Nacional, em Hendon, possuía banco de dados de memória massiva. Chegava a armazenar número correspondente a 25,5 milhões de veículos registrados; 2,5 milhões de conjuntos de impressões digitais; 60 mil pessoas desaparecidas; 3,5 milhões de criminosos e seus respectivos dados; 180 mil motoristas desqualificados; e os números correspondentes a 300 mil veículos roubados.

Um fato interessante sobre Leeds foi escrito em livro pelo repórter inglês Roger Cross[77], que presenciou todo o período dos assassinatos do Yorkshire Ripper. Nas páginas 31 e 32, assim se refere à cidade:

> Durante um período, a maior parte de Roundhay foi considerada uma das melhores, senão a melhor, das áreas residenciais de Leeds. Roundhay possui centenas de esplêndidas mansões da Era Vitoriana em grandes terrenos e blocos luxuosos de apartamentos com vista para um dos melhores parques da Inglaterra, o Roundhay. Roundhay Park é onde vivem os ricos e cultos e é frequentemente considerada como um grau acima das igualmente dispendiosas áreas situadas nos limites a nordeste da cidade [...][78] (tradução minha).

Outro fato marcante para mim foi a realização, no período de 22 a 24 de abril de 1979, da "5th Water and Waste Engineering for Developing Countries (WEDC) Conference"[79], em Loughborough, Leicestershire, Inglaterra, que seria realizada com patrocínio da Loughborough University. Eu preparara um trabalho sobre as lagoas de estabilização construídas pela Cagepa a partir do início da década de 1970, em várias cidades do nosso estado, e tive a ideia de enviá-lo ao comitê organizador daquele conclave, intencionando que, se tivesse sorte, fosse publicado. Seria muito bom para o meu currículo. Ocorre que aquele meu trabalho veio a ser aprovado, e fui convidado a apresentá-lo, tendo todas as despesas pagas. Outro desafio aceito, porém, com grande receio de não me sair bem.

Sabedor de que haveria uma bateria de perguntas após a apresentação do trabalho, influenciei dois colegas a me acompanharem – o colombiano Diego Daza Sierra e o paquistanês S. Chaudry. Preparei três perguntas para cada um deles e pedi que um se sentasse na frente do auditório e o outro, bem atrás. Quando o coordenador autorizasse a primeira pergunta, os dois levantariam a mão para perguntar e eu, conhecendo as questões, responderia facilmente, começando bem e diminuindo o nervosismo.

---

77. CROSS, Roger. *The Yorkshire Ripper – The In-depth Study of a Mass Killer and his Methods*. Great Britain: Grafton Books, 1981.
78. No original: "For while most of Roundhay is considered one of the best, if not the best, residential areas of Leeds. Roundhay has hundreds of splendid Victorian mansions in large grounds and luxurious blocks of flats overlooking one of the best parks in England, Roundhay Park. Roundhay is where the rich and cultured live, and is often regarded as one step above equally expensive areas on the northern fringes of the city [...]".
79. "Collaboration in water and waste engineering for developing countries", 5th WEDC Conference, 22-24 April 1979, Proceedings edited by John Pickford & Meryl Murphy, Department of Civil Engineering, Loughborough University of Technology, p. 29-36.

No dia do evento, infelizmente, constatei que o auditório era enorme. Havia umas trezentas pessoas, a grande maioria vinda da Índia e da África. Ali estavam apenas cerca de dez europeus e um americano. Depois que apresentei o meu trabalho, o *chairman* (coordenador) autorizou a primeira pergunta, cabendo a um indiano (a maioria tem sotaque muito difícil de entender) formular a primeira questão. Falava muito rápido e fez três perguntas em sequência. Não entendi nada. Pedi que falasse devagar e formulasse uma pergunta de cada vez. Comecei a entender e respondi às três questões. O segundo a perguntar foi o inglês R. Wilson, engenheiro da firma Aspinal Hydrotechnical Services. Questionou-me sobre o motivo pelo qual o governo brasileiro investe em abastecimento de água nas áreas urbanas antes de fazê-lo nas áreas rurais, e se essa atitude não iria criar maiores problemas, atraindo mais e mais camponeses para os centros desenvolvidos. Respondi que concordava, porém isso era problema do governo. O auditório explodiu em uma gargalhada só. Não era minha intenção gozar com o inglês, obviamente. Estava apenas tentando me livrar das perguntas. A partir daí fiquei mais confiante e consegui responder tranquilamente a todas as outras.

No final da apresentação, "o coordenador B. Clemens tinha certeza de que todos desejavam que ele agradecesse a Mr. Mendonça pela maneira capaz com que respondera às perguntas com que fora bombardeado e pelo seu brilhante comando da língua inglesa [...]"[80]. Após receber alguns cumprimentos, dirigiu-se a mim um americano, dizendo: "Além dos parabéns por sua apresentação, quero felicitá-lo por haver compreendido o inglês do indiano. Não consegui entender uma palavra sequer!".

## Holanda

No começo de 1979, quando fazia o mestrado na Inglaterra, comecei a pensar em qual seria o tema da minha dissertação. Posteriormente, os professores nos ofereceram várias possibilidades. Alguns projetos tinham estrutura já montada para facilitar o início da pesquisa; outros, não. Obviamente teria que escolher assuntos que pudessem ser utilizados no Brasil e que contassem com estruturas já definidas, para não perder tempo. Finalmente, escolhi pesquisar parâmetros

---

80. No original: "the Chairman B. Clemens was sure everyone would wish him to thank Mr. Mendonça for the capable way he had answered the questions we had fired at him and for the brilliant command of the English language [...]". Em: "Collaboration in water and waste engineering for developing countries", 5th WEDC Conference, 22-24 April 1979, Proceedings edited by John Pickford & Meryl Murphy, Department of Civil Engineering, Loughborough University of Technology, p. 36.

biológicos destinados ao projeto da estação de tratamento de esgotos (ETE) de uma indústria têxtil que se localizava num dos bairros de Leeds. O processo utilizado pela ETE era um sistema de valos de oxidação já usado no nosso país.

Ocorre que o processo de valos de oxidação havia sido desenvolvido na Holanda. Por isso, resolvi solicitar do coordenador do mestrado, prof. dr. G. L. Isles, a concessão de uma bolsa de estudos de uma semana para realizar um estágio no famoso Instituut voor Milieuhygiëne en Gezondheidstechniek (TNO), em Delft, onde trabalhou o inventor desse processo, dr. Pasveer. Não consegui a citada bolsa, mas obtive uma carta de apresentação da University of Leeds para o TNO e banquei as despesas da viagem.

Fui muito bem recebido pelo *staff* do TNO durante meu treinamento, no período de 6 a 11 de março de 1979. Durante aquela semana, tomei conhecimento do estado da arte dos processos de tratamento de águas residuais, em particular sobre valos de oxidação e assuntos a eles relacionados. Tive aulas particulares com o diretor de pesquisa dessa organização, Ir. Ad Heide (que substituiu o dr. Pasveer depois da sua aposentadoria), e com membros da área de Divisão de Água e Solo do instituto. Realizei visitas técnicas de campo a estações de tratamento de esgotos que utilizavam esse processo, tratando o esgoto de populações que variavam entre 500 e 200 mil habitantes. Quem me levou a tais visitas foi o dr. Ruud Kampf, engenheiro químico, um dos membros do TNO. Ainda tive tempo de visitar os alunos do famoso Curso Internacional de Engenharia Sanitária, em Delft, durante uma tarde. No derradeiro dia, fui de trem ao Bureau of Consulting Engineers de Dwars, Heederik e Verhey, em Amersfoort, firma internacional de consultoria que desenvolvia nos seus projetos os princípios do valo de oxidação nas estações de tratamento de esgotos por meio de lodos ativados tipo carrossel. Um desses grandes projetos fora realizado por essa firma e executado pela Companhia de Saneamento do Paraná (Sanepar), em Curitiba.

Recebi, com grande surpresa, em 2017, um e-mail de Ruud Kampf. Já não me lembrava de quem era. Tivera a oportunidade de estar com ele por apenas dois dias, em março de 1979, ou seja, há pouco mais de 37 anos, quando me levou a conhecer as principais estações de tratamento de esgotos da Holanda. Fui descoberto graças à rede social LinkedIn, na qual havia colocado um resumo de meu currículo, em que citava o estágio que realizei no TNO naquele ano. Ruud me disse que sua mulher estava arrumando a casa e encontrou, em uma cesta de papéis velhos, um cartão-postal que eu lhe havia enviado, agradecendo pela atenção dispensada a mim na Holanda. De posse do meu nome, conseguiu meus dados e me enviou algumas fotos daquela época.

Estudantes do M.Sc. Environmental Pollution Control
da University of Leeds – Leeds, Inglaterra, outubro de 1978.

Luciana e Fábio Mendonça com seu boneco de neve no quintal
de nossa casa – Leeds, Inglaterra, dezembro de 1978.

Luciana e Fábio Mendonça com um amigo no iglu no jardim em frente
à nossa casa – Leeds, Inglaterra, janeiro de 1979.

Fábio, eu e Luciana – Leeds, Inglaterra, janeiro de 1979.

Francisco, Fábio e Zuleida Mendonça – Leeds, Inglaterra, verão/outono de 1979.

Luciana e Lucinha Mendonça no Roundhay Park –
Leeds, Inglaterra, outono de 1979.

Ruud hoje é famoso, viaja o mundo dando palestras. Especializou-se no tema de tratamento de esgotos por meio de *wetlands* e no tema de tratamento de reúso de esgotos com águas naturais por meio da *Waterharmonica*. É coproprietário da firma Rekel Kenya Ltd., em Nairóbi, Quênia; fotógrafo profissional, membro da Nikon Professional Services (NPS); tem experiência em trabalhos manuais, como carpintaria; é observador de pássaros; amante da natureza; viajante independente com muita experiência internacional e com forte conhecimento de GPS. Já aceitou um convite para nos visitar em breve em João Pessoa com sua esposa e também enviou meus dados para Ad Heide, que se mostrou interessado em minhas informações e ainda está forte e muito bem de saúde.

Ir. Ad Heide, sucessor do dr. Pasveer no TNO – Delft, Holanda. Foto: Ruud Kampf.

Ad Heide e Ruud Kampf (*em pé, à frente*), com o staff do TNO – Delft, Holanda. Foto: Ruud Kampf.

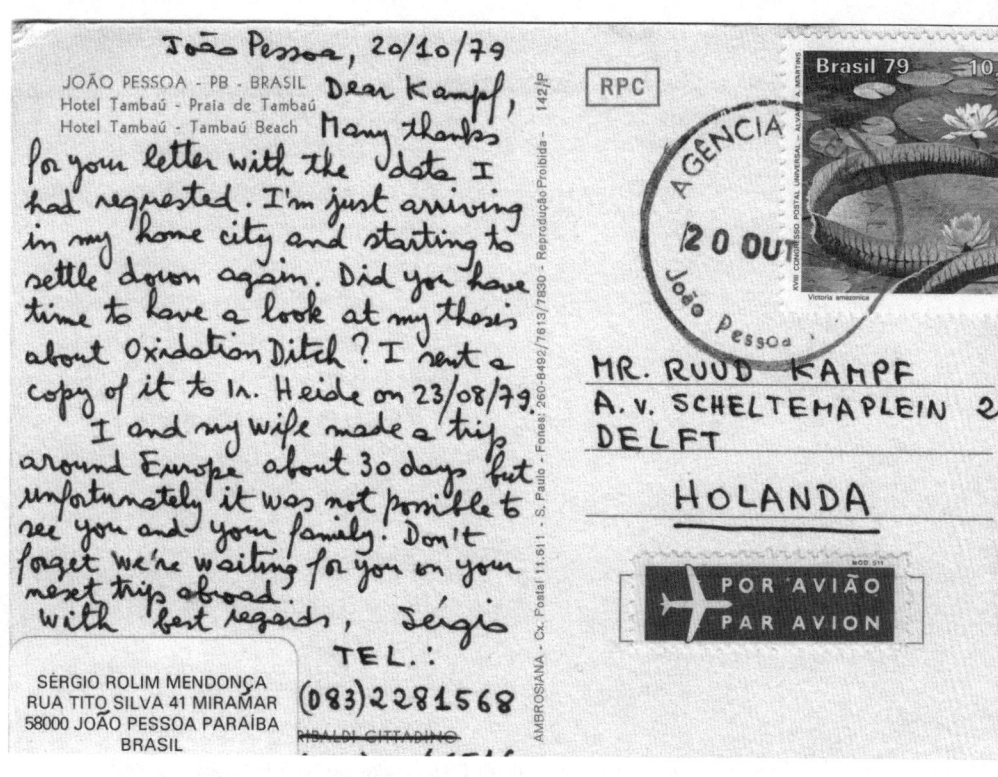

Cartão-postal que enviei a Ruud Kampf em agradecimento pela atenção que recebi na Holanda – de João Pessoa a Delft, 20 de outubro de 1979. Na mensagem, se lê: "Caro Kampf, muito obrigado pela sua carta com os dados que pedi. Acabo de chegar à minha cidade natal, já começando a organizar minha vida novamente. Você teve tempo para passar uma vista na minha dissertação sobre valo de oxidação? Enviei uma cópia ao Ir. Heide em 23/8/79. Eu e minha esposa fizemos uma viagem de 30 dias pela Europa, porém infelizmente não foi possível visitar você e sua família. Não se esqueça de que o estamos esperando em sua próxima viagem ao exterior. Com as melhores saudações, Sérgio".

## Japão

Em 1984, fui classificado para receber uma bolsa de estudos para participar de um curso de 45 dias no Japão sobre controle de poluição das águas, promovido pela Japan Society on Water Pollution Research e patrocinado pela Japan International Cooperation Agency (Jica), a se realizar de 1º de outubro a 9 de novembro.

Antes de viajar, comprei, no Banco do Brasil, US$ 500,00, pelo que paguei a importância de Cr$ 1.121.155,00. O governo japonês nos pagou, durante os 45 dias do curso, 236.800 ienes, o equivalente a US$ 970,00.

Na sede do Consulado do Japão em Recife, fui concluir os detalhes de minha viagem e verifiquei que também havia sido aprovado, com igual bolsa de estudos, um amigo professor da Universidade Federal de Alagoas e funcionário da Companhia de Água e Esgotos de Alagoas (Casal), Aloisio Ferreira de Souza. Ele estava na iminência de viajar e ia perder o curso porque os funcionários do consulado não conseguiam localizá-lo. Afirmei que o conhecia e que possuía seus dados atualizados. Graças a essa informação, pôde realizar o curso comigo. Quando viajei para o Japão desde João Pessoa, o avião fez uma escala em Maceió e daí seguimos juntos para o oriente. O avião ainda faria conexão no Rio de Janeiro, e de lá tomamos outro voo para Nova York, em classe executiva, pela Japan Airlines. Chegando a Nova York, fomos recebidos por uma funcionária da Jica, que nos levou a um hotel cinco estrelas para que pudéssemos descansar um pouco. Depois, seguimos para Tóquio, desembarcando, ao fim da viagem, no aeroporto de Narita.

Ficamos hospedados no Tokyo International Centre, nº 42-11, Homura-Cho, Ichigaya, Shinjuku-ku, em Tóquio, um alojamento para estudantes internacionais com cerca de 350 quartos com lavatório. Eram impressionantes a organização e a disciplina dos japoneses. No período determinado, geralmente às 14h, chegava uma comitiva em fila indiana para limpar os quartos. Na frente vinha o chefe, encarregado de bater nas portas para avisar que começariam a limpeza. Cada funcionário tinha uma tarefa a realizar. Um deles só varria o piso, o outro limpava o lavatório, mais outro mudava a roupa da cama e assim por diante. Em aproximadamente três horas todos os quartos estavam limpos.

Nosso grupo era composto de catorze estudantes, vindos dos seguintes países: Bolívia, Brasil, China, Guatemala, Índia, Indonésia, Kuwait, Malásia, Sri Lanka, Tailândia e Venezuela. O curso incluía aulas teóricas com professores japoneses renomados, tais como dr. T. Matsuo, do Departamento de Engenharia Urbana da Universidade de Tóquio, e dr. M. Okada, pesquisador chefe da Divisão Ambiental de Água e Solo do Instituto Nacional para Estudos Ambientais, ambos pertencentes à Sociedade Japonesa de Pesquisa em Poluição das Águas. Os principais temas abordados foram: origem do controle de poluição das águas no Japão, política adotada, legislação, monitoramento, tecnologia de tratamento de esgotos domésticos e industriais e aspectos socioeconômicos do controle de poluição das águas.

Na parte prática, visitamos empresas responsáveis por serviços de água e esgotos, destacando-se: Toba Sewage Works, em Quioto, Minami-Tama Sewage Works, Tama New-Town Sewage Works, Higashi-Murayma Water Works, além do Water Quality Management Centre e do Water Supply Operation Centre, todos em Tóquio, e do Yumoto Sewage Works, em Nikko. As principais visitas técnicas às estações de tratamento de esgotos industriais foram a: Yanagimoto Industry, Daido-Maruta Senko Co. Ltd., ambas em Quioto, e Complex of Metal Plating Factories, em Tóquio. Estivemos também em River Monitoring Station e no Environmental Monitoring Centre, em Osaka; Landfill Sites for Waste Disposal, em Tóquio; The National Institute for Environmental Studies, em Tsukuba; Ishioka Night-Soil Treatment Plant, em Ishioka; Nobidome Channel, em Tóquio; e na administração encarregada da recuperação dos Lagos Chuzenji e Yunoko, ambos em Nikko.

Tínhamos também de apresentar relatórios sobre nossos países, com dados atualizados sobre água e esgotos. Meu amigo Aloísio sabia pouco inglês e sua apresentação foi muito engraçada, porque, além de certa dificuldade para explanar o seu trabalho, ele queria ainda explicar aos japoneses o que significava sururu, um molusco típico de Alagoas.

A pronúncia da língua inglesa pelo colega indiano K. P. George era simplesmente terrível. No último dia, o coordenador técnico Yoshiaru Yamada perguntou a cada um a opinião sobre o curso. Disse-lhe que foi excelente e que, além disso, após 45 dias de convívio, conseguira entender um pouco do inglês falado pelo colega indiano.

Ao fim do curso, fui escolhido por unanimidade para ser o orador da turma.

Minha atuação como orador da turma na cerimônia de encerramento –
Tóquio, Japão, 9 de novembro de 1984.

> SPEECH FOR CLOSING CEREMONY
> TOKYO, NOVEMBER 9th, 1984
>
> Ladies and Gentlemen,
>
> Tonight is a very special date for all of us. We are very happy because we succeeded in our Environmental Engineering course on Water Pollution control. On the other hand we are very sad because we are leaving Japan soon.
>
> You have shown us your greatness in the warm welcome we all received, the gentle manners and hard work of your people.
>
> We have learned part of your history in your capital Tokyo, the Great Buddha in old Kamakura, the beautiful Nikko and your lovely imperial Kyoto. We have admired your natural beauty and the majesty of mount Fuji.
>
> We will not have chances to see the snow of your winter but we are sure we would not feel cold due to the warmth of your hearts.
>
> Now we have to say "SAYONARA" to you but we will take in our minds all the knowledge, example and love we received from your people and you.
>
> DO MO ARIGATO GO SAI MACHITA
> HONTONI MESURASHI KATA
> S. R. Mendonça

Discurso para a cerimônia de encerramento do curso sobre controle de poluição das águas – Tóquio, Japão, 9 de novembro de 1984.

Senhoras e senhores,

Hoje é uma data especial para todos nós. Estamos muito felizes, porque tivemos êxito no nosso curso de Engenharia Ambiental na área de controle de poluição das águas. Por outro lado, estamos muito tristes, porque em pouco tempo teremos que deixar o Japão.

Os senhores nos mostraram sua grandeza na calorosa recepção que recebemos, nas maneiras gentis e no trabalho árduo de seu povo.

Aprendemos parte de sua história na capital Tóquio, no Grande Buda na antiga Kamakura, na linda Nikko e na adorável Quioto imperial. Admiramos a beleza natural de seu país e a majestade do Monte Fuji.

Não teremos oportunidades de ver a neve do inverno de seu país, mas temos certeza de que não sentiríamos frio devido ao calor de seus corações.

Agora, temos que dizer "sayonara" a vocês todos, porém, estarão sempre em nossas mentes o conhecimento, o exemplo e o amor que recebemos de seu povo e de vocês todos.

DOMO ARIGATO
GOZAIMASHITA
HONTONI MESURASHI KATA
*Sérgio Rolim Mendonça*

Minha visita ao Grande Buda, na companhia de Aloísio Ferreira de Souza – Kamakura, Japão, outubro de 1984.

Justamente eu, que nunca havia antes discursado em público, embora tivesse sido professor por quase trinta anos, aí incluídos três como professor de inglês na Cultura Inglesa da Paraíba, quando tinha 16 anos de idade. Soube-o uma semana antes do encerramento do curso. Aceitei o desafio porque minha personalidade me leva a sempre tentar algo acima de minha capacidade. Logo depois da aceitação desse honroso convite, comecei a me preocupar. Até ali, nunca havia feito qualquer discurso, ainda mais em inglês. O tempo foi passando e eu não conseguia nem esboçar algumas linhas da minha fala futura. Quando faltavam três dias para a cerimônia de encerramento do curso, fui com alguns colegas a um restaurante muito visitado por brasileiros. Ainda não o conhecera. Restaurante popular, de preços atrativos, os proprietários eram nipônicos que tinham muitos parentes no Brasil. Por conta dessa relação sentimental, os brasileiros, por vezes lisos, não pagavam suas contas devidamente, mas, ainda assim, eram perdoados pelos donos. Em sinal de agradecimento, muitos deles, de volta ao Brasil, escreviam cartas aos proprietários do restaurante agradecendo sua extrema amabilidade para com eles. E todas essas cartas eram afixadas em um grande quadro colocado numa das paredes. Quando comecei a ler várias dessas cartas, logicamente todas escritas em inglês, tive uma ideia brilhante. Que tal copiar as melhores frases e anotá-las em um guardanapo? Poderiam ser úteis na elaboração do discurso que faria. De volta a meu alojamento, já bastante inspirado, comecei a preparar o meu agradecimento em nome da turma. A tradução do discurso original está na página anterior, com cópia do documento original escrito por mim, a lápis.

Ao concluir o discurso em nome da turma, falei duas frases em japonês, de que os professores gostaram e riram muito, por haverem constatado o meu esforço em aprender um pouquinho do seu idioma, e me aplaudiram bastante. As frases ditas em japonês poderiam se traduzir como: "Muito obrigado a todos, aqui tudo é muito lindo". Uma colega de curso do Kuwait, Muna Nasser Farej, enviou-me uma foto documentando o evento, justamente no momento em que eu discursava, e escreveu: *"What a wonderful speech. I knew you would be the best representative"* (Que maravilhoso discurso. Eu sabia que você seria o melhor representante).

Na volta, terminado o curso, resolvi passar uns três dias em Nova York. Não deu certo. Tinha pouco dinheiro, fiquei num hotel muito barato, sem a mínima segurança. Antecipei minha viagem de regresso e o passeio programado para essa famosa cidade ficou para outra oportunidade, o que de fato só iria acontecer no final de setembro de 2012.

## Peru

No período de 12 a 23 de junho de 1989, participei do curso Formación de Instructores en Tecnologías de Bajo Costo para Abastecimiento de Agua y Saneamiento, realizado no Centro Panamericano de Ingeniería Sanitaria y Ciencias del Ambiente (Cepis/Opas/OMS), em Lima, Peru. Havia sido indicado pelo presidente nacional da Associação Brasileira de Engenharia Sanitária e Ambiental (Abes), o engenheiro Lineu Rodrigues Alonso. Esse treinamento teve o patrocínio do Banco Mundial. Na época, eu já era um dos instrutores mais requisitados para ministrar cursos de curta duração no Brasil.

Fac-símile da nota de 5000 Intis.

O Peru passava por uma situação política e econômica bastante conturbada. A inflação estava na estratosfera. A moeda nacional, o Inti, não valia mais nada. No país, os correios já não possuíam selos para as correspondências. Eram substituídos por carimbos apostos em um pedaço de papel de embrulho e colados às cartas.

A violência era altíssima, principalmente devido à expansão do Sendero Luminoso, considerado até hoje o maior movimento terrorista do Peru. Seu objetivo era superar as instituições burguesas peruanas por meio de um regime revolucionário e comunista, de base camponesa, utilizando-se do conceito maoísta de Nova Democracia. Um de seus maiores inimigos e alvos eram os engenheiros, considerados os responsáveis pelo desenvolvimento do país. Àquela altura, já haviam sido assassinados mais de duzentos engenheiros.

Eu estava temeroso de ir ao Peru. Por sorte, meu bilhete aéreo, fornecido pelo Banco Mundial, tinha categoria de primeira classe. Durante o voo de São Paulo a Lima, pela Varig, conheci um brasileiro milionário de Corumbá, Mato

Grosso, de nome Eliezer Curbo, proprietário de uma mina de magnésio e ferro. Muito gentil e solícito, me apresentou a outro passageiro, já seu conhecido, o presidente do Banco Central do Peru. Pediu-lhe, na minha frente, para que autografasse uma cédula peruana para ele. Meu voo estava previsto para chegar depois da meia-noite ao aeroporto Jorge Chávez, em Lima. Eliezer convidou-me a ir com ele para os nossos hotéis num mesmo táxi. Fiquei satisfeito, senti-me mais seguro. Ele desceu no hotel em que se hospedaria, pagou US$ 15,00 e o motorista seguiu viagem comigo, deixando-me no Hostal Ariosto, onde me hospedei. Só tive de pagar a diferença, que foi de apenas US$ 3,00.

No capítulo "O concurso", mais à frente, darei mais detalhes dessa minha primeira estada no Peru.

## Chile

No início de setembro de 1999, descobri a possibilidade de realizar algum curso do meu interesse com patrocínio da Opas. Precisaríamos ter apenas um sinal de aprovação do nosso superior, no caso, o representante da Opas/OMS na Colômbia, o peruano Hernán Málaga. Estava com muita vontade de realizar um curso de imersão em inglês durante 45 dias, nos Estados Unidos. Infelizmente ele não concordou e insistiu para que eu participasse do VI Curso Internacional sobre Preparación y Evaluación de Proyectos de Desarrollo Local, a ser realizado em Santiago, no Chile, no período de 1º de outubro a 12 de novembro de 1999. Esse curso seria desenvolvido no Instituto Latinoamericano y del Caribe de Planificación Económica y Social (Ilpes). Arrependi-me por não haver insistido mais. Contudo, aceitei realizar o treinamento por ele indicado. Não gostei dos temas apresentados e, em consequência, quase fui reprovado. Santiago já era muito desenvolvida naquela época. Entretanto, gostei muito de um dos livros que comprei, escrito por um grande economista chileno, Ernesto R. Fontaine, *Evaluación social de proyectos*[81]. Além disso, também comprei alguns exemplares do famoso poeta Pablo Neruda e visitei duas de suas três casas, que foram transformadas em museus após sua morte. Também nesse período tive acesso à pedra preciosa lápis lázuli, ou lazulita, que só existe em grande quantidade no Chile e no Afeganistão e era vendida em forma de colares, brincos e anéis, tudo a preços muito acessíveis.

---

81. FONTAINE, Ernesto R. *Evaluación social de proyectos*. 11. ed. Santiago: Ediciones Universidad Católica de Chile, 1993.

VI Curso Internacional sobre Preparación y Evaluación de Proyectos de Desarrollo Local, organizado pelo Ilpes – Santiago, Chile, 1999.

# O concurso
## Sérgio Rolim Mendonça

No dia 3 de julho de 1987, foi lançado, no auditório do Centro de Tecnologia da UFPB, na Cidade Universitária, em João Pessoa, meu segundo livro: *Tópicos avançados em sistemas de esgotos sanitários*. Esse livro teve a sua origem num curso de extensão de quarenta horas ministrado por mim na sede da Abes Nacional, no Rio de Janeiro, de 8 a 12 de junho de 1987. Foi publicado pela Abes do Rio de Janeiro e obteve grande repercussão em nível nacional. O discurso de apresentação do livro foi proferido pelo engenheiro Manoel Dantas Vilar Filho (Manoelito), que pareceu se inspirar em Fidel Castro, na medida em que levou mais de duas horas para concluí-lo.

Pouco tempo depois, em março de 1988, recebi um telefonema do engenheiro paulista Lineu Rodrigues Alonso convidando-me para concorrer numa chapa como candidato a um dos quatro cargos de diretor da Abes Nacional. Esse convite deve ter sido consequência da divulgação do meu nome no país por engenheiros e técnicos que participaram das 221 horas dos cursos de extensão nas áreas de água e, principalmente, de esgotos, que ministrara, até então, nas seguintes capitais: Natal, João Pessoa, Maceió, Rio de Janeiro, Teresina, Salvador, São Paulo, Florianópolis e Fortaleza. (Em 2016, alcançaria mais de 2.400 horas/aula de cursos de extensão nas capitais de 21 estados brasileiros, além de Brasília, e doze países da América Latina.)

A chapa que integrei para o biênio 1988/1990 saiu vitoriosa, e a solenidade de posse aconteceu em 1º de julho de 1988, na Academia Brasileira de Letras, na cidade do Rio de Janeiro. Compondo a mesa para transmissão de cargo estavam o representante do governador Moreira Franco do Rio de Janeiro, Haroldo Mattos de Lemos, secretário do desenvolvimento urbano e regional daquele estado; Carlos Henrique de Abreu Mendes, secretário do meio ambiente, também do Rio; Inês Martins de Oliveira Alves, secretária de obras e serviços públicos do estado de Mato Grosso; Frederico Valente, secretário de saneamento do então Ministério da Habitação, Urbanismo e Meio Ambiente

Orlando Villar, eu, Gustavo Oliveira (*ao fundo*) e Manoel Dantas Vilar (*me cumprimentando*) durante o lançamento de meu segundo livro – João Pessoa, Paraíba, 3 de julho de 1987.

## JORNAL da ABES
ASSOCIAÇÃO BRASILEIRA DE ENGENHARIA SANITÁRIA E AMBIENTAL
V.13 — N° 8 — AGOSTO DE 1987

### Em lançamento

Foi lançado recentemente no Auditório do Centro de Tecnologia da Universidade Federal da Paraíba, em João Pessoa, o livro do engenheiro Sérgio Rolim Mendonça intitulado "Tópicos Avançados em Sistemas de Esgotos Sanitários". O livro originou-se do curso de mesmo nome, ministrado por esse professor paraibano no período de 08 a 12 de junho próximo passado no auditório da Sede Nacional da ABES, Rio de Janeiro.

A publicação tem 259 páginas subdivididas em 7 capítulos, onde estão incluídos de maneira eclética assuntos de fundamental importância para os projetos de coletores, tais como hidráulica dos coletores de esgotos e cargas sobre tubos enterrados. Aborda de maneira abrangente os fundamentos do tratamento biológico aeróbio, além de apresentar com clareza roteiro completo para projeto, construção e operação de lagoas de estabilização com parâmetros do Nordeste brasileiro e lagoas aeradas mecanicamente.

O livro apresenta de maneira didática os mais de 20 anos de experiência do engenheiro sanitarista Sérgio Rolim Mendonça no campo de projeto, construção, operação e manutenção de redes de esgotos sanitários e tratamento de esgotos domésticos em países de clima tropical.

Os interessados deverão procurar o Fundo Editorial da ABES, que dispõe de cerca de 560 exemplares. O livro está sendo vendido a 240 cruzados para sócios e 300 cruzados para não sócios.

*Eng° Sérgio Rolim Mendonça*

Notícia sobre o lançamento de meu segundo livro no *Jornal da Abes Nacional*, vol. 13, n. 8 – Rio de Janeiro, agosto de 1987.

(MHU); e Aloysio Nunes Ferreira, deputado estadual por São Paulo (assumiu o cargo de Ministro das Relações Exteriores do governo Temer em 7 de março de 2017); além dos engenheiros Nelson Nucci, presidente da Abes no biênio 1986/1988, e Lineu Alonso, presidente eleito. Contei com a presença à solenidade de duas familiares: minha tia Waldina Mendonça Barbosa e sua filha Marília Barbosa da Costa (minha prima), residentes no Rio de Janeiro.

Nossa diretoria era composta pelo presidente Lineu Rodrigues Alonso (SP); o vice-presidente Ademir da Silva (RJ); os diretores nacionais José Cláudio Junqueira Ribeiro (MG), Mário de Lavigne Filho (SC), Roberto de Araújo Reis (BA) e eu (PB); o secretário geral Walter Annicchino (SP); o secretário geral adjunto Gilberto Olival von Grap de Souza (PA); o tesoureiro geral José Padrão do Espírito Santo (RJ); e a tesoureira geral adjunta Inês Martins de Oliveira Alves (MT). Inês era esposa do engenheiro mato-grossense Dante Martins de Oliveira, que ficara nacionalmente conhecido pela autoria da Emenda Constitucional que levou seu nome e propunha o restabelecimento das eleições diretas para presidente da República, e que resultaria no movimento popular conhecido como Diretas Já.

Já nas eleições para o biênio 1990/1992, resolvi candidatar-me a uma das trinta vagas para o Conselho Diretor da Abes Nacional, sem que fizesse qualquer campanha para disputa do cargo. Fui o terceiro candidato mais votado no Brasil, com 366 votos, perdendo apenas para o mineiro Alaor de Almeida Castro (369 votos) e o famoso engenheiro sanitarista Szachna Eliasz Cynamon, professor da Fundação Oswaldo Cruz (423 votos). Pela Paraíba, o outro concorrente foi nosso colega Guarany Marques Viana, classificado em 44º lugar, com 202 votos[82].

Numa das reuniões mensais da diretoria, ao início de junho de 1989, o presidente Lineu Rodrigues Alonso nos comunicou que o Banco Mundial patrocinaria a viagem de um instrutor da Abes a Lima, no Peru, por duas semanas, para participar de treinamento na área de água e esgotos. Logo após o aviso, Lineu disse peremptoriamente à diretoria que eu era a pessoa mais indicada, devido ao trabalho que vinha desenvolvendo como um dos instrutores mais requisitados da associação, para cursos de curta duração por todo o Brasil. Convidado, aceitei de imediato.

No capítulo anterior, "Estudos e treinamentos no exterior", escrevi um pouco sobre a minha primeira viagem ao Peru. Uma hora após a saída do voo de São

---

82. *Informativo ABES RS*, anexo 6, Porto Alegre, n. 13, abr.-jun./90.

Paulo para Lima, pela Varig, em 10 de junho de 1989, teve início o serviço de jantar nas cabines de primeira classe. Inicialmente, champanhe francês, variedade de nozes e alguns petiscos saborosíssimos. Ainda como entrada, comi salmão e caviar. A refeição principal – a escolher – consistiu em pato ou lagosta. Obviamente, escolhi lagosta à thermidor, meu prato favorito. Lembrei-me, então, das várias noites de sábado quando ia ao restaurante Cassino da Lagoa e saboreava aquele prato com a lagosta servida dentro do casco. Lucinha, minha esposa, quase sempre preferia um peru à Califórnia.

No avião, durante o jantar, e até depois, serviam vinho branco francês, o que tornava o voo delicioso. Não desperdicei a oportunidade e comi, em meio à sobremesa, queijos italianos, franceses e suíços, além de vários tipos de doces. Ao final, tomei um cálice de licor francês (Cointreau) e esperei a chegada do voo a Lima, prevista para a meia-noite. Fui de táxi até o Hostal Ariosto, havendo chegado lá aproximadamente à 1h15 da manhã do domingo, 11 de junho. *Hostal*, em espanhol, significa pequeno hotel. Consegui telefonar do hotel para Lucinha, tranquilizando-a sobre o início da minha primeira imersão no Peru. A temperatura local era de aproximadamente 16 °C. Dirigi-me à minha *habitación*, que tinha o nº 307, e rapidamente peguei no sono.

Naquele domingo, por volta das 8h15, desci para tomar café. No hotel não havia cardápio, tínhamos de pedir o que nos aprazia. Solicitei, com meu portunhol rasteiro, frutas, leite quente, pão e manteiga. Trouxeram também geleia, metade de um limão e três pedaços de mamão. O café da manhã não estava incluído na diária. Posteriormente, verifiquei que o valor diário correspondia a 2.500 Intis, ou seja, US$ 3,00. À tarde consegui fazer um *city tour* de três horas, adquirido diretamente no hotel, pelo qual paguei a importância de US$ 15,00. Ao retornar para o hotel, recebi uma relação com o nome dos vinte participantes do curso, vindos dos seguintes países: Argentina, Bolívia, Colômbia, Costa Rica, Equador, Guatemala, Honduras, México, Paraguai, República Dominicana e Venezuela. Eu era o único brasileiro a participar.

O curso foi realizado nas modernas instalações do Centro Pan-Americano de Engenharia Sanitária e Ciências do Ambiente (Cepis/Opas/OMS), inaugurado em 1977. Logo que chegamos, na manhã do primeiro dia, fui imediatamente falar com o engenheiro Sergio Augusto Caporali, um dos consultores da entidade, meu amigo e colega de turma no curso de Engenharia Sanitária da USP, em 1971. Depois da apresentação do curso pela sua coordenadora, a engenheira peruana Rosario Castro, teve a palavra o diretor do centro, o engenheiro colombiano Alberto Flórez, que proferiu excelente palestra. Posteriormente, dividiram os participantes em grupos, que receberam a incumbência de fazer um desenho sobre a situação de água e esgotos nos seus respectivos países. Não se podia escrever nada, apenas desenhar. Participantes dos outros grupos teriam de identificar os desenhos feitos e adivinhar o significado deles. Foi assim que teve início o nosso treinamento, sendo o almoço servido, diariamente, nas instalações do Cepis, com a variedade costumeira dos deliciosos quitutes da comida peruana.

Um dos trabalhos do nosso grupo, constituído de quatro pessoas, que incluía um paraguaio, chamava-se "Captação de água de chuva em telhados". Iniciei, desde então, meu treinamento prático para falar espanhol. No segundo dia do curso, logo pela manhã, os colegas já eram orientados a fazer fila para receber as diárias que seriam pagas pelo Banco Mundial. Cada um receberia um cheque no valor de US$ 910,00. Infelizmente, fui o único a não receber aquela importância. Por um engano qualquer, esqueceram-se de mim. Pedi auxílio a Caporali, que disse para não me preocupar. Após o almoço veio me entregar US$ 2.000,00 em espécie, a título de empréstimo. Nada como um bom amigo na praça. Bom não; excelente! Na quinta-feira, 15 de junho, pedi-lhe para telefonar ao Walter Pinto Costa (ex-presidente da Abes Nacional), no Rio de Janeiro, para que facilitasse a obtenção das minhas diárias. Após uma semana, recebi, de fato, a referida ajuda financeira do Banco Mundial e pude devolver o empréstimo ao amigo Caporali, que, anos depois, viria a ser diretor do Cepis, justamente quando lá fui trabalhar. O treinamento durante as duas semanas foi extremamente proveitoso.

Finalmente, na sexta-feira à noite, 23 de junho, com o curso encerrado, fomos convidados a participar de um show folclórico onde foram realizadas as famosas *Peñas* peruanas (pronuncia-se *penha*). A música peruana sofre influência das culturas africana e espanhola, que, posteriormente, se misturou à cultura andina. Essa mescla originou um estilo bem peruano, denominado música *criolla*. Entre os ritmos mais conhecidos estão a valsa peruana e a dança *marinera*. É justamente nas *Peñas* que se pode encontrar toda essa variedade de música. O espetáculo aconteceu em uma das famosas casas noturnas de Lima, sendo assistido pelos colegas do curso e alguns peruanos, entre professores e funcionários do Cepis.

Durante o primeiro intervalo, após presenciarmos um show típico, a orquestra parou e o locutor convidou pessoas a comparecerem ao palco. Da nossa mesa, levaram justamente o paraguaio que participara do nosso grupo de estudo. Estando todos perfilados, o apresentador anunciou que estariam disputando um concurso e que a plateia é que escolheria, entre todos os participantes presentes no palco, aquele que considerassem o mais feio da festa. Depois de muitas risadas e brincadeiras, efetuou-se uma votação para escolha do primeiro lugar! E quem ganhou? Justamente nosso amigo paraguaio, que foi estrondosamente aplaudido pela plateia. Voltou, em seguida, cabisbaixo, caminhando bem devagar, em direção à mesa. Ficamos aflitos, sem saber o que se passava com ele. Aproximou-se e, muito timidamente, revelou: "*No sé lo que pasa conmigo, es la segunda vez que gano este concurso!*".

# Consultoria em Salvador, Bahia
*Sérgio Rolim Mendonça*

No último trimestre de 1991, recebi, num domingo à noite, telefonema de um senhor que dizia apreciar muito meus livros e minhas publicações. Valorizou, também, a forma simples como eu escrevia sobre certos assuntos técnicos, muitas vezes complexos. Meu quarto livro havia sido publicado em 1990, com lançamentos em João Pessoa, Belo Horizonte e Rio de Janeiro – este último, na sede nacional da Associação Brasileira de Engenharia Sanitária e Ambiental (Abes), localizada próximo ao aeroporto Santos Dumont. Ele me informou ser da Bahia e cuidou de adicionar outros elogios. Comecei a ficar desconfiado. Quem seria aquele senhor? O que queria comigo, afinal? Na época, o governador da Bahia era Antônio Carlos Magalhães, político muito influente no governo federal. Havia conseguido para seu estado um vultoso volume de recursos destinados à despoluição das águas da cidade de Salvador e aos principais municípios pertencentes ao polo turístico da Bahia. Esse programa se chamava "Bahia Azul". O que aconteceu foi que não havia no estado suficientes empresas capacitadas para se comprometer com tantos projetos em pouco tempo. Muitas firmas de projeto foram criadas nessa época para atender à grande quantidade disponível de recursos financeiros destinados àquela finalidade.

O contato misterioso era o engenheiro Eduardo H. B. Cohim, atualmente professor titular da Universidade Estadual de Feira de Santana e pesquisador da Rede de Tecnologias Limpas (Teclim/UFBA). Possui doutorado em Energia e Meio Ambiente, mestrado em Tecnologias Limpas e graduação em Engenharia Sanitária pela Universidade Federal da Bahia (UFBA). Estava me convidando a trabalhar como consultor na área de tratamento de esgotos de sua empresa Meta Engenharia, criada havia pouco tempo.

Depois de inúmeros acertos, pedi licença sem vencimentos da Companhia de Água e Esgotos da Paraíba (Cagepa) e de meu trabalho como professor da UFPB durante exatamente dois anos, de 1º de janeiro de 1992 a 31 de dezembro de 1993. Viajava em semanas intercaladas a Salvador (uma semana sim, outra não) para efetuar minha consultoria. Saía de João Pessoa no voo da Vasp que fazia escala em Aracaju e aterrissava em Salvador às 7h da manhã. No aeroporto, quem ia me buscar era o engenheiro argentino Carlos Enrique Hita, nascido em Mendoza (cidade conhecida por suas vinícolas e seu excelente vinho tinto famoso internacionalmente, fabricado da uva Malbec), com doutorado na University of Houston, Texas, e radicado na Bahia. Foi também coautor de um livro importante, *Fundamentals of hydraulic engineering systems*, escrito nos Estados Unidos com Ned H. C. Hwang. É atualmente diretor de uma grande firma de projetos em Salvador, a Hita Engenharia. Após a chegada, íamos diretamente para o trabalho. Durante as refeições, Carlos Hita sistematicamente me levava para almoçar. Frequentávamos sempre os bons restaurantes de Salvador, com todas as despesas pagas, obviamente, pela firma. Nas sextas-feiras, a partir das 16h, já estava com minha mala no escritório. Saíamos diretamente para a orla para tomar uns tragos e comer acarajé, esperando a hora de o pessoal me deixar no aeroporto. Chegava a João Pessoa próximo da meia-noite, retornando em outro voo da Vasp. Era a vida que tinha pedido a Deus. Cada semana que estava em João Pessoa, precisava inventar o que fazer. Às vezes viajava a passeio com minha esposa, Lucinha. Uma vez, me recordo, fomos conhecer a famosa praia de Canoa Quebrada, no Ceará.

Nesse período, uni o útil ao agradável. Além de visitar as cidades turísticas da Bahia, fazia meu trabalho. Minha tarefa era definir o local da estação de tratamento de esgotos de cada cidade, incluindo o tipo de tratamento a ser adotado, em sua maioria, sistemas de lagoas de estabilização.

Participei dos projetos de esgotos das cidades baianas de Itaparica, Vera Cruz, Madre de Deus, Lençóis, Belmonte, Mucugê e Praia do Forte. A firma depois se expandiu para o Ceará, onde trabalhei nos projetos das cidades de Paracuru, Palestina do Norte, Santo Antônio dos Camilos, Goiana e Campanário. Quem trabalhou comigo nesse período foi o engenheiro baiano Mário Mota, funcionário da Meta Engenharia e especialista em projetos de UASBs (digestor anaeróbio de fluxo ascendente, um tipo de processo para tratamento de esgotos). Em Salvador também elaborei para outra empresa, por indicação da Meta Engenharia, o projeto da estação de tratamento de esgotos da cidade de Jequié, na Bahia (a foto dessa estação de tratamento está incluída em um dos capítulos deste livro, intitulado "Alternativas de saneamento para a cidade dos Reis Magos"). Acredito que, por falha da memória, ainda faltou incluir outros trabalhos e outras cidades.

Foi um período excelente, em que aprendi muito e fiz grande amizade com Eduardo Cohim e Carlos Hita, que perdura até os dias atuais.

Engenheiros Carlos Enrique Hita, eu e Mário Mota – Salvador, Bahia, 14 de junho de 2013.

# Consultoria em Chimbote, Peru
*Sérgio Rolim Mendonça*

• ——————— ••• ———————— •

Em janeiro de 1994, fui contratado pela empresa Deutsche Beratungsgesellschaft für Hygiene und Medizin mbH, com sede em Frankfurt, Alemanha, como consultor na área comercial de empresas de saneamento básico, para efetuar o diagnóstico das empresas municipais Sedachimbote, Sedapiura e Emapatumbes, com sedes respectivas nas cidades de Chimbote, Piura e Tumbes, no Peru. Meu contrato foi de três meses, iniciando em 17 de janeiro, com conclusão prevista para o dia 15 de abril de 1994. O escritório da firma onde iríamos trabalhar estava situado na cidade de Chimbote.

O Peru conseguira empréstimo do Banco Interamericano de Desenvolvimento (BID), que o incluiu no Programa de Melhoramento do Setor de Saneamento Básico do Projeto PE-0032 PERU/BID, Subprograma Melhoramento Institucional e Operativo. Representou a firma alemã no Peru a consultora Asociación Saniplan-AMSA, dirigida pelo engenheiro César Tapia, que, posteriormente, tornou-se diretor do governo peruano. Seu assistente era o estatístico Pedro Sandoval, e o escritório da empresa peruana se localizava na calle Las Palomas, 398, no distrito de Surquillo, em Lima, bem próximo do ginásio cujo proprietário foi um grande boxeador peruano, de fama internacional, conhecido como Mauro Mina.

Eu fora indicado por Sergio Augusto Caporali – amigo e colega de turma no curso de Engenharia Sanitária da USP (1971) que, àquela altura, ocupava o cargo de diretor do Centro Pan-Americano de Engenharia Sanitária e Ciências do Ambiente (Cepis/Opas/OMS), em Lima. Era muito brincalhão e, quando cheguei lá, me disse: "Quando voltar de Chimbote, vai passar pelo menos quinze dias com os gatos a persegui-lo". Fiquei curioso, porém nada perguntei a respeito.

Desembarquei em Lima no fim da segunda semana de janeiro de 1994. Tivemos algumas reuniões para orientação sobre a consultoria e apresentação de alguns consultores que iram participar do projeto. Então, conheci o diretor, meu futuro coordenador, mas não simpatizei muito com ele. Possuía um bigodão e tinha cara de mau. Era administrador de empresas. Seu nome: Augusto Hidalgo Sánchez. Após essa consultoria, veio a assumir o cargo de gerente geral do *Gobierno Regional de la Libertad* e ali ficou por dois anos. É, atualmente, professor doutor da Universidad Nacional Mayor de San Marcos, em Lima, e ocupa o cargo de presidente da Comissão Organizadora de Estudos Gerais, subordinado ao vice-reitorado acadêmico de graduação. Logo, pensei com meus botões: "Será que vai dar para aguentar esse cara por três meses?". Felizmente, ele era totalmente o contrário do que esperava. Tornamo-nos bons amigos, e seguimos assim até hoje. O diretor do projeto era o alemão Hans Peter Schöner, simpático e bonachão, possuidor de altíssima qualidade profissional e humana. Trabalhou por muitos anos em várias cidades do Peru e, quando se aposentou, retornou à sua cidade natal na Alemanha.

Chimbote é uma cidade da costa central-norte do Peru, capital da Nova Província de Santa, no extremo noroeste da região de Ancash. Fica nas orelhas do Oceano Pacífico, na baía El Ferrol, onde desemboca o Rio Lacramarca. A cidade está localizada na costa da baía de Chimbote, 130 km ao sul de Trujillo e 420 km ao norte de Lima. É conhecida por sua atividade portuária, além de ser importante sede para a indústria pesqueira e siderúrgica do país. Possui mais de trinta fábricas de extração de farinha de peixe e é o maior porto pesqueiro do Peru. Em meados do século XX, o porto de Chimbote chegou a ser o porto de pesca com a maior produção mundial. No sul da cidade, existem várias praias, entre elas as de Vesique, Los Chimús, Caleta Colorada, El Dorado e Tortugas. Em um domingo de folga, estive com alguns colegas de consultoria visitando a praia de Tortugas.

Marquei minha passagem aérea para o domingo, 16 de janeiro, véspera do início do trabalho em Chimbote. Viajei só, num avião pequeno, semelhante a nossos pequenos planadores, onde só cabiam umas seis pessoas. Havia recebido orientação dos colegas para hospedar-me no melhor hotel da cidade, Hotel Presidente. Após o estresse da viagem, quando o avião aterrissou, por volta das 9h da manhã, olhei ao redor e vi que havia um enorme cogumelo vermelho no ar, como a imagem que temos de explosão provocada por bomba atômica. Era "apenas" a poluição do ar devido à produção de aço da siderúrgica SiderPeru. Pensei: "Não vou aguentar uma semana aqui!". Comecei a sentir um mau cheiro horrível e contínuo que – descobri depois – era originário das inúmeras fábricas que industrializavam farinha de peixe. A farinha era fabricada de qualquer tipo de pescado, mesmo os de primeira classe. O que interessava às firmas estrangeiras

Um domingo de descanso, na praia Tortugas – Chimbote, fevereiro de 1994.

era somente o lucro. Não compensava para eles a exportação do peixe. O lucro com a farinha era muito maior. Fiquei filosofando, bastante arrependido: "Para que fui aceitar essa consultoria? Para que tanta aventura?". Imaginei-me o próprio prisioneiro Henri Charrière, autor de *Papillon*, ao desembarcar na Ilha do Diabo, sinistro complexo de presídios mantidos então pela França na Guiana Francesa. O livro, lançado em 1969, ficaria famoso mundialmente. Contava a fuga espetacular do principal personagem daquela prisão, em 1935, que escapou para a Venezuela, onde terminou seus últimos dias de vida. Versões mais atuais consideram que o verdadeiro autor de *Papillon* teria sido outro fugitivo, René Belbenoît, intelectual que falava quatro línguas e chegou a liderar um grupo de presos, entre eles Henri Charrière, o suposto autor desse livro. *Papillon* chegou às telas dos cinemas em 1971, em uma superprodução de Hollywood protagonizada por Steve McQueen. Foi um dos melhores livros que já li, mas fiquei triste ao terminar a leitura; a história era tão boa que não queria que acabasse. Afinal, eu não era Papillon, o prisioneiro julgado por assassinato. Estava naquele trabalho por livre e espontânea vontade. Possuía recursos suficientes para devolver as passagens aéreas e todas as despesas envolvidas na minha viagem e, assim, poder regressar imediatamente a João Pessoa.

Retirei a minha mala, tomei um táxi e fui para o hotel. Embora o Hotel Presidente fosse o melhor da cidade, achei tanto o ambiente externo quanto o interno muito sujos. Quando subi ao quarto e abri a janela, verifiquei que bem em frente, a alguns metros de distância, havia um lixão que exalava um mau cheiro terrível, além daquele ao qual já estava me habituando, proveniente da fabricação de farinha de peixe. A vista era horrível. A mobília do quarto, composta de um *bureau* antigo, bastante estragado, e uma cama de solteiro. O banheiro, fora do quarto. Estava muito cansado e estressado. Deitei-me com a própria roupa de viagem, por volta das 11h da manhã, sem a menor vontade de abrir a mala. Caí no sono para despertar às 17h. A essa altura, já tinha bastante fome. Fui tomar banho e encontrei uma enorme barata no banheiro, o que fez com que, após esmagá-la, eu não tomasse um banho lá muito agradável. Após trocar de roupa, pedi informações no hotel e fui procurar um restaurante para jantar.

No período em que viajei para Chimbote, a epidemia de cólera, que se originou no Peru no começo de 1991, já havia invadido a América do Sul. Depois da interrupção dos ciclos de cólera na Europa, no começo do século XIX, ela ressurgiu, dessa vez nas Américas, em forma de pandemia. E como? A porta de entrada foi o piscoso porto de Chimbote. Os navios e barcos, quando aportavam, descarregavam o acumulado dos seus esgotos nessas águas, que o mar cuidava de levar diretamente para a beira-mar. Diariamente morriam, só naquela cidade, de quinze a vinte pessoas, vítimas dessa terrível enfermidade contraída, conforme noticiava o jornal local.

O micróbio causador da cólera é o vibrião colérico, ou seja, a bactéria *Vibrio cholerae*, descoberta em 1884 pelo cientista alemão Robert Koch, considerado um dos pais da microbiologia. Aproximadamente uma em cada vinte pessoas infectadas sofre de doença grave, caracterizada por diarreia aquosa abundante, vômitos e câimbras nas pernas. Nessas pessoas, a perda rápida dos líquidos do corpo leva à desidratação e à prostração. Se não houver tratamento, a morte pode acontecer em questão de poucas horas. Sua primeira aparição no Brasil ocorreu na década de 1820, no Rio de Janeiro, então capital do país. Em 1855, mais de 200 mil pessoas morreram somente nessa cidade. No final do século XIX, a doença foi erradicada do Brasil graças às melhorias do saneamento básico nas principais cidades do país. A cólera retornaria depois de quase 150 anos. Interessante notar que, desta feita, a cólera invadiu todos os países da América do Sul, com exceção do Paraguai. Qual o motivo, considerando-se que esse país é ainda mais subdesenvolvido que a maioria dos países sul-americanos? A razão disso foi a abundante disponibilidade de água no único país que preserva a língua tupi-guarani nas Américas, o que veio a facilitar as condições de limpeza e asseio da população durante a pandemia.

Continuei na minha peregrinação em busca de um restaurante razoável. Cada qual mais sujo que o anterior. Terminei entrando num deles e, àquela altura já morrendo de fome, pedi um bife simples com arroz e uma cerveja. No regresso, descobri um pequeno supermercado, onde comprei água mineral com gás e um pouco de iogurte. Já no hotel, antes de tentar abrir a porta do meu quarto, havia outra enorme barata, morta há pouco tempo, provavelmente por algum hóspede meu vizinho. Com essa acanhada descrição do meu primeiro dia em Chimbote, já dá para se ter ideia do que me esperava na cidade.

Os principais consultores que estavam envolvidos nesse projeto eram:
- Hans Peter Schöner, diretor do projeto;
- Augusto Hidalgo Sánchez, chefe da equipe, especialista em desenvolvimento institucional;
- Miguel Castro Román, economista, especialista financeiro;
- Iris Carrasco, engenheira sanitarista, especialista em planos diretores;
- Gonzalo Herrera, engenheiro, especialista em desenvolvimento tecnológico;
- José Portillo Campbell, técnico em informática, especialista em sistemas de computação;
- eu, Sérgio Rolim Mendonça, engenheiro civil e sanitarista, especialista comercial em empresas de saneamento.

**CRONOLOGIA DA INTRODUÇÃO DOS SISTEMAS DE ESGOTOS**

| | |
|---|---|
| Paris, França (sistema combinado) | 1833 |
| Londres, Inglaterra | 1847 |
| Brooklin, Estados Unidos | 1857 |
| Rio de Janeiro, Brasil | 1857 |
| Providence, Estados Unidos | 1869 |
| Filadélfia, Estados Unidos | 1875 |
| Buenos Aires, Argentina | 1888 |

É interessante assinalar que a construção de todos esses sistemas, *sem exceção*, foi iniciada logo depois dos eventos de grandes epidemias de cólera nesses países.

A invenção da bacia sanitária já era popular na Europa em 1847, apesar do problema da evacuação. Foto: Le Petit Journal, Bibliothèque nationale de France/Wikimedia Commons.

> Programa de Mejoramiento del Sector Saneamiento Básico
> Sub-Programa de Mejoramiento Institucional y Operativo
>
> **SANIPLAN** ⎯⎯⎯ CONSULTORES
> Deutsche Beratungs-Gesellschaft für Hygiene und Medizin mbH
> Sociedad Consultora Alemana de Higiene y Medicina Ltda.
> Frankfurt, R.F.A.   Lima, Perú
>
> Ing. Sérgio Rolim Mendonça  Dirección de la Asociación:
> Especialista Comercial  Calle Las Palomas 398, Surquillo / Lima
> Telefon: (014) 404076
> Telefax: (014) 404076

Meu cartão de visitas como especialista comercial da Saniplan.

No dia seguinte, pela manhã, tomei um táxi e fui ao escritório da empresa. Chegando lá, fui apresentado a alguns consultores, e um deles me respondeu em perfeito português. Era o economista Miguel Castro. Morara seis meses em Fortaleza, dominava bem o idioma de Luís de Camões. Disse-me que havia vindo a Chimbote para selecionar um hotel para o grupo, e que eu deveria me mudar imediatamente para a pensão que ele havia escolhido, chamada Hostal Bolognesi. Ficava na rua de mesmo nome, em homenagem a Francisco Bolognesi Cervantes, um militar peruano que participou da Guerra do Pacífico, conflito ocorrido entre 1879 e 1883, confrontando o Chile com as forças conjuntas da Bolívia e do Peru. No final da guerra, o Chile anexou áreas ricas em recursos naturais de ambos os países derrotados. O Peru perdeu as províncias de Arica e Tarapacá pelos tratados de Ancón e Lima. Com o título de coronel, Bolognesi defendeu o porto peruano de Chimbote desde a cidade de Arica, enfrentando os chilenos, muito superiores em número e poderio bélico. Seu lema era "Lutar até queimar o último cartucho". Sucumbiu heroicamente durante a batalha final e é considerado herói nacional no Peru. As moedas apresentadas a seguir são originárias do período da Guerra do Pacífico.

Esse pequeno hotel era modesto, simples e muito limpo, porém não oferecia café da manhã. Miguel Castro, que possuía um gênio muito forte, praticamente obrigou o amável proprietário a incluir e a cobrar esse serviço na diária do hotel. Por tal motivo, nós o apelidamos de *coordinador de desayunos*. A partir daí, realmente, a qualidade de vida só melhorou. A única coisa de que não gostei foi ter de tomar água mineral com gás todos os dias, por questões de segurança alimentar.

Moedas flor de cunho, fabricadas durante a Guerra do Pacífico (1879). Acervo do autor.

Durante todo o período em que estivemos em Chimbote, almoçamos diariamente no restaurante Venecia. Um dia ali apareceu Fujimori (Alberto Kenya), ex-presidente do Peru (de 1990 a 2000), distribuindo santinhos, em plena campanha eleitoral. Considero a cozinha peruana espetacular, ainda mais naquela cidade, dada a enorme disponibilidade de frutos do mar, fresquíssimos. A comida, aliás, é sempre muito picante para quem não é acostumado a temperos mais fortes. Lembro de um prato chamado *Lomo con Tacu Tacu*, um dos pratos preferidos do nosso companheiro Miguel Castro. Consistia em um pedaço de filé e arroz misturado com feijão. Também gostei, mas vinha sempre um pedaço muito pequeno de filé e uma porção de feijão e arroz muito grande. Por isso, eu sempre pedia, por gozação, *Tacu con Lomo Lomo*, para ver se conseguia um pedaço maior de filé.

Havia um pequeno supermercado em Chimbote, com poucas mercadorias, porém todas de alta qualidade, pois eram produtos destinados praticamente a industriais estrangeiros de grande poder aquisitivo, principalmente os exportadores de farinha de peixe. Nele havia um minirrestaurante chamado Astoria, que só abria à noite e possuía cerca de meia dúzia de mesas, destinadas a tais comerciantes. Vez por outra íamos jantar por lá e tomar algumas cervejas. Logo que começamos a frequentar esse restaurante, a cozinheira notou que eu não era peruano, aproximou-se de nossa mesa e começou a conversar. Contou que a situação do seu país era muito ruim, que havia trabalhado como secretária, sabia bastante informática e estava nessa profissão devido a essas circunstâncias adversas. Perguntou-me se não queria trazê-la para o Brasil para montarmos um restaurante peruano. Como muita gente sabe, os peruanos são excelentes cozinheiros. Expliquei que não era empresário nem possuía recursos suficientes para montar um restaurante, não havendo possibilidade de realizar o seu desejo. Em outra ocasião, chegou uma comitiva de diretores da firma para verificar o andamento dos nossos trabalhos. Levamos o pessoal para jantar nesse restaurante. Qual não foi a surpresa de todos ao perceberem que o meu prato se diferenciava escandalosamente de todos os demais. A cozinheira peruana ainda mantinha esperança de que eu a trouxesse para o Brasil.

Eu levava, na bagagem, o dicionário de conjugação de verbos em espanhol *Larousse Conjugación*, de Ramón García-Pelayo, o *Harrap's Concise Dictionary*, espanhol/inglês e inglês/espanhol e outro mais, americano (inglês/inglês), com bem mais palavras. Meu conhecimento de espanhol era, na época, muito sucinto. Ao final das tardes, após o trabalho, ia para o hotel e, depois de jantar, caminhava um pouco. Depois, recolhia-me ao quarto e assistia a apenas um canal de televisão que ali existia, com sinal péssimo, onde via filmes americanos dublados em espanhol, no intuito de melhorar meu entendimento do idioma de Cervantes. No dia em que comecei a redigir meu relatório, era grande a dificuldade que tinha, nunca havia escrito em espanhol. Para se formar uma frase é necessária a inclusão de algum verbo, e este emprega algum tipo de conjugação. Para saber o significado das palavras que não conhecia em espanhol, utilizava o dicionário espanhol/inglês, devido ao meu muito maior conhecimento deste idioma. O dicionário de conjugação *Larousse* me ajudou muito, e sempre podia contar com o prestimoso apoio de Miguel Castro. Pouco a pouco fui melhorando e, ao final, escrevi um relatório de pouco mais de 200 páginas, também auxiliado pelas secretárias peruanas.

Como não tínhamos nada a fazer aos finais de semana, geralmente cuidávamos de adiantar o trabalho. Nosso grupo estava encarregado de realizar o diagnóstico das empresas municipais de água e esgoto das cidades de Chimbote, Piura e Tumbes. A algaroba que existe hoje, principalmente no Nordeste brasileiro, foi trazida da cidade de Piura. O mel de algaroba ou algarobina é comercializado em qualquer supermercado do Peru. É extraído das sementes de algaroba e utilizado em sorvetes e licores de pisco (aguardente de uva, bebida tradicional peruana), de sabor muito semelhante ao do chocolate. Não tendo havido tempo suficiente, só trabalhei nas duas primeiras cidades. Em algumas das folgas que tive, visitei a cidade de Trujillo, onde nascera o meu coordenador Augusto Hidalgo, o qual também me levou a conhecer sua casa e sua família. A cidade é muito famosa, também, por sua dança *Marinera*.

A dança, no Peru, existe desde tempos imemoriais. Os anciãos escolheram a dança como forma de render homenagem às suas divindades, de comemorar uma boa colheita ou uma boa notícia. Nas montanhas, as danças são muito coloridas e cheias de vigor. O bater constante dos pés, o sapateado e as coreografias transmitem vitalidade e alegria. As danças dos rituais exigem anos de prática para realizar saltos acrobáticos ao ritmo da harpa e do violão. A *Marinera* é uma dança romântica, elegante e graciosa, na qual os dançarinos – uma mulher e um homem – representam uma peça de amor e sedução; é caracterizada pelo uso de lenços, agitados pelas mulheres. Apesar de ser característica do litoral do país, se expandiu por todo ele, variando de um lugar para outro tanto por seus costumes como por suas coreografias, conservando, no entanto, a sua essência, que é a corte feita por um homem a uma mulher. A cidade de Trujillo é considerada a capital da *Marinera*. Lá acontece, anualmente, uma competição nacional dessa dança, em festa de cores e beleza sem igual, aonde chegam casais de diferentes cidades do país para competir em diversas categorias. Durante o festival, a estrutura da coreografia surge mais complicada; o *cajón* e a guitarra se veem substituídos por tambores e cornetas das bandas de música.

Também visitei, na companhia de Augusto Hidalgo, o sítio arqueológico Chan Chan, que é patrimônio mundial da humanidade desde 1986, também localizado bem próximo a Trujillo. Um reino poderoso, com estrutura hierárquica definida e uma cidade perfeitamente planejada, abrigando cerca de 50 mil habitantes. Assim era Chan Chan há seiscentos anos, hoje um dos mais preciosos sítios arqueológicos do mundo. Somente mãos habilidosas poderiam erguer uma cidade de barro como Chan Chan, que fica na costa norte do Peru. Chan Chan foi a capital do Reino de Chimu, um dos mais poderosos da América do Sul, embora menos famoso que o Império Inca. Chan Chan possui uma área de 15 km$^2$, em que há ruínas das edificações construídas em adobe, um material preparado com barro, palha e pedregulho, ideal para a região em que se localiza a cidade, quase sem chuvas. Chan Chan significa "Sol Sol". Infelizmente, a erosão provocada pela ação do tempo colocaria o sítio arqueológico na lista dos patrimônios em perigo.

Nossas viagens para lugares mais distantes aconteciam em antigos aviões de carreira, em que se entrava apenas pela parte de trás. Tinha muito medo dessas viagens. Em meio ao trabalho, soube que o governo peruano havia comprado alguns aviões a jato russos modelo 737. Fiquei animado para que as próximas viagens pudessem se realizar nesse transporte mais moderno.

Depois de um trabalho árduo que incluía a maior parte dos finais de semana, comecei a me estressar. Sugeri ao meu coordenador que solicitasse uma folga de três dias ao diretor alemão, possibilitando que o grupo pudesse passar um fim de semana em Lima. Obtida a autorização, segui com a turma num daqueles aviões antigos, no propósito de alcançar algum divertimento na capital peruana. Ficamos hospedados num hotel para estudantes, daqueles bem econômicos. Augusto gostava de escutar rádio, e, logo que o ligou, escutamos uma entrevista com um famoso psicólogo peruano que dizia: "É mais fácil morrer pela mulher que amas que viver com ela". Não deixa de ser uma grande verdade. Fomos assistir a um show de uma cantora peruana, tendo ficado estupefatos com o preço dos ingressos: US$ 100,00 – isso em 1994. No regresso a Chimbote, Hidalgo optou por rever primeiro a família e seguiu diretamente para Trujillo. Esperei toda uma manhã até que chegasse o momento de tomar o avião. De repente, a notícia: na estreia do seu primeiro voo, o avião russo sofrera um acidente fatal.

O avião havia se chocado com uma das montanhas do Peru. Fiquei tão surpreso e emocionado, pensando que poderia ter estado entre os passageiros, que desisti do voo, perdi o bilhete aéreo e comprei uma passagem de ônibus para o regresso a Chimbote. Talvez o risco fosse ainda maior, pois a incidência

Chan Chan, sítio arqueológico – Trujillo, Peru.
Foto: Håkan Svensson/Wikimedia Commons.

de desastres nas estradas peruanas era enorme. Graças a Deus, cheguei são e salvo a meu destino.

Comparecia ao escritório na hora certa, invariavelmente. Intrigava-me que o primeiro a chegar, antes de mim, como de costume, fosse o engenheiro Gonzalo Herrera, uns oito anos mais novo. Muito simpático, mas de pouca conversa com a gente, ele rotineiramente lia um romance. Após minha volta ao Brasil, Augusto Hidalgo me contou que a firma Saniplan, para a qual trabalháramos, recebera uma multa pelo atraso, justamente em razão do relatório de Gonzalo Herrera não ter sido entregue. Adoecera pelo estresse de não terminar o trabalho a tempo e se achava hospitalizado.

Outro consultor, José Portillo, especialista em informática, deveria permanecer em Chimbote por mais dois ou três dias, a fim de compilar informação da empresa Sedachimbote. Só esteve duas ou três horas, tempo suficiente para decifrar a criptografia do computador do chefe de sistemas, obviamente com o consentimento do gerente geral da empresa. Portillo era sempre rodiziado entre as três empresas do grupo e fora muito poucas vezes a Chimbote. Trabalhou muito mal e tampouco apresentou qualquer relatório do seu trabalho, que veio a ser elaborado, naturalmente com atraso, por Augusto Hidalgo. A Saniplan veio a ser contemplada com nova multa por não haver cumprido o cronograma previsto pelo Ministério da Fazenda. Foi, em razão disso, despedido da empresa.

Por ironia do destino, três meses depois da demissão de Portillo, aconteceu a sua nomeação, pelo presidente Fujimori, como chefe nacional do Organismo Nacional de Processos Eleitorais do Peru (Onpe). Foi gestor dessa organização durante todo o mandato restante de Fujimori, por seis anos. Porém, depois de uma desastrosa administração e de tantas fraudes eleitorais ocorridas durante todo aquele período, quando Fujimori caiu, Portillo foi sentenciado a cinco anos de prisão. Posteriormente, voltou a lecionar na Universidad Nacional de Ingeniería (UNI) do Peru. Uma vez reincorporado à universidade, chegou a ser escolhido como o melhor professor do ano. Era mestre extraordinário; contudo, não se ajustara bem como consultor, ou mesmo executivo.

Os honorários mensais dos consultores peruanos eram de US$ 2.000,00, além das diárias pagas em soles peruanos referentes aos custos com o hotel e a alimentação. A mim me cabiam, porquanto estrangeiro, US$ 5.000,00 mensais, mais as respectivas diárias. Depois de certo tempo de trabalho, descobri que o salário de um funcionário alemão, integrante da equipe de consultores, já bastante idoso, era de US$ 12.000,00. Sua única tarefa era atualizar diariamente o cronograma de trabalho dos consultores. E meus amigos esquerdistas só se referem ao imperialismo americano! Tínhamos o direito de receber nossos honorários a cada mês, contudo, preferi esperar para o final do trabalho, de modo a não ficar preocupado com a eventualidade de vir a ser roubado.

Fui o primeiro consultor a concluir o trabalho, no prazo de dois meses e meio. Já estava com muita vontade de regressar a João Pessoa. Quando entreguei o relatório ao diretor Schöner, ele mostrou cara de espanto e me pediu para fazer algumas modificações. No dia seguinte, voltei a ele com as correções solicitadas e lhe disse que estava contribuindo para a economia da Saniplan, pois estava poupando-a de pagar o equivalente a 15 diárias, já que meu contrato era de três meses.

Viajei para Lima e hospedei-me no Hotel Alemán, localizado na avenida Arequipa, 4.704, Miraflores – um hotel três estrelas, ainda hoje em pleno funcionamento. O hotel era superseguro. Para acessá-lo, era necessário cruzar três portas, por questões de segurança. Todos os alemães que passavam por Lima ali se hospedavam. Decidi ficar por mais um dia, a fim de melhor programar a volta, organizar e contar o total dos honorários que havia recebido no escritório da firma em Lima. Estava nervoso, receoso de ser roubado, o Peru nessa época estava muito violento. Em 1993, Abimael Guzman (chefe do Sendero Luminoso) fora condenado por um tribunal civil da capital peruana a prisão perpétua por terrorismo, assassinatos e outros crimes cometidos durante a guerrilha maoísta (1980-1992), que cobrou a vida de 70 mil pessoas entre 1980 e 2000, dentre elas mais de duzentos engenheiros. Alguns anos antes, uma engenheira paulista, funcionária da Cetesb, que estagiava num centro de pesquisa onde eu trabalharia muitos anos depois (Cepis/Opas/OMS), em Lima, morreu devido a uma bomba que colocaram debaixo do seu assento no trem em que viajava, de Cusco a Machu Picchu.

No dia seguinte, tomei um táxi para o aeroporto. Mal entrei, o motorista perguntou: "O senhor está nervoso?". Dá para se ter uma ideia de como estava o meu estado psicológico. Pois bem. O aeroporto internacional Jorge Chávez era muito pobre e malconservado. Tive que utilizar o banheiro, que mais parecia aqueles sanitários de beira de estrada que conhecemos. Para completar, meus óculos caíram dentro da bacia sanitária, e havia pouca água e nenhum sabonete na pia para lavá-los.

Finalmente, de volta a João Pessoa. Experiência profissional renovada, a enriquecer o currículo. Novas histórias para contar aos amigos, ainda com a sensação de gatos a perseguir-me, por quinze dias, sentindo o enjoado cheiro de farinha de peixe.

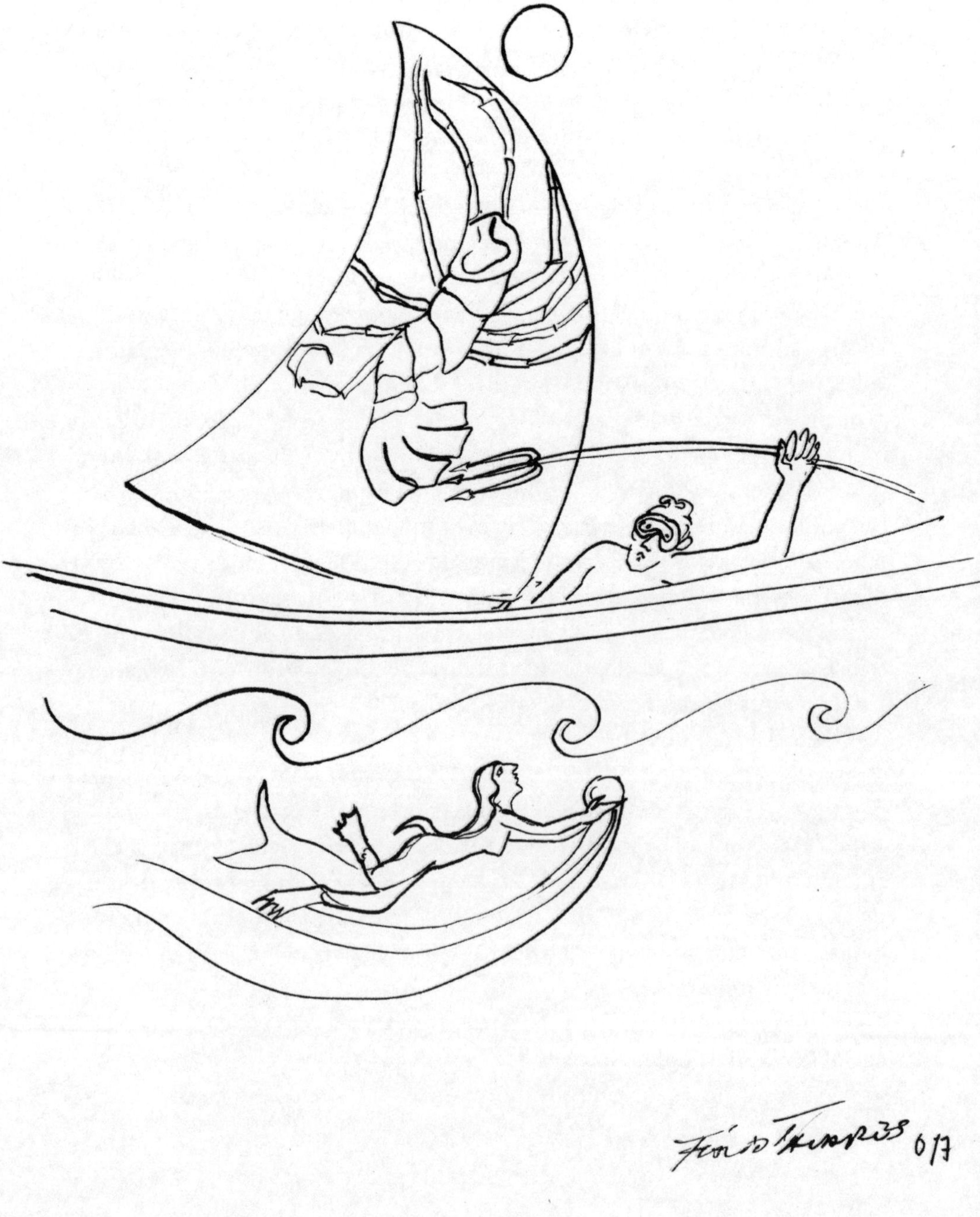

# Santo de casa faz milagre, sim!
*José Ciro Melo de Medeiros*[83]

---

Quem vive, afortunadamente, nas cidades abastecidas por água tratada não percebe o valor dela como um bem de extrema necessidade. Pode-se passar vários dias sem se alimentar, mas é impossível viver três dias sem ingeri-la. Só entendi água como um bem sagrado à vida humana quando conheci a história de um caçador russo, Dersu Uzala. Ele cresceu no interior de uma floresta e só adulto foi levado por um capitão do Exército Vermelho para viver numa cidade. Como para ele tudo era novidade, parecia uma criança. Ria de tudo, era tranquilo e feliz. Até que, certo dia, ao ver o capitão pagar pela água potável que abastecia a casa, revoltou-se a ponto de agredir o vendedor. Ele não admitia que água fosse vendida. E foi difícil convencê-lo do contrário.

Hoje o preço do combustível que você usa no seu carro depende do humor de um ditador árabe, ou de um boato espalhado numa bolsa de valores. Amanhã, isso poderá acontecer com o preço da água que você precisará usar para sobreviver. Já imaginou o poder econômico globalizado dominando o uso e o preço da água no planeta?

A Igreja Católica, desde o início da década de 1990, vem levantando a bandeira do direito à água de boa qualidade para as comunidades do semiárido, onde se bebe lama e lodo. Segundo a ONU, se não houver uma "guinada ecológica", daqui a vinte anos, 40% da humanidade, literalmente, morrerá de sede. Países como El Salvador, Guatemala, Honduras e Nicarágua sofriam por falta de água. Hoje, eles têm acesso à água tratada a partir de efluentes de água servida. Graças a quem? Ao trabalho de um paraibano, Sérgio Rolim Mendonça.

Ele nasceu em João Pessoa, numa casa de esquina da rua Duque de Caxias. Caseiro, saía muito pouco, só ia ao Colégio Marista e a um cineminha de vez em quando. Estudava muito e até na Escola de Engenharia era de pouca con-

---

[83]. Engenheiro civil graduado pela Escola de Engenharia da Universidade da Paraíba (EEUP) em 1968; engenheiro aposentado do Departamento Nacional de Estradas de Rodagem (DNER) da Paraíba. Texto transcrito da Carta ao Leitor do jornal *O Norte*, João Pessoa, 22 de abril de 2004.

versa. Amigos eram os seus livros. Hoje reside no Peru e é reconhecido pela comunidade mundial especializada na área. Que o diga Stewart Oakley (da California State University, Chico), admirador de seus livros, além de Julio Moscoso, assessor de águas residuais do Cepis/Opas/OMS em Lima, Peru, e Kara L. Nelson, especialista na tecnologia de tratamento de águas servidas na University of California, Berkeley. Milhares de pessoas têm acesso à água graças ao seu trabalho e às suas ideias transformadas em livros. Hoje ele é desconhecido na sua terra, mas, no futuro, muito vai se falar sobre seu nome.

É isso mesmo! Santo de casa faz milagres, sim! Mas não só ele. Você, também, precisa ajudá-lo nessa tarefa. Primeiro, exigindo de nossos legisladores a elaboração de uma política hídrica para que a água seja de domínio público e gerenciada pelo poder público com a participação da sociedade civil. E, por fim, educando seus descendentes para uma consciência ecológica, pois nunca esqueça que, ao abrir uma torneira, a água que hoje você está desperdiçando poderá fazer falta para seus filhos e netos no futuro.

Fui assessor em sistemas de águas residuais para a América Latina e o Caribe de 20/9/2002 a 31/1/2006, quando me aposentei da Opas/OMS. Na foto, estamos eu e Julio Cavalini Moscoso, quando trabalhávamos no Centro Pan-Americano de Engenharia Sanitária e Ciências do Ambiente (Cepis/Opas/OMS) – Lima, Peru, 2002.

Os Três Mosqueteiros: Stewart Oakley, eu e Julio Moscoso – Lima, Peru, 2015.

```
-----Mensaje original-----
De: Oakley, Stewart [mailto:SOakley@csuchico.edu]
Enviado el: Tuesday, October 28, 2003 5:46 PM
Para: Mendonca, Sergio Rolim (CEP)
Asunto: RE: News from CEPIS / Peru
Importancia: Alta

Dear Sergio,

Thank you very much for writing! Yes, I think your book is one of the best I
have encountered in Latin America and I recommend it to everyone-- we
bought 30 copies in Honduras through USAID to give to the universities
and key government regulators.
It is good that you write since I just met Julio Moscoso in Managua and we talked about
developing some projects in Central America, especially focusing on wastewater lagoons and
reuse, and legislation on wastewater effluents (which has some serious problems as all the
countries seem to be copying the US regulations.
I gave Julio a copy of a report I wrote in Spanish on the wastewater situation in El Salvador,
Guatemala, Honduras and Nicaragua, and I am attaching a paper we published in English on the
same topic.
As I discussed with Julio, I believe there are several possibilities for us to start a collaboration by
doing courses or workshops in Honduras, where I am committed to do a workshop in May where
CEPIS could join in, and in Guatemala, where they have the reuse project at Estanzuela.
Please let me know what you think and how we can start planning something for March, April or
May. I think Proarca will be interested, as well as USAID.
Best regards,

Stewart

Stewart Oakley
Professor of Environmental Engineering
California State University, Chico
Chico, California 95929-0930
USA
Tel: 530-898-4976
Fax: 530-898-4576
```

E-mail enviado pelo prof. dr. Stewart Oakley elogiando meu livro *Sistemas de lagunas de estabilización*, publicado pela editora McGraw-Hill em 2000; nessa época, ainda não conhecia o professor. Foram vendidos cerca de 8 mil exemplares na América Latina hispânica e na Espanha – Califórnia, Estados Unidos, 28 de outubro de 2003. No primeiro parágrafo, em negrito, lê-se: "Caro Sérgio, muitíssimo obrigado por escrever! Sim, eu penso que seu livro é um dos melhores que encontrei na América Latina e o recomendo a todo mundo – nós compramos 30 exemplares em Honduras por meio da USAID [Agência Norte-Americana para o Desenvolvimento Internacional] para doá-los às universidades e aos tomadores de decisão do governo. Melhores saudações, Stewart".

## Considerações sobre meu primeiro encontro com a profa. Kara Nelson
*Sérgio Rolim Mendonça*

Em 2002, quando era funcionário da Organização Pan-Americana da Saúde (Opas/OMS), trabalhei como assessor em saúde ambiental na Cidade do México. Acontece que a Opas encaminhava, a cada dois anos, pessoal da área ambiental para participar dos congressos da Associação Interamericana de Engenharia Sanitária e Ambiental (Aidis). Em novembro daquele ano, ocorreria, em Cancún, no México, o XXVIII Congresso da Aidis. Nomearam-me, então, membro da Comissão de Avaliação dos Trabalhos Técnicos para aquele congresso.

Durante o evento, a comissão organizadora instou os participantes que tivessem livros técnicos lançados recentemente a aproveitarem a oportunidade para fazer divulgação de suas obras. O meu livro publicado em 2000 já tinha segunda edição em 2001. Resolvi, então, fazer a inscrição.

Segundo a ser chamado, teria a honra de ser apresentado por um dos engenheiros mais famosos do México, Humberto Romero Álvarez. Aguardava, pois, sentado no auditório, quando de mim se aproximou uma jovem loura, falando em espanhol, e se identificou como professora da University of California, Berkeley, do estado da Califórnia. Disse ser americana e contou-me que, quando foi defender sua tese de doutorado, seu orientador, prof. George Tchobanoglous (um dos mais famosos sanitaristas americanos, com cerca de 40 livros técnicos na área de esgotos e resíduos sólidos), entregou-lhe um exemplar do meu livro *Sistemas de lagunas de estabilización*, em virtude do conhecimento que ela possuía da língua de Cervantes. Procurou-me para contar que, graças àquele meu livro, conseguira concluir sua tese.

Imaginem a minha alegria ao saber que um modesto professor da Universidade Federal da Paraíba merecera o reconhecimento de uma professora da University of California, Berkeley, justamente aquela cujo corpo docente havia sido contemplado com o maior número de vencedores do Prêmio Nobel.

Profa. dra. Kara L. Nelson, da University of California, Berkeley,
e eu no Seminário da International Water Association (IWA Ponds Congress) –
Belo Horizonte, Minas Gerais, abril de 2009.

# Ingresso na Opas/OMS
*Sérgio Rolim Mendonça*

Desde 1985 comecei a me interessar pela Organização Pan-Americana da Saúde (Opas/OMS). É que, dado meu perfil bastante técnico, seria interessante trabalhar como assessor em sistemas de águas residuais no Centro Pan-Americano de Engenharia Sanitária e Ciências do Ambiente (Cepis/Opas/OMS), em Lima, Peru.

Tão logo me graduei em Engenharia, em 1967, junto de Marcelo Bezerra Cabral – amigo de infância –, após estágio que igualmente fizemos juntos no Saneamento da Capital S/A (Sanecap), recebemos, da parte do então diretor presidente Manoel Dantas Villar Filho, convite para trabalhar naquela empresa a partir de janeiro de 1968. Oriundo de Taperoá, primo de Ariano Suassuna, com simplicidade, a todos atendia como Manoelito.

Dizia-se que na Paraíba não teríamos futuro, que deveríamos era sair do estado para cidade mais desenvolvida. Resolvemos, então – Marcelo e eu –, participar de concurso público para o Departamento de Saneamento Básico da Superintendência do Desenvolvimento do Nordeste (Sudene), cujo diretor era o engenheiro baiano Domingos Lavigne de Lemos, sendo Chefe de Departamento o engenheiro paraibano Ronaldo de Medeiros Tavares.

Havia três vagas para vinte candidatos, tendo sido aprovados dois da Paraíba e um de Pernambuco. Da Paraíba, eu e Marcelo Cabral. De Pernambuco, Geraldo Miranda Cavalcante, natural de Caruaru. Acontece que trabalhávamos no Sanecap havia apenas três meses. Formulamos os pedidos de rescisão dos contratos para ir para o Recife. Contudo, ao sair, ouvimos a seguinte advertência de Manoel Dantas: "O trabalho de engenheiro da Sudene é ser auditor, e de quinta categoria". Ficara insatisfeito, claro, pois estávamos deixando a empresa repentinamente.

Na Sudene, só fiquei dez meses. Mas já foi tempo em demasia, significando verdadeira tortura para mim, que pretendia exercer função técnica. Deram-me trabalho excessivamente burocrático. Como a Sudene costumava destinar recursos a fundo perdido para empresas de saneamento, Manoel Dantas sempre ia ao Recife na busca de recursos para o Sanecap. Encontrei-me certa vez com ele e lhe disse: "Manoelito, cheguei à conclusão de que sou atualmente um auditor de quinta categoria. Caso apareça alguma vaga no Sanecap, gostaria de voltar para João Pessoa". Disse-me ele que poderia pedir demissão, pois, a partir de janeiro de 1969, o engenheiro Marco Antônio Mayer iria passar um ano em São Paulo fazendo o curso de Engenharia Sanitária na Faculdade de Higiene e Saúde Pública da USP.

Ao me casar, em 21 de dezembro de 1968, estava desempregado. Rescindira meu contrato de trabalho com a Sudene, confiando na palavra de Manoelito de que retornaria ao Sanecap. Chegou 2 de janeiro de 1969 e, logo cedo, apresentei-me a Manoelito. Antes que ele dissesse qualquer coisa, falei: "Manoelito, estou disposto a trabalhar em qualquer área da empresa, menos na área comercial". Ele, prontamente, redarguiu: "Pois é justamente lá que você vai trabalhar". De fato, durante cinco anos, chefiei a Divisão de Instalações Prediais da empresa, justamente na área comercial. O interessante nisso tudo é que o destino me levaria a trabalhar em uma área pela qual não tinha a mínima atração.

Em meados de 1970, meu tio Moacyr Tavares Rolim era presidente da Companhia de Água e Esgotos do Rio Grande do Norte (Caern). Organizou, então, no âmbito interno da empresa, um seminário técnico para o qual convidou três engenheiros da Companhia de Água e Esgotos da Paraíba (Cagepa) como palestrantes. À época o Sanecap já se incorporara à Cagepa, razão pela qual fui convidado, junto dos colegas Marco Antônio Mayer e José Reinolds Cardoso de Melo (amigo de infância e colega de turma na Escola de Engenharia), a proferir palestra. Desenvolvi o tema "Hidrômetros: uma necessidade", muito bem-aceito pelos engenheiros da Caern. Em consequência, fui convidado a ministrar, em outubro de 1970, um curso de 28 horas sobre micromedição – hidrometria, instalações, consertos, conservação e usos do hidrômetro – naquela empresa. Curiosamente, o material que reuni para aquele evento serviria ao meu primeiro livro, intitulado *Manual do reparador de medidores de água*, cuja publicação, feita pela Caern, teve coordenação do engenheiro Hélio Vicente de Araújo.

Em 1971, fui realizar um curso de especialização em Engenharia Sanitária na USP. Entre os professores estava Paulo Soichi Nogami, um dos grandes nomes da engenharia sanitária no Brasil e que ocupava, na época, a presidência da Companhia Estadual de Tecnologia de Saneamento e de Controle de Poluição das Águas (Cetesb). Bastante entendido no tema medição de água em sistemas de abastecimento, nos deu aula exclusivamente sobre esse assunto. Após a sua exposição, ofereci-lhe um exemplar do *Manual do reparador de medidores de água*. Folheou-o com vagar e disse: "Quer publicá-lo pela Cetesb?".

Aceitei, claro, a proposta do eminente mestre, o que era um grande privilégio e uma honra para mim. Disse-lhe que ampliaria e melhoraria o livro. Cerca de um ano após a prometida revisão, enviei o material para o engenheiro Horst Otterstetter, um germano-brasileiro gerente de treinamento da Cetesb. E, para minha surpresa e satisfação, ficou responsável pela editoração do livro naquela gerência um colega de curso da USP, o engenheiro químico Marcio Luiz Pereira de Souza.

A publicação de livros na época era demorada, e a segunda edição só seria concluída em 1975, mas o livro alcançou muito sucesso. Foi distribuído e muito divulgado pelo Liceu de Artes e Ofícios de São Paulo (um dos maiores fabricantes de hidrômetros do país), nas cidades de La Paz, Cochabamba e Santa Cruz, na Bolívia, e também na Argentina, no Chile, no Paraguai e no Uruguai.

Recebi vários elogios pelo livro, contudo, destacaria um deles como o maior. Trata-se de carta oriunda do chefe do serviço de manutenção de medidores da Companhia de Água e Esgotos do Rio de Janeiro (Cedae). Na mensagem do engenheiro Oscar Ness, datada de 17 de fevereiro de 1976, vieram as seguintes colocações:

> Antes de qualquer coisa quero lhe parabenizar pela recente publicação, a qual cabe o grande e indiscutível mérito de ser a única no assunto no Brasil [...]. Chefiando presentemente o setor de hidrômetros da recém-criada Cedae, foi com grato prazer que li o seu livro, tendo-o posteriormente oferecido ao meu encarregado geral de oficina que, com seus 25 anos de lides ininterruptas com hidrômetros, achou o seu livro uma síntese fiel de todo o trabalho por ele já realizado [...].

Como consequência da publicação desse meu livro, vim a conhecer, em 1975, Horst Otterstetter, que, ao deixar a Cetesb, foi trabalhar na Opas/OMS, em Washington, DC – isso entre 1991 e 1992. Lá, ocuparia cargos importantes, como assessor regional para desenvolvimento institucional, diretor de recursos humanos e coordenador do programa de saúde ambiental. Em 1993, veio a ser nomeado diretor da Divisão de Saúde e Ambiente (antigo Health and Environment Program – HEP), situação funcional em que permaneceu até 1999, quando se aposentou.

Ora, era meu desejo trabalhar no Centro Pan-Americano de Engenharia Sanitária e Ciências do Ambiente (Cepis/Opas/OMS). Entretanto, o cargo de meu interesse, assessor em sistemas de águas residuais para a América Latina e o Caribe, estava desativado havia muito tempo. As vagas existentes eram as de assessor de saúde e assessor de ambiente, em países das três Américas. E uma das condições para ser seu funcionário era não residir no país de origem. Decidi superar tal obstáculo, focado – como estava – em avançar profissionalmente e desenvolver trabalho de mais utilidade à humanidade, ao qual me sentia vocacionado.

Lembrei-me uma vez de escrever para Horst Otterstetter, o qual já me conhecia, devido aos contatos que tive com ele para a publicação de meu primeiro livro. Enviei-lhe uma carta, que dirigi ao seu escritório em Washington, DC, em que detalhei meu interesse em trabalhar na Opas. Ele respondeu-me muito gentilmente ser muito difícil ingressar naquela organização. Num dos trechos, disse-me o que entendia como primordial: "Primeiro, era necessário se enamorar da Opas". Fiquei desiludido e muito chateado com a frase e a própria carta, a ponto de havê-la rasgado e picado em pedaços. Até hoje me arrependo de tê-lo feito.

A Opas muito raramente dava publicidade a seus concursos. Novo óbice a enfrentar, pois como ter notícia de tais avisos? Naquela época não havia internet. A mais avançada tecnologia chegara só até o fax. E o que era pior: vim a saber que esse tipo de aviso era enviado apenas ao Ministério da Saúde e à Opas em Brasília. Como um simples cidadão como eu poderia tomar conhecimento de concursos públicos da espécie?

Aconteceu que, ao participar de um seminário em Brasília, fiz amizade com uma secretária paraibana que trabalhava na Opas. Pedi-lhe o grande favor de enviar-me, por fax, cópia de todo e qualquer concurso que viesse a ser expedido pela Opas. Generosa, essa minha conterrânea atendeu ao apelo dramático que lhe fizera e, a partir daí, comecei a me inscrever para os concursos daquela organização. Foi assim que pude participar de concursos para Costa Rica, Estados Unidos, Honduras e outros países dos quais já não me recordo. Fiquei tão conhecido da Opas que passei a receber avisos de vaga da própria OMS. Até do longínquo Nepal. Claro que participei de todos os concursos surgidos na época, mesmo sem jamais haver recebido notícia de qualquer resultado. Algumas vezes, informaram que meu currículo era muito bom e iria para os arquivos da instituição.

Parece que, quanto mais as dificuldades surgem na minha vida, mais aumenta o desejo de dobrá-las. Talvez a circunstância de haver me dedicado com afinco ao esporte tenha tido influência nessa minha maneira de encarar os obstáculos. Não sei. Mas fato é que me lembrei novamente de buscar oportunidades para falar com Horst Otterstetter. Quando me encontrava com ele nos congressos da Associação Brasileira de Engenharia Sanitária e Ambiental (Abes) e também em um dos congressos da Associação Interamericana de Engenharia Sanitária e Ambiental (Aidis), realizado no Rio de Janeiro em setembro de 1988, quando eu era diretor nacional da Abes, conversava com ele e, a cada vez, lhe entregava um novo livro de minha autoria (cheguei a lhe entregar três livros diferentes em cada um desses congressos). Participei também, durante essa época, de concursos no Banco Mundial e no Banco de Desenvolvimento da África.

Em algum momento, divulgou-se concurso para especialista setorial em engenharia sanitária do Banco Interamericano de Desenvolvimento (BID), para preencher vaga existente na Venezuela. Fui classificado entre os cinco primeiros. Recebi uma carta marcando o dia 30 de março de 1993 para submeter-me à entrevista na sede do BID, em Washington, DC. Mandaram-me passagens aéreas e diárias para ficar uma semana na capital dos Estados Unidos. Um dos entrevistadores – Arne Paulson, americano – chegou a me dizer que adorava a América Latina, considerava-a o paraíso do mundo, o que é verdade. Dispondo de tempo, passeei um pouco pela capital dos Estados Unidos e visitei o Museu de História Natural. Enchi-me de esperança, pois tudo parecia caminhar bem. Contudo, supus haver cometido erro essencial ao entrar no escritório do BID, pela primeira vez, com o pé esquerdo. Só poderia ter sido isso, pois não é que recebi, passado algum tempo, uma carta do BID elogiando meu currículo e dando conta de que outro candidato havia ganhado o concurso? Acontece que, anos depois, me encontrei com o engenheiro Antônio Carlos Rossin – um paulista que estudara comigo no curso da USP e trabalhou muito tempo no BID –, que me disse, em alto e bom som: "Não se preocupe – era um jogo de cartas marcadas".

A luta para alcançar o meu objetivo teria prosseguimento. Conhecera, em 1990, o assessor de saúde e ambiente da Opas em Brasília. Tratava-se do engenheiro sanitarista equatoriano José M. Pérez, especializado em tratamento de águas de abastecimento. Estava para lançar meu quarto livro – *Lagoas de estabilização e aeradas mecanicamente: novos conceitos* – e aproveitei para pedir-lhe que fizesse o prefácio da obra. Aceitou e, num dos parágrafos do dito prefácio, escreveu:

Como ambientalista e sanitarista tenho a satisfação de apresentar este livro, do engenheiro Sérgio Rolim Mendonça, que com essa difícil simplicidade que lhe é característica, coloca ao alcance dos profissionais do ramo os fundamentos teóricos e as ferramentas práticas que nos permitirão selecionar, projetar e oferecer soluções tecnológicas de tratamento de águas residuais, compatíveis com os níveis de desenvolvimento e recursos existentes em nossos países.

Pérez gostou do meu livro e pretendia contratar-me em 1991, para trabalho de consultoria na área de projetos de estações de tratamento de esgotos na Opas de Brasília. Naquele mesmo ano, indicou-me a participar do "Consultative Meeting on Excreta and Wastewater Disposal in Latin America and the Caribbean", simpósio realizado e organizado pela Opas/OMS, em Washington, DC. Viajei na condição de representante do Cone Sul (Brasil, Paraguai, Uruguai e Argentina), sob financiamento direto daquela organização, e fui o único brasileiro a participar do evento. Durante o conclave, fui muito considerado pelo tantas vezes referido Horst Otterstetter (aquele da carta que rasguei em pedacinhos), que chegou a ir comigo a um banco ajudar-me na troca de *traveler's checks* por dólares.

Já havia praticamente desistido de trabalhar na Opas ou em qualquer outra organização internacional quando, ao final de 1994, decorridos quase dez anos de tentativas frustradas, estava a passear com a minha esposa em Buenos Aires. Para não ficar apenas em turismo, fui, na companhia da minha esposa, participar do XXIV Congresso da Aidis, que teve a sua abertura no Teatro Colón, principal casa de ópera da capital argentina. Antes de iniciar-se a cerimônia, às 18h daquele domingo, pretendia falar com Horst Otterstetter; para tanto, cheguei cedo e fiquei a aguardá-lo. Muito alto, seria fácil localizá-lo em meio às pessoas. Tão logo o avistei, de fato, saí rapidamente ao seu encontro. Cumprimentei-o assim: "Horst, será que poderia ter um encontro em particular com você durante este congresso? Será uma conversa muito rápida". De forma gentil, respondeu que não haveria problema algum. "Amanhã, às 17h, me espere no estande do Cepis" (local onde eram vendidas as publicações técnicas da Opas). Agradeci e voltei ao meu lugar ao lado de Lucinha. Dia seguinte, cheguei ao estande do Cepis uma hora antes do combinado. Não poderia perder essa excelente oportunidade. Esperei até as 19h e Horst não chegou. Nova decepção!

**PAHO/WHO INTEROFFICE MEMORANDUM**

**Date:** 8 de noviembre de 1994

**From:** Sra. Elsa Ochoa, Jefe, APL/R
**To:** Dr. Francisco José Mardones, PWR, Colombia

**Our Ref.:** APL/R/SC/1510
**Attention:**

**Your Ref.:**
**Subject:** 94/PAHO/36 - 4.0410
Asesor en Salud Ambiental
Colombia

---

Tenemos el agrado de enviarle copias de las historias personales y/o curriculum vitae de las personas interesadas al puesto mencionado en la referencia.

**POSTULANTES INTERNOS**
Arguello, Roberto
Ibañez, Nora
León S. Guillermo
Thompson, Terrence

**POSTULANTES EXTERNOS**
Atala, Raul
Barahona, Clara L.*
Bohorquez G. Edgar**
Cáceres Mangus, Humberto
Cessti, Rita*
Cortes, Guillermo*
Delgado, Miguel
Duin Dam, Peter
Duarte, Guido Antonio
Ferreira, Joao Alberto
Hristov, Hristo
Jetha, Salma*
Martinez G., Fernando**
Mendonca, Sergio
McKinney, Anne
Navarro Agreda, Erico
Rodriguez, Rafael
Torres, Oscar Adolfo*
Vargas Morales, Gerardo*
Veloso, George
Yates, Larry

Mucho le agradeceríamos nos enviaran sus comentarios con el fin de reunir al Comité de Selección. (Manual II.3.420)

\* Historias Personales han sido solicitadas.
\*\* Son Colombianos

cc: HPE - Los archivos y otra información sobre la vacante están disponibles en APL/R.

Cópia do documento com a lista de candidatos para trabalhar na Opas da Colômbia.

Luciana Coêlho Mendonça (uma das coautoras) no lançamento de meu sexto livro, no Clube de Ingenieros, calle 39, nº 15-37 – Bogotá, Colômbia, 27 de junho de 2000.

Zélio Souza Ramos e Valneide Régis (meus cunhados), eu, Lucinha Mendonça, Luciana e Juliana Coêlho Mendonça no lançamento de meu sexto livro – Bogotá, Colômbia, 27 de junho de 2000.

Mauricio López González, Hernán Málaga (representante da Opas na Colômbia), eu e Jorge Arboleda no lançamento de meu sexto livro – Bogotá, Colômbia, 27 de junho de 2000.

Lucinha Mendonça, Jorge Arboleda, Luciana Mendonça, André Campos (meu genro) e o embaixador do Egito na Colômbia no lançamento de meu sexto livro – Bogotá, Colômbia, 27 de junho de 2000.

Durante os três outros dias daquele congresso, nada aconteceria, mas, no derradeiro dia, alguém bateu às minhas costas querendo falar comigo. Era Horst Otterstetter. "Desculpe-me por ter faltado ao encontro prometido. Você pode conversar comigo agora? Vamos sair daqui e ir para um local mais reservado. Talvez alguma cafeteria fora do congresso". Aceitei e saímos para conversar. Contei-lhe que havia alguns anos escrevera carta a ele, a que me respondeu alegando que, para trabalhar na Opas, seria preciso, antes de qualquer coisa, enamorar-se dela. E que, na região Nordeste do Brasil, quando alguém namora por muito tempo uma moça, as pessoas começam a falar mal dela. Atualmente, essa era a minha relação com a Opas. Portanto, era possível que já estivessem falando mal da Opas. Sorrindo-me, disse: "Vão ser divulgadas duas vagas na Opas muito em breve. Uma, para o Peru. Outra, para a Colômbia. No Peru, necessitamos de um engenheiro sanitarista; na Colômbia, precisamos contratar um engenheiro mais experiente que, além de sanitarista, possua também experiência na área ambiental. Amanhã, vá à representação da Opas aqui em Buenos Aires e se inscreva para esses dois postos de trabalho".

Último trimestre de 1995. Estava em Londres, comemorava a formatura em Engenharia da minha filha Luciana. Passava das 17h quando recebi telefonema da Opas de Brasília. Fora aprovado no concurso e estava nomeado para trabalhar como assessor em saúde e ambiente da Opas em Bogotá, Colômbia. Dez anos haviam se passado desde quando me voltara a alcançar tal objetivo.

Logo após haver me mudado para Bogotá, veio morar próximo à nossa casa a médica costarriquenha dra. Socorro Gross. Por dois a três anos trabalhou na Opas da Colômbia, e pudemos estabelecer grande amizade. Soube, então, que participara do comitê que me havia selecionado em primeiro lugar para trabalhar ali. Chegou a me entregar cópia do documento oficial contendo a lista de candidatos, onde, ao lado do meu nome, escrevera *"El mejor de todos"*. Tal documento seria encaminhado ao chefe da banca examinadora, tendo o comitê optado por escolher-me a ocupar aquele honroso cargo. Com o passar do tempo, a dra. Socorro seria nomeada representante da Opas na Nicarágua e, mais à frente, viria a ocupar o cargo de diretora na sede da própria Opas, em Washington, DC.

O meu trabalho como assessor em saúde ambiental teve início na cidade de Bogotá em 21 de janeiro de 1996. Prosseguiu na Cidade do México. E, finalmente, na cidade de Lima, no Peru, alcançaria meu sonho, o de trabalhar como assessor em sistemas de águas residuais para a América Latina e o Caribe, no Cepis/Opas/OMS. A aposentadoria aconteceria em 31 de janeiro de 2006.

Sérgio Augusto Caporali (*à direita*), diretor do Cepis/Opas/OMS,
me entregando o Prêmio Opas/OMS, pelos dez anos de trabalho –
Lima, Peru, novembro de 2005.

Fui em frente à Opas/OMS durante consultoria na República Dominicana, em Santo
Domingo, de 6 de outubro a 7 de novembro de 2008. Fui assessor ambiental da Opas/OMS
em Bogotá, Colômbia (de 21/1/1996 a 29/1/2001), e na Cidade do México, México (de
30/1/2001 a 19/9/2002), e assessor em sistemas de águas residuais para a América Latina e o
Caribe do Cepis/Opas/OMS em Lima, Peru (de 20/9/2002 a 31/1/2006).

## Lá vem Sérgio!
*(Cid Martinho Mendonça Barbosa[84])*

Ele vem rápido
Vai logo abraçando, conversando
Desfiando de uma só vez
Todas as novidades que a ele foram acontecendo

E vai contando de forma engraçada
As situações que viveu
E a maneira como elas o surpreenderam
E o fizeram ser um homem do mundo

Lembro-me, então, dos momentos
Em que éramos jovens e...
E lá vem Sérgio com a bola de vôlei
Debaixo do braço
Para mais um campeonato disputar
Na Praia do Poço, em João Pessoa

Lá vem Sérgio apressado
Não podia perder tempo
Além de ter que estudar com afinco
Alegrava-se a valer
Fazendo tudo com prazer, com vibração

Lá vem Sérgio nas noites carnavalescas do Clube Cabo Branco
Em que totalmente animado, pelo frevo levado
Ia-se divertindo, se misturando na multidão
Esquivando-se e seu olhar juvenil
Brilhava exaltante quando dançava

---

84. Poesia escrita em 5 de dezembro de 2004 por meu primo e grande amigo de infância Cid Martinho Mendonça Barbosa, aproximadamente um ano antes de minha aposentadoria da Opas/OMS, em Lima, Peru, no dia 31 de janeiro de 2006.

Sem compromisso, por pura diversão
Pois era tudo carnaval

Lá vem Sérgio, chegando
Após percorrer o mundo de ponta a ponta
Às vezes como aprendiz, outras vezes e mais vezes
Como professor
Foi revelando seus conhecimentos
Foi fincando o seu nome e saber em terras tão distantes

Mas a Paraíba querida está à espera dele
E lá vem Sérgio com incontido e alegre sorriso
Anunciando que agora é para ficar
De uma vez por todas
Com seus amigos conterrâneos e de todos receber
Um caloroso e esplêndido abraço

Eu e Cid Martinho Mendonça Barbosa – Rio de Janeiro, 5 de setembro de 2007.

Time misto de voleibol de praia, na Praia do Poço: *em pé*, Selda Mendonça, Regina Chaves Menezes, Eliane Campos Silva; *agachados*, Francisco Octávio Mendonça, eu, Mário Romeu Mendonça e Cid Martinho Barbosa – Cabedelo, Paraíba, janeiro de 1962.

## Homenagem aos 70 anos de Sérgio Rolim
*(Luciana Coêlho Mendonça[85])*

Minha gente que aqui veio
Dessa festa participar,
Peço a sua atenção
Pro que agora vou contar.

Hoje faz setenta anos
Esse cabra arretado.
Só vou tomar um minuto
Para dar o meu recado.

O gosto por idiomas
Veio do dr. Mendonça,
E de Zuleida, como lição,
O dom da comunicação.

Arteiro ele era,
Mas ninguém soube, não.

---

85. Poesia de cordel escrita em 10 de janeiro de 2014, para comemorar meu aniversário de 70 anos, no dia 28 de janeiro de 2014, em João Pessoa.

Levou para o Marista
Um monte de grilo na mão.

E, na hora do pai-nosso,
O irmão ficou aflito.
Foi aquele corre-corre,
Aquela danação.
Grilo pra todo lado
E nada de oração.

Pequenino já sabia
Que com Maria Lúcia iria se casar.
São 45 anos de casamento
E muitas histórias pra contar.
Sua vida de esportista,
Na seleção de vôlei começou.
Mas, depois de um certo tempo,
Um tenista se tornou.

Ele é muito inteligente,
Mas negócio não sabe fazer.
O carro da Inglaterra
Nem a rainha queria ver.

De tão bom que o carro era,
Ninguém queria ter.
Depois de muito negociado
Por fita cassete foi trocado.

Brabo todos sabem que ele é,
Mas tem uma característica
Que ele julga lhe pertencer.
Tímido diz que é,
Mas nem a esposa pode perceber.

Seu sonho mais profundo
Era na Opas ingressar.
Conseguiu ganhar o mundo
E os conhecimentos divulgar.

De tudo já viu um pouco
Cordilheiras, pirâmides e peixe cru
Nas suas andanças no mundo
Pelo México, Colômbia e Peru.

Trabalhou com afinco
Levando seu conhecimento,
Melhorando a vida das pessoas
Por meio do saneamento,
Subindo muito degrau
Com esforço e merecimento,
Conseguiu chegar ao alto
Com internacional reconhecimento.

Livros técnicos escreveu,
Todos sobre o saneamento,
Mas os amigos agora clamam
Por um com seus momentos.
Que venha o livro de memórias
Para nosso divertimento!

Os três filhos são "dotô",
Tudo gente de estirpe.
Luciana seguiu sua profissão
E foi morar em Sergipe.
Juliana virou médica
E em Rio Preto foi casar.
E, ainda neste ano,
Fábio um doutor também será.

Um pai maravilhoso,
Sempre presente e atento,
Apoiando seus filhos
Em todos os momentos.
E, pra finalizar a história,
Fica o agradecimento:
Obrigada, meu pai querido,
Pelos seus ensinamentos.

Lucinha e eu na comemoração de meus 70 anos –
João Pessoa, Paraíba, 10 de janeiro de 2014.

Eu e Lucinha com nossos filhos, Juliana, Fábio e Luciana, na comemoração de meus 70 anos – João Pessoa, Paraíba, 10 de janeiro de 2014.

Luciana e eu na comemoração de meus 70 anos – João Pessoa, Paraíba, 10 de janeiro de 2014.

Newton Tadeu Mendonça e Francisco Octávio Mendonça, primos e amigos de infância, na comemoração de meus 70 anos – João Pessoa, Paraíba, 10 de janeiro de 2014.

Claudio Lopes Rodrigues (com Inês Caminha, *à esquerda*) e Breno Machado Grisi (com Cristina, *à direita*), amigos de infância, na comemoração de meus 70 anos – João Pessoa, Paraíba, 10 de janeiro de 2014.

# Fundação da Academia Paraibana de Engenharia

*Sérgio Rolim Mendonça*[86]

A solenidade de fundação da Academia Paraibana de Engenharia (Apenge) foi realizada em João Pessoa, no dia 17 de dezembro de 2014, no auditório da Academia Paraibana de Letras (APL), cedida por gentileza de seu presidente, o prof. Damião Ramos Cavalcanti. Há muito tempo eu já questionava o motivo pelo qual ainda não existia a Apenge, enquanto a Academia de Medicina do nosso estado já existe há mais de trinta anos. Tinha muita vontade de organizá-la, porém, ainda não havia encontrado alguém que se entusiasmasse pelo tema.

No final de 2013, por ocasião da comemoração dos 46 anos da nossa formatura, realizada no apartamento de nosso colega e amigo de infância Luiz Carlos Rangel Soares, conversando com Yvon Luiz Barreto Rabelo, também colega de turma, aventei a hipótese da fundação da Apenge, e ele acolheu a ideia com muito entusiasmo.

O tempo passou e, no ano seguinte, alguns meses depois, nosso amigo Orlando de Cavalcanti Villar Filho me telefonou em um sábado, pela manhã, convidando-me para uma reunião no Bar do Zé (por ser muito próximo a meu apartamento) para conversarmos sobre esse tema. Comentou que já havia se reunido com Argemiro Brito Monteiro da Franca (outro colega de turma e amigo de infância) e Valdês Borges Soares, e que, simbolicamente, haviam tirado a foto histórica do grupo que seria o fundador e o embrião do nascimento da Apenge. Perguntou-me se queria fazer parte dessa equipe. Contei-lhe que a ideia já me havia ocorrido e disse que Yvon Rabelo deveria integrar o grupo, pois estava bastante motivado, querendo cooperar. Desde então, passamos a nos reunir com frequência, à exceção apenas de Argemiro Franca e Valdês Soares, envoltos com afazeres dos quais não puderam se liberar.

---

86. Fundamentado no discurso proferido após a assinatura de ata de fundação e posse da primeira diretoria da Apenge, em João Pessoa, no dia 17 de dezembro de 2014.

Foi justamente naquela solenidade que, na presença de familiares, ex-professores, colegas contemporâneos e amigos, celebramos o início de uma nova era, aquela em que a história da engenharia paraibana passava a ser escrita e documentada para os pósteros.

Foram fundadores os seguintes engenheiros: Antônio de Mello Villar, Argemiro Brito Monteiro da Franca, Emerson Monteiro Jaguaribe, Francisco Alves Chaves, Harley Paiva Martins, Hermano José da Silveira Farias, José Francisco de Novais Nóbrega, José Othon Soares de Oliveira, José Reinolds Cardoso de Melo, Luiz Alvares Coelho, Luiz Barreto Rabelo, Luiz Carlos Rangel Soares, Normando Perazzo Barbosa, Orlando de Cavalcanti Villar Filho, Paulo Roberto de Miranda Leite, eu, Tarciso Cabral da Silva, Valdês Borges Soares e Yvon Luiz Barreto Rabelo.

Adiante, foto dos acadêmicos presentes à solenidade de fundação da Apenge. Não puderam estar presentes Emerson Jaguaribe, Luiz Barreto e Normando Perazzo. Logo após a fundação da Academia, os engenheiros Paulo Miranda e José Reinolds renunciaram às cadeiras de que eram detentores.

Fundadores da Apenge no auditório da APL: *atrás*, José Othon S. de Oliveira, Harley Paiva Martins, Yvon Luiz Barreto Rabelo, Argemiro Brito Monteiro da Franca, Orlando Villar, José Francisco de Novais Nóbrega e Luiz Carlos Rangel Soares; *à frente*, Paulo Roberto Miranda Leite, Luiz Coelho, Francisco Chaves, José Reinolds Cardoso de Melo, Antônio Villar, eu, Hermano Farias e Tarciso Cabral – João Pessoa, Paraíba, 17 de dezembro de 2014.

Membros da 1ª diretoria da Apenge no Centro de Tecnologia da UFPB: José Francisco Nóbrega, Orlando Villar, eu, Yvon Rabelo, José Othon e Francisco Chaves – João Pessoa, Paraíba, 2 de junho de 2015.

Posteriormente ingressaram na nossa Apenge os seguintes engenheiros: Ana Maria de Araújo Torres Pontes, Antônio Nereu Cavalcanti, Arnaldo José Delgado, Carlos Alberto Lins de Albuquerque, Diógenes dos Santos Sousa Junior, Fernando Martins da Silva, George Cunha, Guarany Marques Viana, João da Silva Furtado, Joaquim Osterne Carneiro, Marcelo Renato de Cerqueira Paes, Neuza Martins Gomes, Orlando Galisa de Andrade e Valdemiro Gabriel do Nascimento. Também foram agraciados com medalhas de acadêmicos eméritos José Carlos Dias de Freitas, Hermano Augusto de Almeida, Paulo Bezerril Júnior e Marcelo Bezerra Cabral.

## História das Academias[87]

Platão (427-347 a.C.), filósofo grego, discípulo e grande admirador de Sócrates, proferiu o discurso *Apologia de Sócrates*, em defesa de seu mestre, no julgamento que o condenaria à morte por envenenamento. Tinha 29 anos quando

---

87. Trecho adaptado de meu discurso durante a abertura de cerimônia de posse da diretoria da Apenge (primeiro grupo), no auditório do Conselho Regional de Medicina de João Pessoa, em 23 de julho de 2015.

Posse da 1a diretoria da Apenge, no Auditório do Conselho Regional de Medicina Hermano Augusto de Almeida e José Carlos Dias de Freitas (acadêmicos eméritos), José Othon, José Francisco Nóbrega, eu, Yvon Rabelo, Francisco Chaves, Harley Martins e Orlando Villar – João Pessoa, Paraíba, 23 de julho de 2015. A segunda diretoria foi reeleita para o biênio 2017/2018, com a inclusão de mais um membro, o engenheiro Arnaldo José Delgado.

Sócrates teve de beber o cálice de cicuta. Foi o fundador de sua própria escola de filosofia nos arredores de Atenas, num bosque que levava o nome do legendário herói grego Academos. Por causa disso, a escola de filosofia de Platão recebeu o nome de Academia. Na Academia de Platão, ensinava-se ou discutia-se por meio de diálogos, filosofia, matemática e ginástica. Desde então, centenas de milhares de academias seriam fundadas no mundo inteiro. Até hoje usamos as expressões "acadêmicos" e "disciplinas acadêmicas".

Uma primeira curiosidade sobre os filósofos: o termo "epigrama" significa, literalmente, "inscrição" – é uma composição poética breve que expressa um único pensamento principal, festivo ou satírico, de forma engenhosa. O epigrama foi criado na Grécia Clássica e, como o significado do termo indica, era uma inscrição que se punha sobre determinado objeto, uma estátua ou uma tumba, por exemplo. A maioria dos epigramas gregos pode ser encontrada na *Antologia palatina*.

Ambrose Gwinnett Bierce (1842-1913) foi um crítico satírico, escritor e jornalista americano particularmente conhecido por sua obra *Dicionário do*

*Diabo*[88]. Descreveu em epigrama sua opinião sobre os filósofos: "Todos são lunáticos, mas aquele que consegue analisar os próprios delírios é chamado de filósofo".

Uma segunda curiosidade sobre os filósofos: Aristóteles (384-322 a.C.) era filho de pai médico da corte dos poderosos reis da Macedônia. Nasceu na cidade de Estagira, no norte da Grécia. Depois, partiu para Atenas, onde estudou e tornou-se professor na Academia de Platão. Foi também o preceptor de Alexandre, o Grande. Posteriormente, voltou a Atenas e fundou sua própria escola, chamada de Liceu. Nós também temos, aqui em João Pessoa, nosso Lyceu Paraibano, fundado de acordo com a lei nº 11, de 24 de março de 1835. A origem desse nome, como vemos, é da Grécia antiga. Foi Aristóteles quem efetivamente estabeleceu a ciência da lógica, aperfeiçoando regras universais de raciocínio de modo a auxiliar na busca pelo conhecimento.

Aristóteles tinha algo a dizer sobre praticamente todos os assuntos, porém, é muito pouco conhecido na área da ciência. A ciência que começou com Aristóteles[89] desenvolveu-se enormemente, porém seus descendentes já o esqueceram. Se hoje atirarmos uma pedra em algum bairro de Londres, Paris, Nova York ou São Francisco, pode ter certeza de que essa pedra atingirá um biologista molecular na cabeça. Depois desse acidente, pergunte a ele (dependendo do impacto da pedrada) o que foi que Aristóteles fez pela ciência. Raríssimos cientistas saberão responder a tal pergunta. Porém, eles absorveram a estrutura completa do seu pensamento. E assim, seu pensamento tornou-se nosso pensamento, mesmo quando não o conhecemos. Suas ideias fluem como um rio subterrâneo através da história de nossa ciência, subindo à superfície, agora e então, como fontes de ideias aparentemente novas, mas que não o são. Na verdade, são muito antigas.

Nossa comenda é uma medalha com a esfinge da deusa Minerva. De acordo com a mitologia, Minerva saiu da cabeça do pai, já madura e revestida de uma armadura completa. Era a padroeira das artes úteis e ornamentais, tanto dos homens (como agricultura e navegação) quanto das mulheres (como fiação, tecelagem e trabalho com agulha). Era também uma divindade da guerra, mas somente patrocinava a guerra defensiva e em nada simpatizava com o amor selvagem que Marte nutria pela violência e pelo derramamento de sangue.

---

88. BIERCE, Ambrose. *Dicionário do Diabo*. Seleção e tradução de Rui Lopes. Lisboa: Tinta-da-China, 2006.
89. LEROI, Armand Marie. *The Lagoon: How Aristotle invented science*. Penguin, 2014.

Conta-se que, no reinado de Cécrops, primeiro rei de Atenas, as divindades Minerva e Netuno lutaram pela posse da cidade. Os deuses decretaram que ela seria entregue àquele que produzisse o presente mais útil aos mortais. Netuno ofertou o cavalo, Minerva produziu a oliveira. Os deuses julgaram a oliveira mais útil, e Minerva recebeu o prêmio. Em sua homenagem foi que a cidade recebeu o nome dela, pois Minerva, em grego, é Atena. Minerva, aliás, é considerada a deusa da sabedoria e representa, hoje, todos os ramos da engenharia.

# Ética[90]

Sabe-se que a ética reporta-se ao conjunto de julgamentos relativos ao bem e ao mal para orientar a conduta dos homens. A ética na engenharia é assunto por demais importante e palpitante, principalmente para os dias atuais do nosso querido Brasil.

Uma das obras famosas de Aristóteles (384-322 a.C.) se chama *Ética a Nicômaco*. Essa ética aristotélica continua sendo uma das bases fundamentais do pensamento humano, distinguindo-se Aristóteles de Sócrates e de Platão ao criar uma intuição moral completamente nova. A respeito da ética, Aristóteles observa que, embora todos os seres humanos desejem uma vida boa, *bom* não é uma qualidade particular. Antes de um indivíduo ser considerado bom, ele precisa determinar sua função na sociedade; apenas depois de ter desempenhado bem essa função é que atingirá a meta almejada. Como a função do ser humano – aquilo que só ele pode fazer – é raciocinar, e, por extensão, controlar os próprios desejos e agir por meio de raciocínio, existe um lado ético ou moral em sua busca. A virtude é uma questão de encontrar o equilíbrio certo (o chamado justo meio) entre vícios e opostos.

Segundo o filósofo e professor Roberto Romano, da Universidade Estadual de Campinas (Unicamp), nossos costumes políticos também são oriundos da Grécia. Existiam quatro leis: a *graphé doron*, que proibia dar e receber presentes ilicitamente; a *graphé dekasmou*, para a compra de corpos judiciais; a *graphé doroxenias*, para coibir um júri de livrar o réu que havia recebido dinheiro ilícito; e uma quarta, não nomeada, que se destinava a punir promotores e testemunhas que haviam recebido agrados. A assembleia se reunia no Areópago, o tribunal ateniense encarregado do julgamento daqueles que cometiam crimes contra o Estado, investigava e dava o primeiro veredicto sobre casos de corrupção.

---

90. Trecho adaptado de meu discurso durante a abertura da cerimônia de posse do quarto grupo de acadêmicos, no auditório do Centro Cultural Ariano Suassuna do Tribunal de Contas do Estado, em João Pessoa, no dia 18 de novembro de 2015.

Atualmente, o ressurgimento das questões morais e éticas nos debates sociais está ligado a diversos fatores, como o declínio e o descrédito do político, o incremento do humanitário, as implicações da biomedicina, o meio ambiente etc. Nos Estados Unidos, na década de 1960, teve início a "ética aplicada". Essa expressão abrange três campos: a bioética, a ética ambiental e a ética profissional. A ética aplicada consiste na análise de situações precisas e concretas.

A reflexão bioética veio nos passos dos grandes avanços da biologia e da medicina, como a reprodução artificial, a engenharia genética e a clonagem. Diante de tais progressos técnicos, as sociedades humanas se defrontaram com situações inéditas. As comissões de bioética constituem espaço próprio que reflete conjuntamente diferentes comunidades de pensamento e de convicção.

A ética ambiental, por sua vez, tem por objeto as consequências dos desenvolvimentos técnicos e científicos sobre o meio ambiente, cabendo à ecologia um papel central.

Finalmente, a ética profissional tenta definir as práticas corretas nas diferentes esferas do trabalho, os direitos, a deontologia profissional (disciplina da ética especial adaptada ao exercício de uma determinada profissão) etc. Se todos esses setores da ética profissional apresentam problemas gerais, muitas vezes, requerem um conhecimento técnico aprofundado.

O Código da Ética Profissional da Engenharia, da Agronomia, da Geologia, da Geografia e da Meteorologia foi elaborado em 1971 e revisado em 2002, por meio da resolução do Conselho Regional de Engenharia e Agronomia (Crea) nº 1.002, de 26 de novembro de 2002. O Crea lançou a nona edição do Código de Ética em 11 de dezembro de 2014, Dia do Engenheiro. Essa obra confirma a ética como um dos principais instrumentos de valorização profissional.

A engenharia está nas vidas de todos nós. Está nos alimentos, no saneamento básico, na água que chega às nossas torneiras (ou que pelo menos deveria chegar), no carro, no ônibus, no metrô, no avião, no navio, no tecido de nossas roupas, nos computadores, nos medicamentos que curam e previnem doenças. Está também na energia elétrica, nas telecomunicações, no uso racional e na preservação dos recursos naturais e florestais. A cada dia dependemos mais da engenharia. Já existem mais de trinta especialidades de engenharia, todas essenciais ao desenvolvimento de inúmeras atividades humanas e econômicas.

É muito importante não esquecermos que a engenharia brasileira, especialmente nas áreas da construção civil e da aeronáutica, é mundialmente reconhecida e valorizada. Com a adoção de medidas corretivas, nossa competência

Brasão da Apenge.

jamais será eclipsada. Nosso país deve permanecer firme no combate à corrupção para que possa extirpá-la de suas raízes.

Só assim poderemos dar continuidade à nossa maior obra – a construção de um Brasil ético, em que a transparência e a confiança sejam permanentes. Para que exista ética, haverá necessidade de compromisso, e, em consequência, resultados, direitos e deveres, ordem e progresso. Portanto, que esses objetivos sejam o caminho de todos nós, engenheiros e cidadãos.

A Apenge é uma sociedade civil sem fins lucrativos, de duração indefinida e com objetivos científicos, culturais e humanísticos. Seus principais objetivos são:

- contribuir para a valorização da engenharia na sociedade e encorajar o desenvolvimento de investigação nas suas áreas técnicas e científicas, em especial naquelas que melhor potenciem o progresso da Paraíba e do país;
- promover a cooperação no domínio da engenharia, a fim de assegurar a concentração de esforços na resolução de problemas da sociedade e no desenvolvimento da investigação para esse fim;
- assessorar os órgãos do governo sempre que para tal for solicitada por qualquer um de seus departamentos ou agências, em matérias de importância municipal, estadual ou nacional relevantes à engenharia;
- cooperar com o Crea em assuntos de interesse mútuo e, em particular, nos que dizem respeito à valorização e ao desenvolvimento da engenharia e da profissão de engenheiro;
- cooperar com outras academias congêneres;
- servir à Paraíba e ao país em outros aspectos relacionados a questões importantes no domínio da engenharia e da tecnologia;
- reconhecer contribuições de grande mérito prestadas à Paraíba por personalidades ou instituições de excepcional prestígio.

# Momentos do livro
## *Sistemas sustentáveis de esgotos*

### Homenagem para o lançamento do livro
*Luciana Coêlho Mendonça*[91]

Especialmente hoje
Viemo-nos reunir
Em prol do saneamento
Há muito a conseguir

Nosso Brasil imenso
Tamanha é sua beleza
Mas, quanto ao esgotamento,
Profunda é nossa tristeza

Mais da metade da população
Não tem esgoto coletado
Nas ruas, canais e rios
Ele é logo despejado

Para mudar esta situação
Viemos aqui indicar
Com nosso humilde conhecimento
Ações pra tudo melhorar

---

91. Poesia de cordel escrita para comemorar o primeiro lançamento do nosso livro *Sistemas sustentáveis de esgotos*, em João Pessoa, no dia 6 de maio de 2016.

Da coleta em nossa casa
Até seu destino final
São muitos fundamentos
Com experiência profissional

*Sistemas sustentáveis de esgotos*
Este foi o nome escolhido
Para o nosso livro
Com muitos frutos a serem colhidos

Horas foram consumidas
Muitos neurônios queimados
Para a concretização de um sonho
Um livro publicado
Conto-lhes um segredo
"Mendonça e Mendonça". É o quê?
A referência de meus sonhos
Consta agora no CNPq

A perseverança de meu pai
Registro nesta hora
Com apoio da família
O livro chegou agora

Aproveitem a leitura
Adquiram mais conhecimento
Vamos lutar juntos
Pelo nosso saneamento

A Academia Paraibana de Engenharia (APENGE) e os autores *Sérgio Rolim Mendonça* e *Luciana Coêlho Mendonça* têm a honra de convidar Vossa Senhoria para o lançamento do livro *"Sistemas Sustentáveis de Esgotos"*, publicado pela editora paulista Edgard Blucher.

A APENGE e os autores agradecem sua prestigiosa presença nesse evento.

DATA: 6 DE MAIO DE 2016
HORÁRIO: 18:00 HORAS
LOCAL: FUNDAÇÃO CASA DE JOSÉ AMÉRICO
AV. CABO BRANCO, 3336 – JOÃO PESSOA, PB

RSVP: (83) 3226-2307 / (83) 9-9921-9813

Convite para o lançamento do livro *Sistemas sustentáveis de esgotos*, que se deu em 6 de maio de 2016.

Meus netos Caio e Gustavo Mendonça Campos com a mãe Luciana Coêlho Mendonça no lançamento de nosso livro *Sistemas sustentáveis de esgotos* – 6 de maio de 2016.

## Discurso para o lançamento de *Sistemas sustentáveis de esgotos*
### Sérgio Rolim Mendonça[92]

Agradeço as palavras elogiosas do prof. Damião Ramos Cavalcanti – presidente da Academia Paraibana de Letras e desta Fundação Casa José Américo de Almeida – e de meu grande amigo desde a juventude, José Reinolds Cardoso de Melo.

Reinolds, com quem convivi intensamente na Escola de Engenharia, como colega de turma, posteriormente como colega na Cagepa e na UFPB durante quase 30 anos, e com quem trabalhei durante grande parte da minha vida profissional, elaborando inúmeros projetos de saneamento e atuando como consultores privados.

Agradeço também às firmas Arco Projetos e Sousa Junior Construtora, em nome de seus diretores George Cunha e Diógenes Sousa Junior, pelo apoio para a publicação deste livro, e também à Associação dos Engenheiros da Cagepa, por meio do seu presidente Rubens Falcão.

Minha grande homenagem é destinada aos meus queridos pais, Francisco Mendonça Filho e Zuleida Rolim Mendonça, pela educação que me proveram; à minha esposa Lucinha, pela dedicação e pela paciência; aos meus filhos Fábio, Luciana e Juliana; neste caso em particular, à minha filha Luciana, pela sua grande ajuda na revisão dos textos, pelos inúmeros questionamentos durante a elaboração do livro e pela colaboração para sua publicação, o que não deixa de ser uma enorme satisfação e um privilégio para mim.

E, finalmente, agradeço de coração a todos os ex-professores, amigos e colegas, muitos de vocês amigos de infância, de juventude e de convivência na vida universitária, alguns companheiros esportivos do Astréa e das saudosas jornadas da seleção paraibana de voleibol, além de vários que vieram de outras cidades para nos prestigiar com sua presença. Não citarei nomes para não cometer a injustiça de olvidá-los.

Esta noite é muito especial para mim. Principalmente por ter tido a oportunidade de lançar nosso oitavo livro técnico pela editora paulista Blucher, que ficou conhecida no Brasil por haver publicado, em 1954, há cerca de 62 anos, o *Manual de hidráulica* do saudoso engenheiro José Martiniano de Azevedo Netto, meu ex-professor e um dos maiores nomes da engenharia sanitária bra-

---

92. Discurso proferido por mim durante o lançamento do livro *Sistemas sustentáveis de esgotos*.

sileira. Seu livro ainda continua na lista dos mais vendidos e já está na nona edição, publicada em 2015.

A maioria dos engenheiros paraibanos não sabe que, no início da década de 1980, os professores da USP Azevedo Netto e José Augusto Martins, também diretores da Planidro, foram responsáveis pela elaboração gratuita do projeto do Laboratório de Hidráulica do Centro de Tecnologia da UFPB. Esse projeto foi requisitado pelo prof. Serafim Rodríguez Martínez, como todos reconhecem, ícone e símbolo de capacidade e dedicação à engenharia paraibana e a maior referência da Escola de Engenharia da Universidade da Paraíba. A grande maioria dos equipamentos do laboratório foi doada por várias firmas de equipamentos e obras que trabalhavam nessa época na ampliação do sistema de esgotos de João Pessoa.

Nosso livro pretende preencher uma lacuna de publicações técnicas na área de esgotos sanitários. É orientado principalmente à elaboração de projetos de pequenas e médias cidades, apresentando de maneira didática e objetiva fundamentos teóricos e inúmeros exemplos práticos para o dimensionamento das partes constitutivas desses sistemas. Estão incluídos também na publicação detalhes construtivos, como é o caso de cargas sobre tubos enterrados em valas e operação e retirada de lodos de lagoas de estabilização.

Segundo dados recentes do IBGE, o Brasil possui 5.570 munícipios, e 70% deles são pequenas cidades, o que significa que, em 3.900 cidades, vivem menos de 20 mil habitantes, e praticamente todas elas não possuem sistemas de esgotamento sanitário. Portanto, não temos dúvida de que esta publicação poderá ser bastante útil para nossos projetistas.

A região Nordeste ocupa 69,2% do semiárido, região afetada por secas constantes, em que há enorme escassez de águas superficiais e subterrâneas. Por que continuar poluindo os cursos de água com esgotos em vez de tratá-los adequada e economicamente e não desviá-los para irrigar a agricultura de uma maneira sustentável? O Brasil importa 75% dos adubos químicos utilizados na agricultura.

De acordo com a ONU, no ano de 2025, 3 bilhões de pessoas serão afetadas pela escassez de água. Por isso, o que considero mais importante no nosso livro é a orientação para a gestão sustentável dos efluentes tratados de esgotos sanitários por meio do reúso desses efluentes na agricultura.

O livro Les Misérables, de Victor Hugo, começa com uma entusiasmada descrição científica das virtudes do excremento como adubo para rejuvenescer as terras de cultivo e do proveito material que um bom governo pode tirar dos dejetos humanos.

Foi no livro de Pierre Alboury *Histoire de les Cloaques*[93] que Victor Hugo teve a ideia de usar as fezes humanas como fertilizante, influenciado pelo poema filosófico de Pierre Leroux, autor de *La Grève de Samarez*, livro no qual esta era a ideia mestra.

Ouçam algumas frases escritas por Victor Hugo em *Les Misérables*, obtidas no "Livro II – O Intestino do Leviatã", publicado em 1862:

> A ciência, depois de muito tempo testando, sabe atualmente que o adubo mais fecundante e mais eficaz é o adubo humano [...]
> Todo adubo humano e animal que o mundo perde, devolvido à terra em vez de ser jogado à água, bastaria para alimentar o mundo inteiro [...]
> Não há esterco comparável em fertilidade aos detritos de uma capital... [...] Empregar a cidade para adubar o campo seria um sucesso certeiro [...]
> É a própria substância do povo que é levada, aqui, gota a gota, ali, em ondas, pelo miserável vômito dos nossos esgotos nos rios, e pelo gigantesco vômito dos nossos rios no oceano.

Em um dos seus artigos, "O cheiro da pobreza", o grande escritor Mario Vargas Llosa, ganhador do Prêmio Nobel de Literatura, escreveu: "O objeto que melhor representa a civilização não é o livro, o telefone, a internet ou a bomba atômica. É a privada".

Um dos maiores biógrafos brasileiros, Ruy Castro, destaca no artigo "O grosso e o fino", publicado na *Folha de S.Paulo*, em 4 de abril de 2010: "Nossas favelas têm computadores, TVs de plasma, gatonet e microondas, mas não têm esgoto – os apartamentos de luxo da Barra da Tijuca também não".

Por incrível que pareça, estudos epidemiológicos recentes[94] demonstram que, entre dez fatores de risco selecionados como associados à carga de doença, a falta de saneamento básico adequado ocupa o segundo lugar.

Em outras palavras, o difícil acesso a água de boa qualidade e condições precárias de saneamento são um risco muito maior à saúde humana do que abuso de drogas, poluição do ar, práticas sexuais de risco, saúde ocupacional,

---

93. p. 1.285, apud LLOSA, Mario Vargas. *La Tentación de lo Imposible*. Madrid: Alfaguara, 2004.
94. LEIGH, J. et al. Occupational hazards. In: MURRAY, C. J. L.; LOPEZ, A. D. (Ed.). *Quantifying global health risks: the burden of disease attributable to select risk factors*. Cambridge, Massachusetts: Harvard University Press, 1993.

Registro panorâmico do lançamento de meu livro com Luciana, em que é possível observar, mais ao fundo, nossa mesa de autógrafos – João Pessoa, Paraíba, 6 de maio de 2016.

consumo de cigarro, vida sedentária, desnutrição e consumo de álcool. A falta de saneamento básico, em número de mortes, só perde mesmo para a hipertensão.

Segundo dados do IBGE, em 2014, a população brasileira era de 203 milhões de habitantes. O último relatório do Sistema Nacional de Informações sobre Saneamento (SNIS), de 2016, em função desses dados do IBGE, informa que apenas 49,3% de nossa população urbana é servida por redes de esgotos e somente 40,8% desse esgoto coletado é tratado adequadamente. Ou seja, 101 milhões de brasileiros são servidos por rede coletora e apenas 41,2 milhões dessas pessoas são atendidas com tratamento razoável nas áreas urbanas. Isso significa

Luciana e eu, acompanhados de amigos e colegas de infância, durante o lançamento de nosso livro: José Othon Soares de Oliveira, Claudio Romero Lianza Lombardi, Yvon Luiz Barreto Rabelo, Arnaldo José Delgado, José Soares, Ricardo Lianza Lombardi e Antônio Aureliano – João Pessoa, Paraíba, 6 de maio de 2016.

que cerca de 102 milhões de habitantes do nosso país (a metade) não possuem rede coletora de esgotos. Para termos uma ideia de grandeza, as populações da Colômbia e do Peru, em 2015, eram de respectivamente 50,1 milhões e 31,3 milhões de habitantes – se somarmos, ainda sobram 20,6 milhões de pessoas.

Espero que este livro possa influenciar e contribuir para a melhoria da qualidade de vida dos milhões de brasileiros que ainda não foram contemplados com esses serviços prioritários e tão essenciais para a proteção da saúde pública.

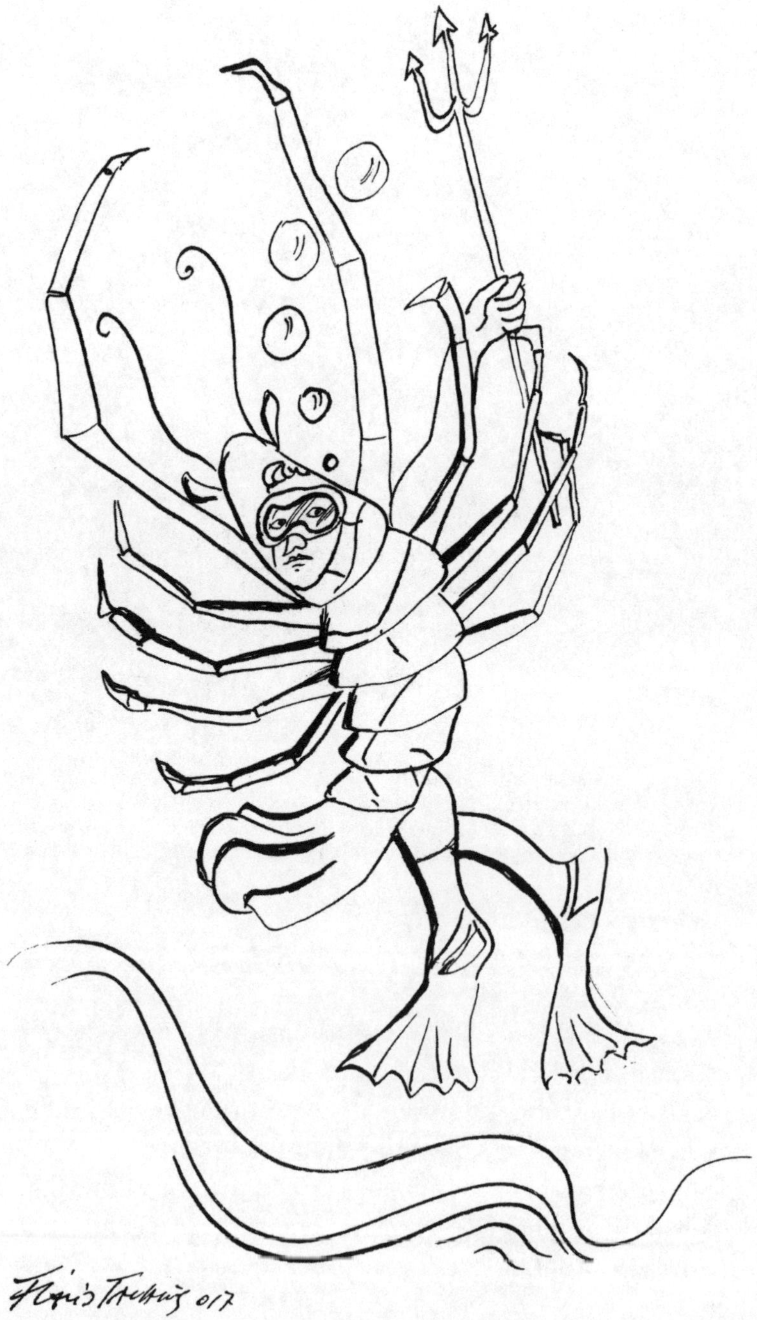

# José Martiniano de Azevedo Netto, o baluarte da engenharia sanitária do século XX

*Sérgio Rolim Mendonça*[95]

Azevedo Netto nasceu em Mococa, São Paulo, em 21 de outubro de 1918. Formou-se em Engenharia Civil pela Escola Politécnica da Universidade de São Paulo (USP), em 1942. Registrou-se no Conselho Regional de Engenharia e Agronomia de São Paulo (Crea/SP), 6ª região, sob o número 5084/43. Obteve os títulos de *Master of Science* em Engenharia Sanitária na Graduate School of Engineering, Harvard University, em 1945, e de doutor em Saúde Pública na Faculdade de Higiene e Saúde Pública (FHSP) da USP, em 1960, com a tese *Aproveitamento do gás de esgotos*, publicada na *Revista DAE*, em 1961. Também se graduou em Economia, com registro no Conselho Regional de Economistas Profissionais de São Paulo (Crep/SP), 2ª região.

Na universidade, exerceu inúmeros cargos, destacando-se: professor-assistente de Hidráulica Urbana e Saneamento na Escola Politécnica da USP (1946-1947); professor da disciplina Tratamento de Águas de Abastecimento e Residuárias, a partir de 1949, na FHSP/USP, onde obteve o título de professor catedrático, em 1960; professor catedrático da disciplina Hidráulica Teórica e Aplicada na Escola de Engenharia da Universidade Mackenzie (1949-1960); professor de Estatística Geral e Estatística Econômica na Pontifícia Universidade Católica de São Paulo (PUC-SP) (1949-1953); fundador e membro do conselho do Instituto Mauá de Tecnologia, São Paulo (1961); professor e chefe do Departamento da Escola de Engenharia do Maranhão, em São Luís (1969); professor titular do Departamento de Engenharia Sanitária da Escola de Engenharia de São Carlos, da USP (1968-1980); professor e orientador dos

---

95. Adaptado e atualizado do artigo "Desapareceu um paladino da engenharia sanitária: José Martiniano de Azevedo Netto", publicado na revista *Bio*, da Associação Brasileira de Engenharia Sanitária e Ambiental (Abes), ano III, n. 2, abr./jun. 1991, p. 50-52.

cursos de aperfeiçoamento e especialização em Engenharia Sanitária Industrial e Engenharia Ecológica e do Meio Ambiente do Centro de Aperfeiçoamento Profissional da Fundação Escola de Comércio Alvares Penteado, São Paulo (1981-1982). Desenvolveu cursos em diversas universidades, entre as quais a University of Cincinnati, em Ohio, e outras universidades nos Estados Unidos, México, Guatemala, Panamá, Colômbia, Peru, Argentina e Portugal (neste último, envolveu-se com o Laboratório Nacional de Engenharia Civil – LNEC).

Na vida pública, foi engenheiro do Departamento de Águas e Esgotos de São Paulo, onde exerceu várias funções, atingindo o ápice quando foi nomeado diretor de planejamento e obras (1943-1961). Foi, ainda, diretor presidente da Empresa Metropolitana de Planejamento da Grande São Paulo (Emplasa), em 1979, e vice-presidente do Conselho de Administração da Sabesp (1979-1982). Na área privada, foi fundador e sócio da firma Álvaro Cunha e J. M. Azevedo Netto, Consultores Associados (1951-1963) e fundador, diretor e presidente da empresa de engenharia Planidro, Engenheiros Consultores S/A (1963-1976). Foi responsável por projetos de grandes obras de estações de tratamento de água e esgotos no Brasil e no exterior.

Foi também membro do corpo permanente de especialistas da Organização das Nações Unidas (ONU) desde 1951; consultor do Banco Interamericano de Desenvolvimento (BID) e do Banco Mundial (IDB) em diversos países (1962-1965); engenheiro consultor da Organização Mundial da Saúde (OMS) em várias missões (1971-1976); engenheiro consultor da Agência para o Desenvolvimento Internacional dos Estados Unidos (Usaid) em missão especial em Portugal (1977); colaborador técnico do Centro Internacional de Referência (IRC), em Leidschendam, Holanda (1976-1980); e fundador e presidente da Associação Interamericana de Engenharia Sanitária e Ambiental (Aidis). Além disso, foi membro das seguintes associações: Aidis; Associação Brasileira de Normas Técnicas (ABNT); Sociedade Brasileira de Estatística; American Society of Civil Engineers (ASCE); Institute of Sewage Purification; e International Association of Hydraulics Research.

Recebeu diversos prêmios e distinções, destacando-se: certificado de honra por serviços meritórios prestados à causa mundial, ISS (1939); Prêmio Fundação Zerrener, da Escola Politécnica da USP (1941); Prêmio Governador do Estado de São Paulo, por trabalho em colaboração, Serviço de Arquitetura, III Salão Paulista de Arte Moderna (1954); professor *honoris causa* pela Universidade Católica de Pernambuco (1975); distinção como engenheiro do ano, RCI, São Paulo (1975); prêmio por mérito da Associação Brasileira de Engenharia

Sanitária e Ambiental (Abes/SP), 1978; membro da Comissão de Julgamento do Prêmio Bristol-Babcock Brasil (1979); Prêmio Medalha de Ouro pelo melhor trabalho técnico apresentado no Congresso da Aidis, La Paz, Bolívia (1980); Prêmio Aidis pela contribuição profissional à engenharia sanitária e ambiental, Panamá (1982); medalha de bronze do mérito pelo Confea/Crea (1990).

Escreveu inúmeros trabalhos técnicos e vários livros, listados a seguir:

- *Manual do engenheiro Globo*, Seção de Estatística, em colaboração com o prof. Luiz de Freitas Bueno. Porto Alegre: Globo, 1951;
- *Manual de hidráulica*. São Paulo: Blucher, 1954;
- *Tratamento de águas de abastecimento*. São Paulo: Edusp, 1966;
- *Tratamento de águas residuárias*, em colaboração com o Eng. Max Lothar Hess. São Paulo: DAE, 1970;
- *Manual brasileiro de tarifas de água*. Recife: Centro Regional de Administração Municipal (Cram), Imprensa Universitária, 1967;
- *Planejamento de sistemas de abastecimento de água*, vários autores. Curitiba: UFPR, 1973;
- *Desinfecção de águas*, direção, coordenação e participação. São Paulo: Cetesb, 1974;
- *Técnica de abastecimento e tratamento de água*, vários autores. São Paulo: Cetesb, 1974;
- *Sistemas de esgotos sanitários*, com a colaboração de vários autores. São Paulo: Cetesb, 1977;
- *Léxico de termos técnicos de saneamento ambiental*, orientador e coautor. São Paulo: Cetesb, 1979;
- *Small Communities Water Supplies*, com a participação de outros autores. Haia, Holanda: IRC, 1981;
- *Uma nova capital para São Paulo*. São Carlos: Fundação Theodureto Souto, 1981;
- *Quod Vide*, coletânea. S.l.: Edição do Autor, 1981;
- *Innovative and Low Cost Technologies Utilized in Sewerage*, editado por Raymond Reid. PAHO Environmental Health Program – Technical Series n. 29. Washington, DC: Opas/OMS, 1992.

## Considerações sobre Azevedo Netto
*Sérgio Rolim Mendonça*

Professor Azevedo Netto, como gostava de ser chamado, foi um dos mais destacados engenheiros sanitaristas do século XX. Dotado de uma inteligência excepcional, liderou a engenharia sanitária brasileira por quase cinquenta anos. No período de 1949 a 1975, foi mestre de todos os alunos brasileiros e da América Latina hispânica que estudaram Engenharia Sanitária na FHSP-USP.

Tive o privilégio de ser seu aluno nas disciplinas de Tratamento de Águas de Abastecimento e Tratamento de Esgotos Sanitários, em São Paulo, em 1971, quando o conheci.

Lembro-me de quando, bem próximo à conclusão do curso, recebi a notícia de que haveria concurso para professor-assistente da disciplina Abastecimento e Tratamento de Água e Sistemas de Esgotos do curso de graduação em Engenharia Civil da UFPB. Na época, antes de ir a São Paulo, havia sido transferido, como professor auxiliar de ensino, do Instituto de Matemática da UFPB para a Escola de Engenharia. A conclusão do curso na USP aconteceria no final do ano e não haveria tempo hábil para a inscrição nesse concurso se não viajasse antes da entrega do diploma. Tive de pedir ao prof. Walter Engracia de Oliveira, chefe do Departamento de Saúde Ambiental, que intercedesse com o diretor da faculdade para autorizar minha viagem de regresso logo após a realização da última prova. E quem foi o professor que fez a última prova do curso? Justamente o prof. Azevedo Netto. Ocorre que eu precisava regressar a João Pessoa, mas o prof. Azevedo não entregava o resultado da prova. Resolvi ir à Planidro tentar falar com ele pessoalmente. Na época, ele já era presidente dessa conceituada empresa. Chegando lá, assim que expliquei a minha situação, ele me disse a nota da prova: exatamente 7,0. Iria enviá-la ao departamento. Agradeci e fui embora, com a certeza absoluta de que ele não tivera tempo de corrigi-la, devido à sua ocupação com os trabalhos da empresa. Não gostei muito, pois esperava uma nota melhor. No caso, porém, dei graças a Deus e iniciei meu processo de mudança de volta para minha cidade natal. Viajamos de São Paulo a João Pessoa no meu Volkswagen, um fuscão azul pavão ano 1971. O carro estava abarrotado com nossa mudança, além de minha esposa, Lucinha, minha cunhada Valneide e uma jovem empregada que tínhamos. O percurso da viagem (3.100 km) durou exatos dois dias e meio, com um carro movido a gasolina azul e um motorista com enormes ganas de não perder o concurso. Chegamos a tempo, deu tudo certo e fui aprovado.

Posteriormente, tive muitos contatos com o prof. Azevedo. Contou-me que, quando fazia mestrado em Harvard, fez amizade com o estudante de direito John Kennedy. Eleito presidente dos Estados Unidos, este nomeou Azevedo para representante do BID na área de abastecimento de água na América Latina. Nos idos de 1984, havia um empréstimo do BID na Paraíba com o Saneamento da Capital S/A (Sanecap), e, por isso, Azevedo vinha regularmente a João Pessoa. Sempre que chegava, era uma festa; depois do trabalho, saíamos para conversar e tomar cerveja, e também o convidávamos para proferir algumas palestras. Também nos encontrávamos nos congressos brasileiros. Uma vez, em um deles, fui cumprimentá-lo. Pessoas importantes não reconhecem, via de regra, os mais simples. Cauteloso, apresentei-me como Sérgio Rolim, da Paraíba, ao que ele retrucou: "Então devo dizer que sou Azevedo Netto, de São Paulo?". Justifiquei-me dizendo da possibilidade de não ser lembrado por ele.

No começo de 1985, interessei-me em trabalhar na Opas/OMS. Durante o preenchimento do formulário para participar de vários desses concursos, havia um item em que tínhamos que indicar duas ou três referências. Pedi autorização ao prof. Azevedo para colocá-lo sempre como primeira referência. Disse-me que não haveria problema. Participei de inúmeros concursos e nada de conseguir ingressar nos quadros dessa organização internacional. Às vezes, encontrava-me com ele nos congressos e dizia: "Professor, será que tenho alguma chance?". Ele respondia: "Essas organizações internacionais necessitam muito de gente como você. O que acontece é que a burocracia é muito pesada". Eu sorria, mas não acreditava, lógico.

Numa certa manhã de sábado, faltando alguns dias para o Natal, estava estudando em minha casa quando recebi uma ligação. Era o prof. Azevedo. "Sérgio, tenho uma ótima notícia. Você passou no concurso para trabalhar na Opas em Washington, DC! Telefonaram para mim e me pediram que escrevesse uma carta sobre você. Escrevi página e meia, dizendo que você era duas vezes melhor que eu". Ele gostava muito de brincar com a gente. Disse-me, depois, que um funcionário reclamara do fato de eu ter sido selecionado, alegando direito de preferência, já que, ao contrário dele, eu não trabalhava na organização; ele me contou que, em razão disso, tal funcionário teria sido nomeado para o posto que eu disputara. A despeito dessas brincadeiras, era idolatrado por todos os engenheiros sanitaristas. Sou possuidor de uma carta do prof. Azevedo que incluo a seguir, elogiando dois livros de minha autoria.

> JOSÉ MARTINIANO DE AZEVEDO NETTO
> ENGENHEIRO CONSULTOR
>
> Eng. Sergio Rolim Mendonça
> Rua Jovita Gomes Alves, 297
> 58 033 João Pessoa, Paraíba
>
> São Paulo, 6 de Novembro de 1988
>
> Estimado Sergio,
>
> A recente publicação do livro "Construção de Redes de Esgotos" complementando a edição anterior dos "Tópicos Avançados em Sistemas de Esgotos Sanitarios" é uma iniciativa muito oportuna e que merece reconhecimento e cumprimentos por parte de todos nós que lutamos pelo enriquecimento da literatura técnica nacional.
>
> Assim como na publicação anterior, a parte relativa à hidráulica dos coletores recebeu uma abordagem especial.
>
> A única observação que eu poderia fazer sobre o livro não se refere a trabalho seu, mas sim ao capítulo sobre lançamentos marítimos, onde se observa a falta de referências nacionais, sabendo-se que o Brasil é um país pioneiro nessa técnica, com muitas realizações a partir de 1955.
>
> E com alegria que venho acompanhando os esforços da equipe Paraibana, com o valioso apoio da CAGEPA e da UNIVERSIDADE FEDERAL DA PARAIBA.
>
> Receba meus cumprimentos,
>
> *José Martiniano d'Azevedo Netto*

Carta que o prof. Azevedo Netto me escreveu –
São Paulo, 6 de novembro de 1988.

Gostava muito dos engenheiros paraibanos, vários deles seus antigos alunos. Seu livro *Tratamento de águas de abastecimento* originou-se num curso que proferiu em Campina Grande, Paraíba, em 1966, e foi dedicado ao "Nordeste brasileiro, região decisiva na formação do Brasil de amanhã".

Em 1981, elaborei para a Companhia de Água e Esgotos da Paraíba (Cagepa) tabelas da fórmula de Manning, no intuito de facilitar o trabalho dos projetistas de redes de esgotos da empresa. Essas tabelas foram executadas com a utilização de um programa que preparei para a calculadora HP 11C. Auxiliaram-me a engenheira Neide Lourdes Limeira de Souza, na ocasião estagiária da Cagepa e estudante do 4º ano de Engenharia Civil da UFPB, e a eficiente colega de trabalho Amaína Mendonça Lins, na preparação e na diagramação do texto. Mostrei o trabalho ao prof. Azevedo, e ele imediatamente me convidou para incluí-las no *Manual de hidráulica*. Foram publicadas na sétima edição do livro, em 1982, incluídas nas páginas 426 a 436 do Capítulo 23.

Quando trabalhava em Bogotá, Colômbia, como funcionário concursado da Opas/OMS, na qualidade de assessor de saúde ambiental, adquiri a edição em espanhol do *Manual de hidráulica* com a finalidade de aprimorar meu vocabulário naquele idioma. O livro foi publicado pela editora mexicana Harla e traduzido pelo engenheiro Guillermo Acosta Alvarez no final da década de 1970. Ainda hoje, são raríssimos os estudantes latino-americanos de língua hispânica que desconhecem essa publicação.

Em 1992, houve o lançamento *post-mortem* do livro *Innovative and Low Cost Technologies Utilized in Sewerage*, pela Opas/OMS, nos Estados Unidos, resultado do último contrato do prof. Azevedo Netto com essa organização, num significante exemplo dessa relação de mais de quarenta anos, que sempre buscou enfoques alternativos para a solução de problemas de saúde ambiental e seus riscos. Tenho também muito orgulho dessa publicação, pois, na última página, de número 94, depois das referências bibliográficas, o professor indica quatro outras importantes referências. E uma delas é meu segundo livro, *Tópicos avançados em sistemas de esgotos sanitários*, como pode ser observado mais adiante.

O *Manual de hidráulica* foi o primeiro livro publicado pela editora Blucher. Para a nona edição, em 2015, o engenheiro Edgard Blücher escreveu na introdução do livro[96]:

> Como responsável pelas publicações do Centro Acadêmico, tive a oportunidade de conviver com o prof. José Martiniano de Azevedo Netto. Ótimo professor e comunicador, qualidades notadas em suas apostilas e que lhes conferiram rápida aceitação entre os estudantes e levaram-me a imaginar que seria interessante e útil publicá-las como livro. Diante disso, procurei o prof. Azevedo Netto, que, aprovando a ideia, possibilitaria a edição do primeiro livro da Editora Edgard Blucher. A proposta foi aceita de imediato. Por indicação do professor, procurei a gráfica das Escolas Profissionais Salesianas para publicação do livro. Assim, há 61 anos, em 1954, tive o prazer de entregar ao prof. Azevedo Netto o primeiro exemplar do seu *Manual de hidráulica*.

Quando soube do falecimento do professor, ocasionado por um AVC que o vitimou após uma semana de sofrimento, tive a sensação de haver perdido um tio querido que ocasionalmente possuímos durante nossa vida. Faleceu em São Paulo, no dia 25 de junho de 1991.

---

96. AZEVEDO NETTO, J. M.; FERNÁNDEZ, M. F. *Manual de hidráulica*. 9. ed. São Paulo: Blucher, 2015.

Prof. Azevedo Netto legou ao Brasil a engenharia sanitária de nosso país, e ao mundo, uma contribuição valiosa e rica de ensinamentos. Deixou um exemplo aos engenheiros sanitaristas brasileiros e das Américas, seus discípulos, de uma vida dedicada à profissão e à causa do saneamento básico e ambiental para a melhoria da saúde e da qualidade de vida do nosso povo.

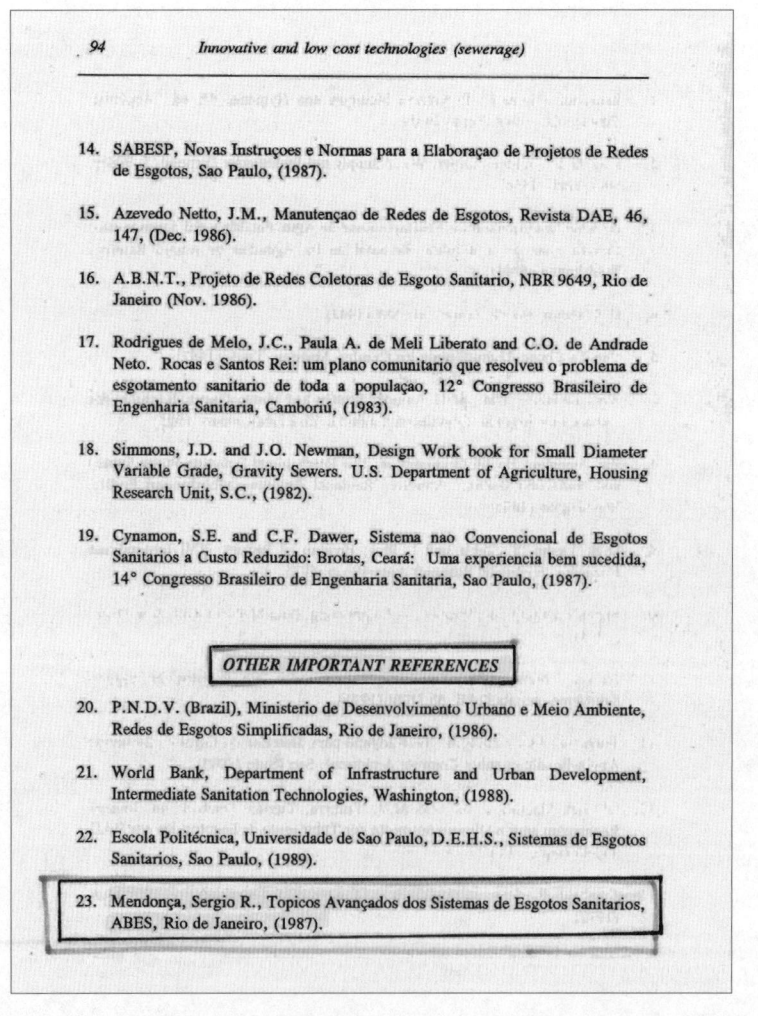

> 94  *Innovative and low cost technologies (sewerage)*
>
> 14. SABESP, Novas Instruções e Normas para a Elaboração de Projetos de Redes de Esgotos, Sao Paulo, (1987).
>
> 15. Azevedo Netto, J.M., Manutençao de Redes de Esgotos, Revista DAE, 46, 147, (Dec. 1986).
>
> 16. A.B.N.T., Projeto de Redes Coletoras de Esgoto Sanitario, NBR 9649, Rio de Janeiro (Nov. 1986).
>
> 17. Rodrigues de Melo, J.C., Paula A. de Meli Liberato and C.O. de Andrade Neto. Rocas e Santos Rei: um plano comunitario que resolveu o problema de esgotamento sanitario de toda a população, 12° Congresso Brasileiro de Engenharia Sanitaria, Camboriú, (1983).
>
> 18. Simmons, J.D. and J.O. Newman, Design Work book for Small Diameter Variable Grade, Gravity Sewers. U.S. Department of Agriculture, Housing Research Unit, S.C., (1982).
>
> 19. Cynamon, S.E. and C.F. Dawer, Sistema nao Convencional de Esgotos Sanitarios a Custo Reduzido: Brotas, Ceará: Uma experiencia bem sucedida, 14° Congresso Brasileiro de Engenharia Sanitaria, Sao Paulo, (1987).
>
> **OTHER IMPORTANT REFERENCES**
>
> 20. P.N.D.V. (Brazil), Ministerio de Desenvolvimento Urbano e Meio Ambiente, Redes de Esgotos Simplificadas, Rio de Janeiro, (1986).
>
> 21. World Bank, Department of Infrastructure and Urban Development, Intermediate Sanitation Technologies, Washington, (1988).
>
> 22. Escola Politécnica, Universidade de Sao Paulo, D.E.H.S., Sistemas de Esgotos Sanitarios, Sao Paulo, (1989).
>
> 23. Mendonça, Sergio R., Topicos Avançados dos Sistemas de Esgotos Sanitarios, ABES, Rio de Janeiro, (1987).

Página final do livro do prof. Azevedo Netto, em que se pode encontrar um de meus livros como indicação de leitura – Washington, DC, Estados Unidos, 1992.

Prof. Azevedo Netto e eu – João Pessoa, Paraíba, início da década de 1980.

Prof. Azevedo Netto – fim da década de 1980.

Azevedo Netto, Carmelita (viúva de Lucas Nogueira Garcez), Rego Monteiro e Paulo Cezar Pinto na inauguração da galeria dos ex-presidentes da Aidis, Abes – Rio de Janeiro, década de 1980.

# Humberto Romero Álvarez, o engenheiro mexicano que mais promoveu a saúde pública nas Américas

*Sérgio Rolim Mendonça*

•────────• ••• •────────•

Humberto Romero Álvarez nasceu no ano de 1923, na cidade de Ometepec, Guerrero, México, e faleceu em 13 de fevereiro de 2012, na Cidade do México. Formou-se simultaneamente em Engenharia Civil e Engenharia Municipal e Sanitária em seu país. Posteriormente, fez estudos de pós-graduação na University of Michigan, onde obteve o título de *Master of Science* em Engenharia Sanitária, defendendo dissertação sobre resíduos sólidos. Dedicou-se por mais de cinquenta anos a resolver problemas de engenharia sanitária e teve um importante papel na ampliação da cobertura de serviços de abastecimento de água e esgotos nas estratégias do programa de água limpa mexicano.

Em seu trabalho no aproveitamento de água para consumo humano e industrial, considerou a aplicação da microbiologia, da química e de seus conhecimentos sobre saúde pública. Foi impulsor dos programas de cloração da água no país, trabalhou na proibição da irrigação de hortaliças com esgoto bruto e promoveu o tratamento das águas residuais. Sua formação profissional permitiu que ocupasse importantes cargos de direção no México, tanto no setor da saúde como na engenharia sanitária, destacando-se:

- diretor geral da Comissão Nacional para Erradicação da Malária;
- diretor geral de saúde ambiental e subsecretário de melhoramento do ambiente na Secretaria de Salubridade e Assistência;
- secretário, vice-presidente e presidente em três gestões da Sociedade Mexicana de Saúde Pública;
- presidente da Associação Interamericana de Engenharia Sanitária e Ambiental (Aidis);
- chefe de abastecimento de água e esgotos da Secretaria de Recursos Hidráulicos;

- subdiretor geral de água e saneamento no governo do Distrito Federal;
- assessor da Comissão Nacional da Água e membro do Conselho Técnico Consultivo do Instituto Mexicano de Tecnologia da Água;
- autor de mais de duzentas publicações e professor fundador dos cursos de especialização em Engenharia Sanitária na Universidad Nacional Autónoma de México (UNAM);
- professor de Saneamento Ambiental da Escola de Saúde Pública do México;
- professor de Malariologia da Opas/OMS;
- professor do Centro Interamericano de Estudos de Seguridade Social.

Recebeu várias condecorações, sendo uma delas a "Medalha ao Mérito Sanitário", outorgada pelo governo mexicano por seu amplo labor a favor da saúde humana, em 1963. Essa láurea representa, no México, o reconhecimento presidencial de maior distinção à excelência no campo da saúde pública. Em 1994, recebeu da Fundação Pan-Americana para Saúde e Educação (PAHEF) o Prêmio Internacional Abraham Horwitz por sua inteira dedicação à saúde pública e à engenharia sanitária. Esse prêmio é concedido ao profissional que mais se destacar durante cada ano na melhoria da saúde pública e/ou da

Reunião no Centro Pan-Americano de Engenharia Sanitária e Ciências do Ambiente (Cepis/Opas/OMS): Humberto Romero Álvarez (*de terno e gravata*), Ruddy Noriega, Julio Moscoso Cavallini, Luís Egocheaga, Ivanildo Hespanhol, eu e um representante do Ministério da Saúde do Peru – Lima, Peru, 2002.

engenharia sanitária das três Américas. É interessante frisar que até o ano de 2012, desde o início da instituição dessa honrosa comenda, em 1978, todos os ganhadores laureados foram profissionais médicos, e o único engenheiro a receber esse importante galardão foi Humberto Romero Álvarez. Pela sua contribuição à saúde pública, também foi o primeiro profissional não médico a ser aceito pela Academia Nacional de Medicina do México.

O quadro a seguir apresenta a lista dos ganhadores do Prêmio Internacional Abraham Horwitz até 2012.

Prêmio Internacional Abraham Horwitz pela liderança
na saúde interamericana na medicina e/ou na saúde pública,
outorgado anualmente pela PAHEF*

| Nome | País | Ano |
|---|---|---|
| Dr. Paulo Marchiori Buss | Brasil | 2012 |
| Dr. Peter Jay Hotez | Estados Unidos | 2011 |
| Dr. Carlos Monteiro | Brasil | 2010 |
| Dr. Eduardo A. Pretell Zarate | Peru | 2009 |
| Dr. Cesar Victora | Brasil | 2008 |
| Dra. Maria Cristina Escobar | Chile | 2007 |
| Dr. James H. Steele | Estados Unidos | 2006 |
| Dr. Ricardo Uauy | Chile | 2005 |
| Dr. Eduardo Salazar-Lindo | Peru | 2004 |
| Dr. Martin Eichelberger | Estados Unidos | 2003 |
| Dr. Leonard Duhl | Estados Unidos | 2002 |
| Dr. Ruy Laurenti | Brasil | 2001 |
| Dr. Abraam Sonis | Argentina | 2000 |
| Dr. Rodrigo Fierro Benítez | Equador | 1999 |
| Drs. Carlos & Elisa Ponce | Honduras | 1998 |
| Dr. Gabriel Velázquez Palau | Colômbia | 1997 |
| Dr. José Renán Esquivel | Panamá | 1996 |
| Dr. Jorge Mardones Restat | Chile | 1995 |
| Eng. Humberto Romero Álvarez | México | 1994 |
| Dr. Plutarco Naranjo | Equador | 1993 |
| Dra. Elsa Segura | Argentina | 1992 |
| Dr. Guillermo Soberón | México | 1991 |
| Dr. Ricardo Bressani | Guatemala | 1990 |

| Dr. Jacinto Convit | Venezuela | 1989 |
|---|---|---|
| Sir Kenneth L. Standard | Jamaica | 1988 |
| Dr. Mario Chaves | Brasil | 1987 |
| Dr. Boris Szyfres | Uruguai | 1986 |
| Drs. Ruth & Victor Nussenzweig | Brasil | 1985 |
| Dr. Roberto Caldeyro-Barcia | Uruguai | 1984 |
| Dr. Martin Cummings | Estados Unidos | 1983 |
| Dra. Inés Durana | Colômbia | 1982 |
| Dr. Luis Wannoni L. | Venezuela | 1981 |
| Dr. Hernando Groot | Colômbia | 1980 |
| Dr. Fernando Monckeberg | Chile | 1979 |
| Dra. Ruth Puffer | Estados Unidos | 1978 |

\* Fundada em 1968, é uma organização americana sem fins lucrativos que trabalha em parceria com a Opas/OMS com a finalidade de combater doenças, aumentar o tempo de vida da população, melhorar os serviços de cuidados de atenção à saúde, fomentar pesquisa em saúde e aumentar a capacidade dos profissionais de saúde nas Américas por meio de subvenções de programas diretos. Como organização independente, a PAHEF apoia a visão de saúde para todos da Opas/OMS.

―― ... ――

## Considerações sobre Humberto Romero Álvarez
*Sérgio Rolim Mendonça*

Um artigo interessante, transcrito a seguir e publicado pelo engenheiro Humberto Romero Álvarez, com o título "Que homens deixamos ao meio ambiente?", nos mostra sua sensibilidade em relação aos aspectos ambientais e à saúde pública.

> É comum nos perguntarmos que meio ambiente estamos legando às gerações futuras. Porém, cabe outra interrogação: Que tipos de seres humanos estamos deixando ao meio ambiente?
> O vínculo saúde-meio ambiente é tão antigo como a própria existência do homem e da Terra. Sem dúvida, deveriam passar 2.500 anos para que – liquidada a etapa obscurantista da medicina, graças ao gênio Louis Pasteur – começasse a era bacteriana e com ela a explicação científica da origem das enfermidades.
> Estudos realizados durante a epidemia de cólera de Hamburgo, em

1892, revelaram dois fatos importantes da interação entre a saúde humana e os fatores de risco ambiental – a presença de germes patogênicos na água do serviço público como causa de doenças e a eficácia dos filtros de areia para depurar a água e evitar as infecções. Outro antigo golpe contra a humanidade, a malária, deixou de ser atribuído ao "mal do ar" dos pântanos – daí a origem do nome de "malária" – e uma vez conhecida sua origem microbiana e o papel dos mosquitos como veículo transmissor, se iniciou o saneamento do Caribe e outras regiões das Américas mediante drenagem e uso de inseticidas biológicos.

Assim foi possível terminar com êxito a construção do Canal do Panamá e eliminar o *Anopheles gambiae*, terrível mosquito infeccioso de origem africana, que havia invadido o Nordeste do Brasil. Em 1955, a OMS e a Unicef lançaram uma cruzada mundial contra a malária, a base de aplicação de DDT no interior das casas. Este foi, sem dúvida, o maior esforço organizado da história dirigido contra uma só enfermidade, e, embora não tenha sido erradicada, ao menos foram diminuídos em larga escala os índices de mortalidade e de morbidade.

No entanto, o uso indiscriminado de DDT e outros praguicidas, sobretudo na agricultura dos países tropicais, é atualmente uma ameaça ao delicado equilíbrio da natureza. Essa preocupação motivou, em 1972, a realização de uma conferência mundial em Estocolmo, da qual surgiu o Pnuma (Programa das Nações Unidas para o Meio Ambiente). Desde então, se dedica maior atenção ao controle da qualidade do ar, da água e do solo. As ideias que propiciaram o surgimento do Pnuma se reafirmaram no Rio de Janeiro, vinte anos depois, como sustento básico de todo desenvolvimento sustentável.

Porém, há um assunto que vai mais além da conciliação dos interesses do desenvolvimento econômico e social com o cuidado do entorno – o direito da humanidade a uma vida saudável, à proteção e ao fomento de sua saúde.

Nos países latino-americanos e caribenhos, é notável a superposição de antigas doenças transmissíveis com novas enfermidades crônico-degenerativas, unidas a fatores de risco ambiental e a novos estilos de vida.

O reaparecimento da cólera é uma manifestação vergonhosa pelas condições de pobreza que a fazem se multiplicar, assim como pela sujeira ambiental em que se reproduz.
Devemos prevenir os contatos negativos do homem com seu entorno aproveitando as lições do passado. Nosso desígnio: a proteção ambiental.

Durante os 21 meses em que trabalhei na Opas/OMS como assessor de saúde ambiental na Cidade do México, tive oportunidade de conviver com o engenheiro Humberto Romero. Embora com idade avançada, estava ainda muito lúcido e trabalhando normalmente, com um posto especial de assessoria na Comissão Nacional da Água. Participei de várias reuniões e seminários com ele na Cidade do México – e, posteriormente, em Lima, Peru, quando, passado

Julio Moscoso Cavallini, Humberto Romero Álvarez e eu (*em pé*),
Miryan Moscoso, Isabel Hilburg, Vera e Ivanildo Hespanhol (*sentados*),
no apartamento de Carlos Hilburg – Lima, Peru, maio de 2003.

um pouco mais de um ano e meio na capital mexicana, candidatei-me a um novo posto na Opas, para o cargo de assessor em sistemas de águas residuais para a América Latina e o Caribe.

Algum tempo depois de me classificar para esse tão elevado posto, fui me despedir dos colegas mexicanos e também almoçar com o engenheiro Humberto Romero. Qual não foi minha surpresa ao receber pessoalmente uma cópia da carta que ele havia escrito para o chefe de pessoal da Opas em Washington, DC, antes da realização do concurso, me recomendando para esse cargo.

Não posso deixar de me orgulhar de haver sido tão bem considerado pelo ilustre engenheiro mexicano, motivo pelo qual apresento a seguir cópia dessa importante referência para mim.

Eu, Ivanildo e Vera Hespanhol, Lucinha, Humberto Romero Álvarez, Miryan Moscoso, Isabel Hilburg e Julio Moscoso no Restaurante José Antonio – Lima, Peru, maio de 2003.

**COMISION NACIONAL DEL AGUA**

Personal

México, D.F., a 11 de marzo de 2002

Sr. M. Philip McMillan
Director de Recursos Humanos
de la OPS
Washington, D.C.
USA

Estimado señor McMillan:

Circunstancialmente me he enterado que esa oficina a su digno cargo ha lanzado la convocatoria para recibir candidatos a ocupar el puesto de asesor regional especializado en aguas residuales, que se haya vacante en el CEPIS.

Para quienes estamos dedicados al saneamiento del agua, parte esencial de la promoción de la salud ambiental, reconocemos la gran importancia que tiene este asunto, por su incidencia tan directa en el saneamiento de corrientes y cuerpos de agua estacionarios, en muchos casos convertidos en verdaderas cloacas. Esta preocupación nos ha llevado a promover acciones técnicas, coordinadas regionalmente entre ingenieros sanitarios de Brasil, Chile, México y Perú, con el apoyo de la OPS/OMS.

De aquí que me permito proponer a usted, muy atentamente, al **Ing Sergio Rolim Mendonca** para ocupar el cargo vacante en el CEPIS.

El Ing. Rolim es un distinguido ingeniero sanitario ampliamente reconocido por su sólida preparación académica, vastos conocimientos y experiencia en la materia, como lo prueba, entre otras de sus realizaciones, la publicación del su libro mas reciente (es autor de seis libros) "Sistemas de Lagunas de Estabilización: Cómo utilizar Aguas Residuales Tratadas en Sistemas de Regadío" (Editorial McGraw Hill) en el que no sólo describe técnicamente este método de tratamiento de las aguas residuales, tan apropiado para los países de América Latina, sino que destaca su gran utilidad en el riego agrícola y en la prevención de enfermedades.

Por la atención que se sírva prestar a esta recomendación, le quedo muy agradecido.

Cordialmente.

ING. HUMBERTO ROMERO ALVAREZ

Ccp. Dr. George Alleyne.- Director de OPS/Washington
Dr. Henri E. Jouval.- Representante de OPS/OMS en México
Dr. Mauricio Pardón.- OPS/Washington
Ing. Sergio Caporali, - Director de CEPIS/Lima Perú.

Carta de recomendação de Humberto Romero Álvarez
ao chefe de pessoal da Opas em Washington, DC –
Cidade do México, México, 11 de março de 2002.

# Mateus Rosas Ribeiro
*Sérgio Rolim Mendonça*[97]

•──────•••──────•

## Introdução

Somos conterrâneos do município de João Pessoa. Mateus viveu os seus primeiros anos de vida em Santa Rita, devido ao trabalho de seu pai na fábrica da fazenda de Tibiri. Morou na antiga rua São José, 100, hoje Desembargador Souto Maior, no centro de João Pessoa, até se transferir definitivamente para Recife, onde prestou exames de vestibular para Agronomia na Universidade Federal Rural de Pernambuco, em 1962.

Conheci Mateus quando tinha 11 anos; ambos estudávamos no Colégio Pio X e fazíamos parte do Coral Carlos Gomes, regido pelo irmão marista Luiz Barreto. Ingressei no Pio X em 1955, na primeira série ginasial, após haver participado do tradicional exame de admissão e haver estudado para a disciplina Português pela famosa *Crestomatia*, de autoria do prof. Radagasio Taborda (catedrático do Ginásio Estadual do Rio Grande do Sul, em Porto Alegre), publicada na sua 25ª edição pela Editora Globo. Mateus estava um ano adiante, na segunda série ginasial. Era apenas quatro meses mais velho que eu. A partir dos meus 11 anos, portanto, nasceu nossa amizade quando convivíamos nos ensaios do orfeão e nas poucas viagens que fizemos para exibição do nosso coral na cidade de Natal. Lembro-me de que, por volta dos 15 anos de idade, saíamos algumas vezes para passear no carro do dr. Evandro (pai de Mateus), um Dodge ou Chrysler azul-escuro, modelo De Sotto, dirigido por Mateus (não sei se tinha autorização do dr. Evandro), para paquerar as meninas na Lagoa e observar a saída das alunas do Lyceu Paraibano.

Uma vez estava estudando trigonometria com alguns colegas na minha casa, na avenida dos Tabajaras, 1.000, que ficava a cerca de dois quarteirões do Lyceu Paraibano, quando chegou Mateus. Estávamos com certa dificuldade em

---
97. Elogio ao patrono. Plaqueta publicada em 13 de junho de 2015 como uma das condições para ingresso como membro da Academia Paraibana de Engenharia (Apenge) em 23 de julho de 2015. Atualizada em 4 de setembro de 2017.

memorizar algumas expressões trigonométricas, e uma delas era a fórmula que expressava o seno de $(A + B)$. Então ele nos disse "É muito fácil, é só decorar a seguinte frase de um famoso poema de Gonçalves Dias: 'Minha terra tem palmeiras onde canta o sabiá, senoA cossenoB mais senoB cossenoA'".

Terminou o curso ginasial no Pio X e, posteriormente, se transferiu para o Lyceu Paraibano, onde concluiu o curso científico. Continuei no Pio X até concluir os três anos do científico. Na época, o melhor colégio não era privado, e sim, público: o Lyceu Paraibano. Tanto era que, alguns anos depois, a grande maioria dos seus professores se submeteu a concurso público, sendo posteriormente aprovada como professores da Universidade Federal da Paraíba. Não saí do Pio X porque gostava muito de esportes, e lá tínhamos muito apoio nesse setor. Voleibol era nosso principal deporte. Porém, Mateus e eu continuamos amigos, disputando Olimpíadas do Estado – ele disputando voleibol pelo Liceu e eu, pelo Pio X. Nas férias eu disputava pela seleção de voleibol da Praia do Poço e Mateus, pela seleção de voleibol da Praia Formosa. Infelizmente para mim, a seleção da Praia do Poço quase sempre perdia para a seleção de Praia Formosa, cujo time titular era composto pelos três irmãos Rosas, Nelson, Clemente e Mateus. Jogando na categoria de adulto como titulares, fomos campeões de voleibol paraibano nos anos de 1961 e 1963, pelo Clube Astréa, ambos na faixa de 17 anos. Na seleção juvenil de voleibol da Paraíba, éramos parceiros e titulares absolutos, junto de nosso outro colega e amigo Alberto Jorge Pereira Peregrino, conhecido por seus amigos como Betozinho, quando disputamos dois campeonatos brasileiros juvenis de voleibol pela Paraíba, em Recife e em Natal, respectivamente. Alberto Jorge é hoje médico neurologista especializado em doença do sono e reside em Uberlândia, Minas Gerais.

Mateus nasceu em João Pessoa no dia 4 de setembro de 1943 e era casado com Gerusa Ramalho de Farias – natural de Alagoa Grande, filha de Antonio Farias de Albuquerque e Rita Ramalho de Farias. Tiveram três filhos: Sandra, bacharel em Direito, Mateus Filho, engenheiro agrônomo e professor doutor da Universidade Federal Rural de Pernambuco (UFRPE) e Patrícia, bióloga e atualmente doutoranda em Biologia na Universidade Federal do Rio Grande do Norte (UFRN).

Era filho do engenheiro agrônomo Evandro de Carvalho Ribeiro e de Marcília Rosas Ribeiro. Dr. Evandro foi secretário da agricultura no governo de José Américo de Almeida (1950-1954)[98] e fez parte de um grupo de elite de

---

98. RODRIGUES, Gonzaga. Evandro Ribeiro. *Jornal da Paraíba*, João Pessoa, 15 de novembro de 2009.

agrônomos que viveu o momento histórico da agricultura da Paraíba no período de 1935 ao final dos anos 1950. Posteriormente, passou para a iniciativa privada e integrou durante muito tempo a indústria têxtil liderada pela Companhia de Tecidos Paraibana, conhecida popularmente como fábrica de Tibiri, em Santa Rita, onde acompanhou o apogeu da Paraíba na produção de sisal e foi mão hábil e forte, no dizer de Gonzaga Rodrigues, na transição do empresariado conservador para o moderno, evoluindo do exportador de fibra in natura para o produtor de fio agrícola de sisal.

Seus avós paternos eram Mateus Gomes Ribeiro, ex-secretário das finanças do presidente João Pessoa, e Maria Arminda Carvalho Ribeiro. Foram seus avós maternos Clemente Clementino Carneiro da Cunha Rosas, conhecido por Clemente Rosas, e Euthalia Souto Maior Rosas.

Era mais jovem que os varões Nelson e Clemente, e teve ainda duas irmãs, Liana, já falecida, a mais velha dos irmãos, e Yara, a caçula da família.

Clemente, seu irmão, me contou que, dos três irmãos e duas irmãs que constituíram sua família, Mateus foi o mais franzino em seus primeiros anos. Magrinho, ralos cabelos alourados, perninhas que fletiam para dentro (geno valgo) – o que lhe valeu, anos depois, a dispensa do serviço militar. Ainda bebê, foi submetido a uma cirurgia para extrair um tumor formado, não se sabe como, nas costas, que lhe deixou uma simpática cicatriz para o resto da vida. Na escola primária, teve um desempenho insatisfatório até sua mãe perceber que o problema era simples: ele apenas precisava de óculos. Desde então, não os tirou mais. Segundo Clemente, repetidas vezes chegava a adormecer com eles, motivo de gozações de seus irmãos, que o exasperavam.

Desde minha juventude, a família de Mateus dizia que eu tinha um parentesco com ele por parte de meu avô Romualdo de Medeiros Rolim. Muito tempo depois, pesquisando minha árvore genealógica e por intermédio de meu tio Moacyr Tavares Rolim, que também havia elaborado a sua, descobri que sua avó Maria Arminda Carvalho Ribeiro era irmã de minha bisavó Eulina de Medeiros Rolim, casada em segundas núpcias com o ilustre paraibano João Rodrigues Coriolano de Medeiros, fundador do Instituto Histórico e Geográfico Paraibano, da Academia Paraibana de Letras e da Escola Industrial, atualmente Instituto Federal de Educação, Ciência e Tecnologia. Portanto, éramos primos em quarto grau.

## Estudos superiores
Mateus terminou sua graduação em Agronomia em 1965, na UFRPE[99]. Especializou-se em Morfologia, Levantamento e Classificação de Solos, com carga horária de 420 horas no Ministério da Agricultura, Pecuária e Abastecimento (Mapa), como bolsista da Agência para o Desenvolvimento Internacional dos Estados Unidos (Usaid), em 1966.

Fez doutorado em Ciência do Solo na University of Saskatchewan, em Saskatoon, Canadá, 1982, como bolsista da Canadian International Development Agency (Cida), com a tese *Land Suitability for Sugar Cane Production in the Coastal Humid Zone of Pernambuco State, Brazil* ("Terra apropriada para a produção de cana-de-açúcar na zona úmida costeira do estado de Pernambuco, Brasil"), sendo seu orientador o prof. dr. Edward H. Halstead.

## Entrevista ao *The Times*
Recebi várias cartas de Mateus quando eu estava concluindo o mestrado na Inglaterra e ele fazia doutorado no Departamento de Ciências do Solo da University of Saskatchewan, Canadá, em janeiro de 1978. Desde pequeno tenho o DNA de colecionador e, em consequência, continuo como um grande guardador de documentos antigos. Infelizmente, devido às minhas quinze mudanças para várias cidades durante minha vida profissional, perdi muitos documentos importantes, de modo que só encontrei nos meus alfarrábios um envelope que ele me enviou do Canadá com um cartão-postal e a cópia de uma entrevista que concedeu, depois de muita insistência, ao jornal canadense *The Times*. Transcrevo a seguir a entrevista traduzida na íntegra e anexa à correspondência escrita no cartão-postal.

> Quando Mateus Rosas Ribeiro veio pela primeira vez do Brasil para Saskatoon, em 1977, ficou chocado não só pela diferença de clima, mas também por alguns fatores que determinam o clima no Canadá.
> 
> "A maioria das casas, por exemplo, parecia desocupada ou abandonada. Parecia que as portas das casas estavam perpetuamente fechadas e ninguém nunca tinha aparecido do lado de fora."
> 
> O sr. Ribeiro, que está completando sua tese de doutorado em Ciência dos Solos na University of Saskatchewan, sente que a

---

99. Mateus Rosas Ribeiro – Currículo do Sistema Lattes, CNPQ, Brasília, DF, 2011. Disponível em: <http://buscatextual.cnpq.br/buscatextual/visualizacv.do?id=K4788083D4>. Acesso em: 3 jun. 2018.

necessidade de permanecer dentro de casa por um período tão longo do ano pode ser responsável por uma sensação de isolamento que ele detecta nas pessoas aqui.

"As pessoas na rua parecem felizes, mas os canadenses são mais fechados. A maioria aqui é amigável quando você se aproxima, mas, por outro lado, é difícil iniciar amizades."

Se os brasileiros tendem a fazer mais amizades nos relacionamentos pessoais, eles também são menos responsáveis. No Canadá, ele diz, todos os motoristas de ônibus param antes das linhas férreas, abrem a porta e verificam cuidadosamente cada caminho, mesmo que a faixa seja visível por 6 km para cada lado.

"No Brasil, se eles puderem encontrar uma maneira de atravessar um cruzamento quando se aproximam, seguem na sua rota sem interrupção."

O sr. Ribeiro também fala sobre as diferenças entre as famílias nos dois países. As famílias brasileiras, que tradicionalmente são grandes, parecem efetuar mais trabalho em conjunto, disse ele.

"Na minha família, por exemplo, todo mundo participa de muitas atividades. No Canadá, pessoas idosas, em particular, muitas vezes parecem ser eliminadas das tarefas por parte dos mais jovens da família."

Ele se pergunta se essa tendência foi herdada de antepassados europeus ou se é uma consequência inevitável de uma visão estreita de uma ética de trabalho. Uma diferença nacional que se reflete claramente mais favorável ao Canadá, diz o sr. Ribeiro, é a conformidade da lei aqui.

"No Canadá, a polícia só prende quem não cumpre a lei. Isso não é sempre assim no Brasil."

Também está impressionado com o acesso universal à educação e à saúde dos habitantes de Saskatoon. Disse que o tratamento médico no Brasil favorece definitivamente aqueles com mais recursos. E como há muita pobreza, o acesso à educação e à saúde dos menos favorecidos é muito desigual. Também outro sinal positivo para o Canadá é o equilíbrio relativo de renda para os todos os assalariados.

"Aqui, a diferença de renda entre, digamos, um porteiro e um professor universitário não é assim tão grande. No Brasil, a diferença

é grande, e aqueles que têm maior poder aquisitivo não querem que outros menos qualificados percebam maiores rendimentos."
Perguntado que conselho daria aos canadenses, disse o sr. Ribeiro que o Canadá deveria diminuir suas ligações com os Estados Unidos e esforçar-se para uma maior independência de pensamento, especialmente em áreas como a política externa.
"Em tantas questões internacionais o Canadá parece seguir os americanos... em El Salvador, por exemplo. Seria útil se o Canadá cultivasse uma voz mais independente."
O sr. Ribeiro não tem "nada de mau" a comentar sobre a University of Saskatchewan. Considera seus orientadores doutores muito competentes e prestativos, não só para ele, mas também para os agricultores das províncias.
Disse que é grato a seu programa financiado pela Cida Canadá, que lhe permitirá realizar a extensão de pesquisa do seu trabalho de doutorado no Brasil no período de 1979 a 1980.
"É importante ser capaz de aplicar as técnicas aprendidas e adaptá-las às condições do país onde voltará a trabalhar."
O sr. Ribeiro é professor-assistente da Universidade Federal Rural de Pernambuco, em Recife, Brasil. Após a conclusão do seu PhD neste verão, regressará com sua esposa, Gerusa, e seus três filhos ao Brasil.

## Atividades didáticas e de extensão

A partir de 1973, Mateus ingressou como professor-assistente no Departamento de Agronomia, Área de Solos, da UFRPE em regime de dedicação exclusiva. Ensinou várias disciplinas nos cursos de graduação e pós-graduação, dentre as quais: Fundamentos da Ciência do Solo, Formação e Classificação de Solos, Morfologia de Solos e Levantamentos de Solos e sua Interpretação para Fins Agrícolas e Ambientais.

Foi pesquisador do Departamento de Agronomia, Ciência do Solo, desde 1983. A linha de pesquisa de seu trabalho foi centrada em quatro itens principais:
- caracterização das propriedades físicas, químicas e mineralógicas dos solos e suas relações com a produtividade;
- gênese, morfologia e classificação dos solos;
- solos salinos e sódicos;
- levantamento exploratório e reconhecimento de solos da região Nordeste e avaliação de aptidão agrícola das terras.

Os temas dos seus principais projetos de pesquisa na UFRPE abrangeram:
- caracterização e classificação dos solos de maior potencial agrícola do estado de Pernambuco;
- caracterização e classificação de solos de referência do estado de Pernambuco;
- reabilitação de áreas degradadas em perímetros irrigados pelo Departamento Nacional de Obras Contra as Secas (DNOCS) em Pernambuco;
- diagnóstico e controle da salinização em aluviões com pequena agricultura irrigada no semiárido do Nordeste;
- estudos de caracterização e gênese com subsídio ao sistema brasileiro de classificação de solos e ao uso sustentável;
- implantação e monitoramento de bacias experimentais no semiárido do Nordeste;
- caracterização dos solos e da vegetação de área em processo de desertificação no estado de Pernambuco;
- gênese e caracterização de horizontes coesos em argissolos e latossolos amarelos da região dos tabuleiros costeiros dos estados de Pernambuco e Alagoas;
- núcleo de solos para produtividade e qualidade ambiental em cultivos de cana-de-açúcar.

Como professor da UFRPE, orientou 26 dissertações de mestrado e sete teses de doutorado, participou de dez bancas examinadoras de mestrado, quatro de doutorado e três de concurso público para professores de universidades brasileiras, e esteve presente em 33 congressos e seminários nacionais e cinco congressos internacionais. Publicou, durante sua vida profissional, junto de professores da UFRPE, 64 artigos técnicos completos em periódicos e revistas, além de oito capítulos de livros.

## Atividade profissional

No período de 1966 a 1971, trabalhou no Mapa como pesquisador em agricultura na Divisão de Pedologia e Fertilidade do Solo, efetuando levantamento exploratório e reconhecimento de solos e avaliação da aptidão agrícola das terras da região Nordeste.

Posteriormente trabalhou na Geotécnica S/A Engenheiros Consultores, entre 1971 e 1974, como engenheiro agrônomo pedólogo, onde efetuou serviços técnicos especializados.

Na UFRPE, exerceu os cargos de chefe do Departamento de Agronomia, coordenador do curso de pós-graduação em Ciência do Solo e assessor do reitor.

Desde 2001, era coordenador do Comitê Regional de Classificação de Solos na Região Nordeste, da Empresa Brasileira de Pesquisa Agropecuária (Embrapa)/Centro Nacional de Pesquisa de Solos.

Foi membro do corpo editorial da *Revista Brasileira de Ciência do Solo*, de 1996 a 2012, e da *Revista Brasileira de Ciências Agrárias*, de 2006 a 2012, além de revisor dos periódicos *Pesquisa Agropecuária Brasileira* e *Scientia Agrícola*, de 1999 a 2006.

Desempenhou a função de presidente da Sociedade Brasileira de Ciência do Solo, no biênio 2005/2007, e foi presidente do XXX Congresso Brasileiro de Ciência do Solo, em 2005.

Segundo o prof. Clístenes Nascimento, grande colega e amigo, que conviveu com o prof. Mateus Rosas desde a sua chegada à UFRPE, prof. Mateus foi um dos mais destacados pedólogos do país.

Foi o idealizador do projeto que conduziu à Coleção de Monolitos de Solos de Referência de Pernambuco, que, implantada em 2013, depois de seu falecimento, recebeu o nome de Coleção Mateus Rosas Ribeiro. Material de consulta a todos os interessados no estudo dos solos, com um registro único das principais classes de solos de Pernambuco e do país, a coleção pode ser acessada por meio da página *web*: <www.colecaomateusrosas.com.br>.

## Vida esportiva

Os irmãos Rosas sempre foram atletas. Seus esportes preferidos eram voleibol, natação e tênis de campo. Segundo seu irmão Clemente, Mateus praticou vários esportes, dentre os quais caça submarina, pescarias, cavalgadas, trilhas campestres e, por empenho pessoal, superou seus irmãos como um grande velejador. Começou no voleibol aos 16 anos, ao meu lado e de Marcus Massa e Alberto Jorge, todos na mesma faixa etária, na equipe do Clube Astréa, formada por seu irmão Clemente. No time da Praia Formosa, de memoráveis duelos com a Praia do Poço, alguns anos depois, acabou assumindo o comando e seu irmão é que foi liderado por ele. O próprio Clemente, em seu depoimento sobre Mateus, comenta que sempre reconheceu mais elevado nível técnico no voleibol de seu irmão. Sendo três anos mais moço do que Clemente, e quatro anos e meio do que seu irmão mais velho, Nelson, talvez tenha sofrido um pouco com as suas cobranças de coragem e desempenho físico, em suas peripécias arborícolas, marítimas e terrestres. Mas acabou sendo melhor: ele conquistou uma boa estrutura corpórea, apesar de ser menos alto que eles, chegando a superá-los em alguns esportes, como o voleibol.

O escritor Cláudio José Lopes Rodrigues, bacharel em direito e doutor em Ciências Políticas pela Universidade de São Paulo, também nosso colega de infância, companheiro do Colégio Marista Pio X e ex-jogador de voleibol da seleção de voleibol adulta do Astréa e da seleção paraibana de voleibol juvenil, escreveu em um dos seus livros pequeno trecho sobre a vida esportiva de Mateus.

Conforme relata em seu quarto livro, *Revelações de um escritor de província*[100], Cláudio resolveu contatar antes do lançamento um número considerável de ex-companheiros esportivos, diretamente ou por meio de familiares, para participarem desse evento. Concentrou seus esforços nos integrantes da seleção paraibana de voleibol juvenil de 1961. Estão apresentadas a seguir duas fotos de vários desses companheiros. Quatro, além dele, ainda residiam em João Pessoa: José Amaral Filho (Poba), engenheiro civil, Marcus Antônio Souza Massa (Massa), economista, Marcos Antônio de Almeida, formado em Educação Física, e Potengí Holanda de Lucena (Popó), engenheiro civil, falecido recentemente. Seis deles haviam emigrado: Alberto Jorge Pereira Peregrino (Betozinho), médico, Niro Reis do Amaral, oficial da Marinha, Marcelo Bezerra Cabral, engenheiro, Péricles Ramalho de Farias, médico, Mateus Rosas Ribeiro, engenheiro agrônomo, além do autor desta singela biografia.

Na época do lançamento da publicação, eu residia em Lima, Peru. De acordo com Cláudio, eu era, geograficamente, o mais distanciado integrante da equipe paraibana de 1961. Também segundo ele, fiz-me presente à cerimônia, entretanto, de uma forma que muito o sensibilizou. Remeti-lhe da capital peruana um e-mail, que foi lido publicamente na abertura do evento. Felicitava-o pelo livro, desejando-lhe sucesso e votos de que prosseguisse produzindo os bons textos que eu sempre lia com grande satisfação.

No ensejo do lançamento de seu livro, Cláudio passou à coordenadora do cerimonial a pequena lista dos amigos que residiam em João Pessoa e prometeram comparecer. Na abertura da cerimônia, seus nomes foram anunciados como integrantes, ao lado do autor, da "brava seleção paraibana juvenil de voleibol de 1961". Era uma homenagem pública que ele lhes prestava – aos presentes e aos ausentes.

Marcus Antônio Souza Massa era o capitão do time, acumulando, extraofi-

---

100. RODRIGUES, Cláudio José Lopes. *Revelações de um escritor de província: diário não diário – vol. 2*. João Pessoa: Ideia, 2007.

cialmente, a função de técnico da equipe. Essas lembranças assomaram Cláudio ao convidar Marcus Massa para o lançamento do livro. Ele pensou, também, em simbolizar a homenagem ao voleibol juvenil fazendo o aguerrido capitão da equipe de 1961 integrar a mesa da cerimônia. Ele foi chamado pela coordenadora do cerimonial para ocupar seu assento. O convite, entretanto, ficou no vazio, criando um volver geral de cabeças que significou "Cadê ele? Onde ele está?". Ele simplesmente não estava... A ausência ensejou aquele leve sentimento de frustração, que induz os mais apressados e intolerantes a, intimamente, criticar o faltoso. Massa chegaria depois. Um imprevisto prejudicara a sua pontualidade, mas ele compareceu ao lançamento.

Embora lamentando a ausência momentânea do capitão Massa, Cláudio não se abalou e indicou Mateus Rosas Ribeiro para substituí-lo. Mateus não esperava o convite. Levantou-se assustado, perguntando, por trás dos alentados óculos de grau, as mãos espalmadas, voltadas para o peito: "Eu?! Eu?!".

Segundo Cláudio, havia muito tempo que Mateus passara a morar na capital pernambucana. Em 1961, aos 18 anos, já lá estava, preparando-se para o vestibular de Agronomia, integrado ao bulício estudantil, manifestado sobremaneira em um ônibus escolar que transportava os iminentes vestibulandos. Radicado na Mauriceia, Mateus não perdeu, entretanto, seus vínculos com a Paraíba, onde sua esposa mantém até hoje uma casa de veraneio, na Praia Formosa, em Cabedelo. Ali, na segunda metade dos anos 1950, iniciou-se no voleibol, participando de peladas e acirrados campeonatos de praia.

Transcrevo a seguir alguns trechos do supracitado livro de Cláudio[101] com seus comentários sobre Mateus:

> Lembro-me do seu saque diferenciado. Ele sacava de lado, procurando dar um efeito, uma trajetória irregular, à bola. Às vezes, exagerava e terminava executando o lance de costas. Um procedimento desaconselhável, pois o sacador ficava impedido de ver os adversários e de colocar melhor a bola. Talvez o que mais lograsse o resultado desejado fosse a influência psicológica do seu *mise-en-scène*. Primeiro, olhava mal-encarado para a outra equipe (um olhar tão aterrador quanto os disparados por um militante estudantil subversivo em direção ao presidente dos Estados Unidos).

---

101. RODRIGUES, Cláudio José Lopes. *Revelações de um escritor de província: diário não diário – vol. 2*. João Pessoa: Ideia, 2007.

Cartão-postal que Mateus Rosas Ribeiro me enviou durante seu
doutorado na University of Saskatchewan – de Saskatoon, Canadá,
a João Pessoa, 4 de janeiro de 1978.

Equipe Adulta de Voleibol do Astréa: *em pé*, Clemente Rosas, Walter Maia, Wallace, Marcus Massa e Nelson Rosas; *agachados*, Marcelo Cabral, Mateus Rosas, Edinaldo, Betozinho e eu – 1960.

Depois, concentrava-se qual um monge em transe. Em seguida, curvava as pernas, e, após estratégica demora, concretizava a jogada teatral [...].

Nunca esqueci, também, quando, a propósito de um fato de que não me lembro, no qual Mateus, no ônibus fretado pela Federação Atlética Paraibana (FAP), se não me engano, cantou um trecho de "Casaca-de-couro", sucesso gravado em 1959 pelo nosso talentoso conterrâneo Jackson do Pandeiro. Composição de Rui de Morais e Silva, a marchinha junina, de ritmo contagiante, é uma exaltação a uma ave conhecida cientificamente por *Pseudoseisura cristata*. Como a letra descreve, a espécie tem um ninho peculiar pela diversidade dos elementos que o compõem: "Tem um ninho de graveto / Tem garrancho de jurema / Tem pau branco, tem pau preto / Tem lenha que dá pra facho / Tem vara que dá espeto" [...].

O refrão é muito simples:

Xô, xô, xô, xô
Casaca-de-couro
Cantando as duas na telha
Cantando as duas na telha.
(bis)

A simplicidade dos versos não prejudica as imagens na descrição de um dueto entre duas aves:

Uma grita, outra responde
Uma baixa, outra também
Parece mulher pilando
Pro mode fazer xerém
Subindo e descendo as asas
Como o seio do meu bem.

Eu nunca vi desafio
Mais bonito, mais iguá
Duas casacas de couro
Quando começa a cantar

Seleção paraibana juvenil de 1961 em julho de 1961: Betozinho, Mateus, eu, Marcos, Massa e Potengí.

Seleção paraibana juvenil de 1961 em setembro de 2007: Potengí, eu, Betozinho, Mateus e Cláudio (falta Marcos).

Parece dois violeiros
Num galope à beira-mar
[...]

A mente humana tem razões que a própria razão desconhece. Não sei por que aquelas duas casacas-de-couro não alçaram voo da minha memória. Sem pretensões a artifícios do realismo fantástico, levanto a possibilidade de essa fixação dever-se ao fato de as duas aves nunca terem sido atingidas por um dos rebuscados saques de Mateus. Se tal ocorresse, seriam penas, gravetos, garranchos de jurema, pau branco, pau preto, lenha que dá pra facho, vara que dá espeto... pra todo lado [...].

## Considerações finais

Em uma homenagem a Mateus, seu amigo e colega da UFRPE prof. Clístenes Nascimento[102] escreveu:

> Até o seu falecimento, o prof. Mateus Rosas Ribeiro desempenhava ativamente todas as suas atividades acadêmicas, sendo pesquisador do CNPq com diversos projetos em andamento e com diversos orientandos de graduação, mestrado e doutorado. Seu exemplo de dedicação e integridade ética e profissional, além do vasto conhecimento em pedologia, são guias para toda uma escola de pedólogos do Nordeste. A morte prematura do prof. Mateus deixa uma profunda lacuna para sua família e para todos os seus colegas da UFRPE, os quais aprenderam a conviver com sua sabedoria singular e extrema competência, amor e respeito pela Ciência do Solo [...].

Faleceu no dia 10 de novembro de 2012 nas proximidades de Belo Horizonte, a bordo de um avião da TAM com destino ao Recife, quando regressava de um congresso.

Seu irmão Clemente Rosas[103], advogado, economista e poeta, nos últimos trechos de seu depoimento, declara:

---

102. NASCIMENTO, Clístenes. *Biografia – Prof. Mateus Rosas Ribeiro*. Coleção Mateus Rosas Ribeiro. Disponível em: <www.colecaomateusrosas.com.br/home/ProfessorMateusRosasRibeiro>. Acesso em: 12 mar. 2018.
103. Depoimento pessoal de Clemente Rosas Ribeiro realizado em Recife em 2015.

Que mais dizer? De sua qualidade como professor, PhD em Ciência do Solo e presidente da Sociedade Brasileira de Ciência do Solo dirão seus alunos, que, vindos do Recife, compareceram em massa ao seu velório, em Cabedelo. Meus últimos registros ficam para o tênis de praia, esporte que continuamos praticando, mesmo em idade provecta, e as libações nas varandas da Praia Formosa, cheias de verve, de alegria, de curtição da vida. Como sua despedida, redigi um texto dirigido por ele aos amigos, onde creio ter expressado bem o seu pensamento, e que reproduzo abaixo, como epílogo deste depoimento:

Queridos amigos e amigas,
Desculpem não ter tido tempo de me despedir de vocês. Para mim, a porta da outra dimensão abriu-se bruscamente, e não há como recusá-la.
Mas se, como diz o inesquecível soneto de Camões, se lá, no assento etéreo, consente-se memória desta vida, estarei lembrando todos os momentos felizes que passamos juntos: no voleibol, no tênis de praia, no mar, no campo, nas salas de aula, nas alegres varandas da Praia Formosa, onde tantas vezes brindamos às coisas boas deste mundo.
E meu desejo é que, para o futuro, nessas horas, sintam como se eu estivesse entre vocês.
Adeus! Sei que agora sou apenas lembrança. Uma amena lembrança. E isso já me basta [...].

No dia 22 de agosto de 2017, no Salão Nobre da URFPE, em Recife, foram comemorados os quarenta anos do curso de pós-graduação em Ciência do Solo. O prof. Mateus Rosas Ribeiro, *in memoriam*, foi homenageado por ter sido um de seus fundadores.

Atualmente, o prédio principal da área de solos, cuja fachada recebeu recentemente um novo letreiro, leva o seu nome, como pode ser observado na foto seguinte.

Letreiro da fachada do prédio principal da área de solos
da UFRPE – Recife, Pernambuco, agosto de 2017.

# Teores elevados de zinco em águas de abastecimento

*Sérgio Rolim Mendonça*

•─────────────── ••• ───────────────•

Concluí meu mestrado em Controle da Poluição Ambiental na University of Leeds, Inglaterra, no final de setembro de 1979. Voltei a João Pessoa e retomei meu trabalho na Companhia de Água e Esgotos da Paraíba (Cagepa) e no Centro de Tecnologia (CT) da UFPB, na qualidade de professor-assistente, voltando a lecionar a disciplina Sistema de Drenagem Urbana (Sistemas de Esgotos Sanitários).

Em março de 1980, fui convidado a participar do Seminário sobre Recursos Hídricos de Regiões Áridas e Semi-Áridas, realizado em Recife, de 17 a 21 daquele mesmo mês, promovido pela Superintendência de Desenvolvimento do Nordeste (Sudene). Esse seminário visava reunir na capital pernambucana os principais expoentes mundiais especializados em problemas em regiões desérticas e com níveis de pluviosidade muito baixa. O governo esperava, com isso, poder obter informações importantes para utilizá-las no combate à seca no Nordeste brasileiro. As principais entidades que proveram recursos financeiros para a vinda desses técnicos e para a organização desse seminário foram a Secretaria Especial do Meio Ambiente do Ministério do Interior (Minter-Sema), a Secretaria de Obras e do Meio Ambiente do Estado de São Paulo (Soma), a Organização Pan-Americana da Saúde (Opas/OMS), o Programa das Nações Unidas para o Desenvolvimento (Pnud) e a Associação Brasileira de Águas Subterrâneas (Abas).

Na véspera do seminário, parti para o Recife em meu carro, junto de um aluno, hoje prof. dr. Tarciso Cabral, da UFPB, especialista em recursos hídricos e atualmente meu colega na Academia Paraibana de Engenharia.

No início do seminário, devido à falta de tradutores especializados, fui contatado pelos organizadores para atuar como intérprete de um dos palestrantes, professor de uma universidade da Austrália. Rejeitei o convite inicialmente, por não ter experiência nesse ramo, porém, a insistência foi grande e, finalmente, aceitei a espinhosa incumbência.

Concluintes do M.Sc. Environmental Pollution Control, University of Leeds: na foto, está faltando nossa colega nigeriana Olunfunke Omololu – Leeds, Inglaterra, 27 de setembro de 1979. *Atrás*: Kin Loong Ng, prof. A. G. Clarke, Norman W. Hollingworth, Anthony J. Joseph, L. Tom Hamill, Bryan R. Longbone, Per Olav Nos, eu, Diego Daza Sierra e prof. G. L. Isles; *à frente*: Paul King Way Wai, S. Chaudry, Salman Ali Ahmed, Steve Douglas, Benny Lee Underwood, Essmail Dabiri, prof. A. Williams e Derek Edward Pendlebury; *sentadas*: M. de Rocio Sarmiento Torres, Lysa Manavalan, Irene Vithanadurage e Isabelle Mapp-Bostrom.

A finalidade da palestra do referido professor era comentar os diversos parâmetros inorgânicos que pudessem existir na água e que pudessem causar algum dano à saúde humana de acordo com as leis e normas brasileiras. À medida que era apresentado determinado composto químico, ele mostrava o valor máximo permitido e fazia seu comentário. Quando chegou a vez do zinco, o Brasil apresentava na sua norma o valor máximo de 5 mg/L. Foi aí que o professor exclamou: "Deve haver um engano. Os peixes mais resistentes que existem são as tilápias do Nilo. E elas não sobrevivem a 3 mg/L de zinco". Na ocasião, ficamos um pouco surpresos com a resposta do professor. Depois de muitos anos, lembrei-me desse assunto e resolvi fazer uma pesquisa.

A portaria nº 518, de 25 de março de 2004 (DOU nº 59, de 26 de março de 2004, seção 1)[104], "estabelece os procedimentos e responsabilidades relativos

---

104. BRASIL. Fundação Nacional de Saúde. *Manual prático de análise de água*. 2. ed. rev. Brasília: Fundação Nacional de Saúde, 2006.

ao controle e vigilância da qualidade de água para consumo humano e seu padrão de potabilidade, e dá outras providências". No capítulo IV, do padrão de potabilidade, o artigo 16 menciona que "A água potável deve estar em conformidade com o padrão de aceitação de consumo expresso na Tabela 5" (padrão de aceitação para consumo humano). Nessa tabela, disponível no documento supracitado, está escrito que o valor máximo permitido para zinco é 5 mg/L.

Em outubro de 2016, estive em São Paulo e fui convidado pelo amigo e colega de turma Paulo Bezerril para um almoço no qual aproveitaria para me apresentar a outro amigo que acabara de publicar um livro sobre tratamento de esgoto industrial, o engenheiro químico Eduardo Cavalcanti[105]. O autor me entregaria a nova edição de seu livro durante esse almoço.

A página 191 do livro dele apresenta a "Tabela 8.1: Parâmetros inorgânicos – valores máximos". De acordo com a legislação brasileira, o valor máximo de zinco permitido para lançamento de esgoto em águas de abastecimento continua sendo menor ou igual a 5 mg/L.

Zinco é um metal branco-azulado na sua forma nativa. Na natureza, ocorre geralmente na forma de um mineral de carbonato ou sulfeto, comumente sulfeto de zinco. É frequentemente associado com depósitos de outros metais, como chumbo, cobre e prata. Depósitos de minério são largamente distribuídos ao redor do mundo, incluindo China, Austrália, Peru, Europa e Canadá. Tem muitos usos industriais, especialmente em ligas com outros metais para inibir a corrosão – um processo conhecido como galvanização.

É um elemento essencial para os seres humanos, e a maioria dos problemas de saúde é focada na deficiência de zinco, em vez de no excesso. Os efeitos adversos do excesso de zinco para a saúde humana estão centrados em problemas gastrointestinais.

Segundo a Organização Mundial da Saúde (OMS)[106], o zinco é um elemento traço essencial, encontrado virtualmente em todos os alimentos e na água potável na forma de sais e complexos orgânicos. A dieta é a principal fonte de zinco. Embora os níveis de zinco nas águas superficiais e subterrâneas não excedam normalmente 0,01 e 0,05 mg/L, respectivamente, concentrações na água que chega às residências, nas torneiras, podem ser mais elevadas devido ao zinco dissolvido nas tubulações fabricadas com esse metal. Entretanto, água

---

105. CAVALCANTI, José Eduardo W. A. *Manual de tratamento de efluentes industriais*. 3. ed. ampliada. São Paulo: Engenho Editora Técnica, 2016.
106. WHO. *Guidelines for drinking-water quality – vol. 2: Health criteria and other support information*. 2. ed. Geneva: World Health Organization, 1996.

Certificado de conclusão do meu mestrado em Controle da Poluição Ambiental na University of Leeds, Inglaterra.

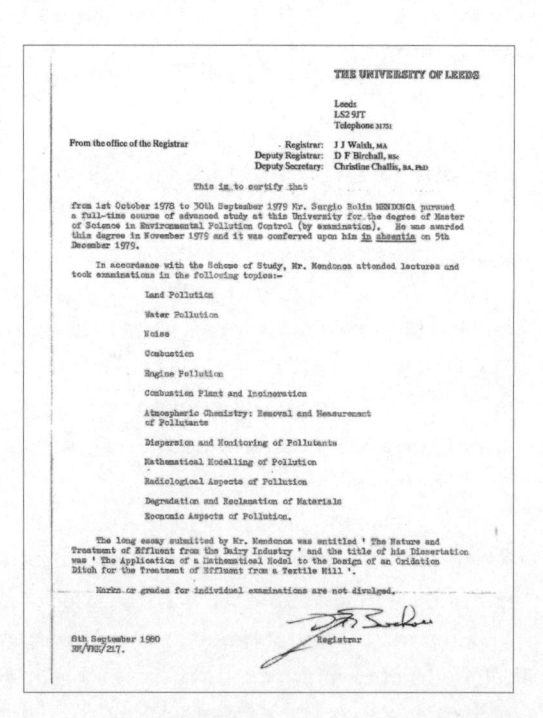

potável com teor de zinco acima de 3 mg/L tende a ser opalescente, desenvolve uma película superficial gordurosa quando fervida e apresenta sabor metálico, adstringente e desagradável, que pode não ser aceito pelos consumidores.

A OMS, a Agência de Proteção Ambiental dos Estados Unidos (Usepa), a Instituição de Normas da Índia (ISI) e o Canadá consideram 5 mg/L como limite máximo permissível para zinco nas águas de abastecimento[107]. É importante observar que, no caso da OMS, são apenas recomendações. Nos outros países citados, são normas. As normas japonesas consideram 1 mg/L como limite para o zinco, a Austrália, 3 mg/L, e a Nova Zelândia, 1,5 mg/L[108]. A Diretiva da União Europeia (EU) de água potável não define um padrão para o zinco.

O professor australiano tinha razão em estranhar que o valor do limite para zinco adotado no Brasil como padrão para as águas de abastecimento fosse igual a 5 mg/L.

---

107. KUMAR, Manoj; PURI, Avinash. A review of permissible limits of drinking water. *Indian journal of occupational and environmental medicine*, Mumbai, v. 16, n. 1, p. 40-44, jan.-abr. 2012.
108. *Review of England and Wales Monitoring Data for Which a National or International Standard Has Been Set*. Watts and Cranes Associate – Final Report to Guidelines of drinking water quality. Defra Project Code: CEER 0703 DWI 70/2/215 WT1207, mar. 2008.

# Uso da água – racionalização
*Sérgio Rolim Mendonça*[109]

Estamos frequentemente confrontados com o fato geofísico de que 97% dos recursos hídricos existentes no nosso planeta são água salgada. Só possuímos 3% de água doce. Estão sempre nos lembrando de que 99% dessa água doce disponível estão congelados em forma de *icebergs* e geleiras ou só poderão ser encontrados a grandes profundidades. Isso nos leva a entender que não vai sobrar nada para o mais importante, o mais essencial para os seres vivos – a água potável.

Felizmente, essa aparentemente inadequada quantidade de água disponível é bem maior do que o necessário para o ser humano. O consumo de água necessário ao ser humano atualmente, para todas as finalidades, está na relação de 1/10.000 no que se refere a todos os recursos de água doce disponíveis para uso.

Por isso, quando se leva em conta o total de recursos hídricos existente no mundo, mesmo permanecendo constante, não há dúvida de que a quantidade total de água doce existente na Terra excede todas as necessidades concebíveis pela população humana.

Por que, então, vez por outra estamos observando uma crise de água potável em muitas regiões do mundo? Não existe crise mundial de água, mas inúmeras e severas crises localizadas. Existem crises devido à falta de investimento, a conflitos políticos sobre rios que ultrapassam limites nacionais, além de uma plena má administração dos recursos hídricos. Por outro lado, existe uma contínua migração de pessoas pobres de áreas rurais para áreas urbanas, principalmente no terceiro mundo, onde os recursos hídricos locais são frequentemente insuficientes para atender à sempre crescente demanda. Para que este desenvolvimento seja equilibrado, torna-se necessário o controle populacional ou o transporte de enormes quantidades de água a longas distâncias, o que normalmente está fora do alcance do orçamento dos países em desenvolvimento.

---

109. Transcrito do *Jornal O Norte*, O Show, 4, João Pessoa, 1º de setembro de 1995. Seria uma lástima se as pessoas, depois de haverem lido o original deste artigo, ignorando sua data de publicação (23 anos atrás), pensassem que foi publicado hoje.

A maioria dos problemas se origina nas áreas urbanas, em especial nas megalópoles. As estatísticas internacionais preveem que as maiores cidades se desenvolverão no terceiro mundo por volta do ano 2000. Já é esperado que Londres não estará entre as vinte maiores cidades do mundo no início do século XXI. Em compensação, a quantidade de habitantes na África no ano 2000 será dez vezes maior que no ano de 1950.

Na América do Sul, temos Buenos Aires, na Argentina, com 12,6 milhões de habitantes. No Brasil, São Paulo, com 16,6 milhões, e Rio de Janeiro, com 10,4 milhões. São Paulo e Buenos Aires já estão incluídas entre as dez cidades mais populosas do mundo, enquanto a cidade do Rio de Janeiro já está incluída entre as quinze maiores cidades do planeta. Ainda no Brasil, a área metropolitana de Porto Alegre já está com 3,9 milhões de habitantes, Belo Horizonte, com 3,4 milhões, e Recife, com 2,9 milhões de pessoas.

Às vésperas da Conferência da Água, em Estocolmo, segundo o Banco Mundial, o maior investidor internacional em projetos de água, as guerras do século XXI ocorrerão devido às disputas pela posse da água. A Rio-92 mostrou que os dez lugares do mundo onde uma guerra poderia estourar por causa dos mananciais de água estão localizados, a maioria, nos países do Oriente Médio. A Etiópia controla as nascentes do Nilo, além do Sudão, fonte vital para 60 milhões de egípcios. Os lençóis de água subterrânea da Jordânia estão praticamente secos depois que Israel desviou a sua principal fonte de água superficial, o rio Jordão. O Iraque e a Síria estão preocupados com a construção de represas nas cabeceiras do rio Eufrates.

Se compararmos os dados apresentados pela Organização das Nações Unidas para a Alimentação e a Agricultura (FAO) nos anos de 1900 e 1990, a demanda mundial de água passou de 579 para 4.130 $km^3$ por ano. Noventa por cento desse consumo em 1900 eram devidos aos agricultores. No ano de 1990, esse número caiu para 65%, implicando um aumento de consumo nos setores municipais e industriais.

O crescimento exagerado e desordenado das cidades, o desenvolvimento das indústrias e a mecanização da agricultura provocaram um aumento muito grande na poluição do ar e do solo nos últimos decênios.

A construção de megabarragens e hidrelétricas, enormes projetos de irrigação, o desmatamento irresponsável e em grande escala, os grandes assentamentos urbanos, a chuva ácida e o aquecimento do nosso planeta podem causar graves prejuízos às fontes de água, como também despertar a violência dos usuários como consequência de sua necessidade premente. Por sua vez, o deslocamento das populações indígenas e a perda das fontes de trabalho favorecem a propagação de diversos tipos de doenças transmitidas por vetores. Os *arenavirus*, como nosso Sabiá, e os *filovirus*, como o Ebola, podem causar doenças de evolução muito rápida.

Os investimentos realizados pelo Banco Mundial no desenvolvimento de novas fontes de água, com a construção de megarrepresas, nos últimos 45 anos totalizaram US$ 36 bilhões, havendo necessidade de serem dobrados nos próximos dez anos. Os custos humanos também são muito elevados. Estima-se que 16 milhões de pessoas perderam seus lares e terrenos após a construção de grandes reservatórios na Índia. A China deverá retirar 1 milhão de pessoas de seu local de origem após a inauguração de uma grande represa em Yangtze.

É senso comum que o problema dessas crises é muito mais de demanda que de abastecimento. O desperdício em água de irrigação em muitos países de clima tropical corresponde a cerca de 90% do uso da água. Nos últimos trinta anos, os agricultores de Israel aumentaram cinco vezes o valor da colheita usando a mesma quantidade de água. O desperdício pode também assumir várias formas. A maioria dos sistemas de abastecimento de água tem vazamentos em suas redes de distribuição de adutoras da ordem de 30% a 60%. O esgoto coletado na maioria das redes urbanas vai diretamente para os rios, sem nenhum tratamento.

A tendência atual é o Banco Mundial conceder empréstimos para irrigação por gotejamento, eliminação de vazamentos nas redes de distribuição e de adutoras, controle de desperdícios nas residências com o uso adequado de medidores de água e construção de estações de tratamento de esgotos, muitas delas destinadas ao reúso de seus efluentes na agricultura e na piscicultura, em vez de financiar obras faraônicas. O custo no Oriente Médio para novas construções de sistemas de abastecimento de água está estimado pelo Banco Mundial entre US$ 0,30 e US$ 1,00 por metro cúbico. Em compensação, para manter e operar os sistemas existentes, só são necessários US$ 0,10 por metro cúbico para água e de US$ 0,25 a US$ 0,35 para tratamento de esgotos. Na maioria dos países, a água é entregue ao consumidor, usualmente por meio do estado, a preços que refletem apenas uma fração do custo real. O usuário assume que os recursos do erário público são infinitos e poucos têm um incentivo para usar a água com parcimônia. O Banco Mundial está exigindo agora que a água seja cobrada pelo preço real.

Esperamos que, antes que nossos sistemas entrem em colapso, o governo Fernando Henrique defina uma política adequada de saneamento básico para nosso país e não se deixe levar pela onda de neoliberalismo que assola o mundo, pensando que só a privatização irá eliminar todas as nossas mazelas.

# O impacto ambiental dos praguicidas

*Sérgio Rolim Mendonça*[110]

## Introdução

Os contaminantes orgânicos persistentes (POPs) são compostos orgânicos de origem natural ou antropogênica. Substâncias tóxicas formadas por misturas e compostos químicos orgânicos, à base de carbono, com propriedades comuns[111].

- São altamente tóxicos. Isso significa que têm potencial de prejudicar a saúde humana e o meio ambiente a muito baixas concentrações. A concentrações extraordinariamente baixas, os POPs podem se unir aos receptores celulares do corpo e disparar uma cascata de efeitos potencialmente danosos.
- São persistentes no meio ambiente e resistem à degradação fotolítica, química e biológica.
- Geralmente têm baixa solubilidade na água e alta solubilidade nos lipídeos (graxas). As substâncias persistentes com esta propriedade tendem a se bioacumular nos tecidos gordurosos dos organismos vivos. No meio ambiente, as concentrações dessas substâncias podem aumentar milhares de vezes, à medida que se movem para os níveis superiores das cadeias alimentares.
- São geralmente semivoláteis. As substâncias persistentes com esta propriedade tendem a se misturar com o ar e viajar por longas distâncias, transportadas pelas correntes. E, posteriormente, a regressar ao solo. Estão

---

110. *El Impacto Ambiental de los Plaguicidas*, palestra proferida na 9ª Jornada Colombiana de Epidemiologia, Bogotá, Colômbia, de 9 a 13 de novembro de 1998. O conteúdo foi traduzido do espanhol, resumido e adaptado do artigo de minha autoria publicado na revista da Associação Colombiana de Engenharia Sanitária e Ambiental (Acodal), Bogotá, Colômbia, n. 183, jun. 1999, p. 20-27.
111. BUCCINI, J. Últimos avances del Foro Intergubernamental sobre Seguridad Química (IFCS). In: *Taller subregional de sensibilización sobre los contaminantes orgánicos persistentes (POPs)*. Div. Eval. Com., Medio Ambiente, Canadá. Cartagena de Indias, Colômbia, jan./1998.

também sujeitas à destilação global, ou seja, à migração de POPs desde as regiões mais quentes às regiões mais frias.
- São, principalmente, produtos e subprodutos da atividade industrial humana de origem relativamente recente. Nas primeiras décadas do século XX, os contaminantes com tais propriedades danosas praticamente inexistiam no meio ambiente[112].

Os POPs, considerando uma lista de doze praguicidas, podem se agrupar em três categorias:
- Na primeira categoria, os praguicidas POPs:
  » Aldrina
  » Clorano
  » DDT
  » Dieldrina
  » Endrina
  » Heptacloro
  » Mirex
  » Toxafeno
- Na segunda categoria, os produtos químicos industriais POPs:
  » Hexaclorobenzeno (esta substância é uma mistura de praguicida e de um produto químico industrial)
  » Bifenilos policlorados (PCB)
- Na terceira categoria, POPs aparecem como produtos imprevistos:
  » Dioxinas
  » Furanos

Existem, atualmente, cerca de seiscentos pesticidas químicos ativos registrados para uso no cultivo de alimentos. Aproximadamente 350 deles correspondem a 98% dos pesticidas usados e 150 se referem a mais de 80% dos pesticidas usados na agricultura dos Estados Unidos.

Os pesticidas, quando usados corretamente, podem salvar até 40% das perdas do cultivo. Todavia, quando usados indevidamente, subutilizados ou, ainda, hiperutilizados, as más consequências para a saúde pública e para o meio ambiente são consideráveis. As Nações Unidas publicaram recentemente uma

---
112. WEINBERG, Jack. Contaminantes orgánicos persistentes: um problema de alcance mundial – perspectiva de uma ONG. In: *Taller subregional de sensibilización sobre los contaminantes orgánicos persistentes (POPs)*. Cartagena de Indias, Colômbia, jan./1998.

lista de produtos químicos que foram proibidos ou têm uso restrito. Na maioria, pesticidas[113].

O uso de pesticidas altamente persistentes, como o DDT, provou ser bastante efetivo na erradicação de doenças do tipo malária; contudo, os efeitos adversos ao ambiente natural foram devastadores – populações inteiras de pássaros sendo eliminadas, por exemplo. Por outro lado, atualmente inverteu-se o problema, havendo enorme resistência dos mosquitos ao DDT.

Por décadas o DDT desempenhou o papel principal nos esforços globais de combate à malária e a outras doenças transmitidas por vetores. Não há dúvida, porém, de que a malária continua sendo uma ameaça global. Ao redor de 2,5 bilhões de pessoas em mais de noventa países estão expostas ao risco de contrair essa enfermidade. É a maior causa de mortalidade no mundo em desenvolvimento. Contribui com 3 milhões de mortes e mais de 500 milhões de casos clínicos agudos a cada ano. A maior parte das mortes acontece na África subsaariana, sendo mais da metade das vítimas crianças menores de 5 anos de idade. A malária mata quatro crianças por minuto, 5 mil diariamente.

O dilema reside no fato de que tanto a malária como os produtos químicos utilizados para controlá-la são uma ameaça à saúde humana. Os produtos químicos também ameaçam a biodiversidade. Por sorte, há programas de controle de doenças mais seguros, tanto para a população como para o meio ambiente. Esses programas mantêm ou melhoram a proteção contra as doenças a um custo aceitável, eliminando o DDT e reduzindo a dependência de inseticidas. Uma das recomendações do World Wildlife Fund (WWF) é que a produção e o uso do DDT devem ser proibidos globalmente para o ano de 2007, no mais tardar, de acordo com a convenção internacional sobre os POPs[114].

Em alguns países, as crianças vêm apresentando excessiva incidência de câncer. Devido a seu alto custo e à dificuldade de realização, esses estudos não têm sido prioritários para a pequena comunidade de imunotoxicológicos ambientais. Porém, é óbvia a necessidade de efetuar outros estudos epidemiológicos, especialmente em populações expostas a maiores riscos.

Os praguicidas contaminam o solo, as águas superficiais e as subterrâneas, além de contaminar as frutas e verduras. Qualitativa e quantitativamente, os praguicidas representam a mais séria ameaça ao meio ambiente por meio dos

---

113. RICHARDSON, Mervyn. Pesticides – friend or foe? *Water Science and Technology*, London, v. 37, n. 8, p. 19-25, apr. 1998.
114. *Las soluciones al dilema del DDT: protección de la biodiversidad y de la salud humana*. Washington, DC: World Wildlife Fund (WWF), jun. 1998.

seus principais componentes orgânicos: inseticidas, fungicidas, aracnicidas, herbicidas, nematocidas, rodenticidas etc. Por não haver dados epidemiológicos, é muito difícil determinar o grau de nocividade dos praguicidas presentes na água. A melhor maneira de evitar a contaminação por praguicidas é por meio de uma campanha de educação sanitária direcionada a agricultores e fazendeiros.

O governo brasileiro importa cerca de 75% dos adubos químicos utilizados na agricultura. Infelizmente, essa dependência externa continua crescente. Em 2014, a produção nacional de fertilizantes encolheu 5,2%, o que prova a falta de planejamento estratégico para o desenvolvimento nacional. Inexiste visão de longo prazo na política agrícola do nosso país[115].

O ano de 2015 foi eleito pela Organização das Nações Unidas (ONU) como o Ano Internacional dos Solos. Parte fundamental do cuidado com o meio ambiente, a conservação do solo tem grande impacto na manutenção e na reserva de água potável do planeta. Mas é preciso também atuar na sua recuperação. A demanda mundial por alimentos e água crescerá cerca de 40% nos próximos trinta anos. Dessa forma, se o mundo não investir na recuperação e na conservação dos solos, terá de dar conta de uma demanda maior com menos áreas produtivas. Isso sem contar o impacto que terá na oferta de recursos hídricos, já que a erosão e o assoreamento de rios (incluindo os excessos de praguicidas em consequência do escoamento superficial) trazem consequências nefastas, tanto para a população – que sofre com enchentes, falta de água e enfermidades de todos os tipos – como para a biodiversidade[116].

Cerca de 28% dos pesticidas utilizados no país não são autorizados pela Agência Nacional de Vigilância Sanitária (Anvisa). A grande maioria dos poluentes químicos emergentes, além dos disruptores endócrinos (anticoncepcionais) são despejados nos corpos hídricos. Existe uma relação muito forte entre as doenças crônicas e o tratamento de água. Segundo Hueper[117], "[...] é óbvio que com o aumento da urbanização e da industrialização e com o aumento da demanda por recursos hídricos, o perigo de riscos de câncer devido ao consumo de água contaminada crescerá consideravelmente no futuro próximo [...]". O

---

115. GRAZIANO, Xico. NPK – soberania roubada. *O Estado de S. Paulo*, São Paulo, 16 de maio de 2015. Disponível em: <http://opiniao.estadao.com.br/noticias/geral,npk-soberania-roubada,1688646>. Acesso em: 12 mar. 2018.
116. CRESTANA, Silvio. O impacto da degradação do solo na água. *O Estado de S. Paulo*, 24 de julho de 2015. Disponível em: <http://economia.estadao.com.br/noticias/geral,o-impacto-da-degradacao-do-solo-na-agua--imp-,1731039>. Acesso em: 12 mar. 2018.
117. HUEPER, W. C. Cancer Hazards from Natural and Artificial Water Pollutants. In: *Proceedings from Conference on Physiological Aspects of Water Quality*. Washington, DC: U.S. Public Health Service, 1960.

estado da Paraíba também está incluído nesses grandes riscos.

O Brasil continua a ser o líder mundial no uso de agrotóxicos. E ainda os isenta (ou reduz a tributação) de impostos como ICMS (redução de 60%), PIS/Cofins e outros mais, enquanto concede incentivos de 34% a medicamentos[118].

E está a se preparar medida provisória (MP) com o propósito de afrouxar as regras do registro de agrotóxicos no país. O texto, redigido pelo Ministério da Agricultura com a colaboração do setor produtivo, cria brecha para o uso de defensivos que hoje seriam classificados como cancerígenos, teratogênicos (com risco de causar má-formação nos fetos) ou mesmo com capacidade de provocar mutações celulares. Presentemente, no Brasil, qualquer produto que preencha alguma dessas características tem o seu lançamento vetado. A mudança seria possível graças à inclusão da expressão "nas condições recomendadas para uso" no texto da lei atual, de nº 7.802, de 1989. Essa incorporação, prevista na MP, permitiria liberar produtos considerados nocivos à saúde em testes de laboratório[119].

Considerando um efluente de esgotos domésticos tratados com vazão de 5.000 $m^3$/ha, destinado à irrigação de algodão, e assumindo que 85% desses nutrientes estejam disponíveis, seria possível a obtenção de fertilizante orgânico natural (sem nenhuma contaminação) da ordem de 425 kg/ha de sulfato de amônia, 251 kg/ha de superfosfato e 156 kg/ha de cloreto de potássio. Além disso, grandes volumes de esgotos deixariam de ser despejados nos cursos de água, evitando a sua poluição[120].

É muito triste saber que 70% dos recursos hídricos dos nossos países (no Brasil, cerca de 69%) são utilizados na agricultura, na maioria das vezes com grande desperdício. Se os efluentes dos esgotos domésticos fossem tratados por meio de sistemas de lagoas de estabilização, que são muito eficientes e econômicas, poderíamos diminuir sobremaneira a utilização desses praguicidas na agricultura, tão nocivos à nossa saúde.

---

118. NOVAES, Washington. Agrotóxicos – liderança indesejável no mundo. *O Estado de S. Paulo*, 8 de julho de 2016. Disponível em: <http://opiniao.estadao.com.br/noticias/geral,agrotoxicos-lideranca-indesejavel-no-mundo,10000061639>. Acesso em: 12 mar. 2018.
119. FORMENTI, Lígia. MP pode afrouxar regras para agrotóxicos. *O Estado de S. Paulo*, 20 de abril de 2017. Disponível em: <http://economia.estadao.com.br/noticias/geral,mp-pode-afrouxar-regras-para-agrotoxicos,70001745113>. Acesso em: 12 mar. 2018.
120. LIBHABER, M. Valor de los fertilizantes en aguas residuales y efluente. In: *Tratamiento y reuso sostenibles de aguas residuales municipales*. Palestra proferida no Simposio Xocomil Científico – Con Atitlán en Mente, Cidade de Guatemala, 25 de outubro de 2017.

Recortes do jornal *Correio da Paraíba*: lançamento de esgotos domésticos, pesticidas e outros despejos industriais na barragem de Marés, João Pessoa, publicado em 14 de junho de 2016; e ameaça de cianobactérias na captação de água em açudes de Alto Piranhas, Espinharas, Rio do Peixe, Borborema e Brejo, na Paraíba, publicado em 22 de junho 2016.

# Alternativas de saneamento para a cidade dos Reis Magos
*Sérgio Rolim Mendonça*[121]

• • •

Estive recentemente em Natal, onde fui informado de que a Companhia de Água e Esgotos do Rio Grande do Norte (Caern) pretende construir um emissário submarino para resolver o problema de saneamento dessa formosa cidade. Na qualidade de nordestino e engenheiro sanitarista, resolvi escrever este modesto artigo para tentar divulgar para a população do estado, principalmente para os natalenses, minha opinião sobre esse assunto deveras polêmico.

Os objetivos das Metas do Milênio representam os meios necessários para que mais de 1 bilhão de pessoas que vivem em condições de extrema pobreza possam levar uma vida produtiva. Sintetizam acordos internacionais subscritos por 191 Estados-Membros das Nações Unidas na Cúpula do Milênio (Nova York, setembro de 2000). São compostos por oito objetivos, dezoito metas e 48 indicadores. O sétimo objetivo é garantir a sustentabilidade do meio ambiente, enquanto a décima meta pretende reduzir à metade, até 2015, a porcentagem de pessoas sem acesso sustentável à água segura e a serviços básicos de saneamento.

No ano de 2025, aproximadamente 3 bilhões de pessoas enfrentarão o impacto da falta de água, principalmente nas áreas áridas e semiáridas do planeta, segundo a Divisão de População das Nações Unidas. Por outro lado, sabemos que 57% do território nordestino, 882.000 km², possuem clima tropical semiárido (castigado periodicamente por secas) e que no estado do Rio Grande do Norte esse clima chega a alcançar o litoral.

O lançamento dos esgotos no mar sempre foi um atrativo para os engenheiros sanitaristas, devido à diluição desses dejetos na grande massa de água dos oceanos. Embora os emissários dispensem os tratamentos biológicos tradicionais,

---

121. Artigo solicitado pelo amigo e colega de turma Flávio Mousinho Moreira, em 2007, para publicação em um jornal de Natal, Rio Grande do Norte. Infelizmente, foi censurado devido ao *lobby* dos construtores que tinham interesse em construir um emissário submarino como alternativa.

sua construção é muito onerosa, pois obrigatoriamente têm que ser construídos em uma só etapa. A diluição deve ser muito grande, de modo a evitar: a transmissão de enfermidades decorrentes do contato dos banhistas com a água do mar; a contaminação, principalmente dos moluscos e crustáceos, com as águas poluídas; a deterioração do aspecto estético das praias pelo retorno de óleos, gorduras ou materiais em suspensão; a perturbação do meio ambiente marinho, principalmente nas imediações do lançamento; e, finalmente, os problemas psicológicos que poderão ocorrer. Outro fator muito importante a considerar é a velocidade dos ventos na cidade de Natal, que é bem acima da velocidade média das capitais nordestinas. Esses ventos poderão facilitar o retorno dos despejos para o litoral. O saudoso pernambucano prof. Antônio Figueiredo Lima cita, em um dos seus trabalhos, uma irônica observação do cientista Hillel Shuval, da Hebrew University of Jerusalem, de que:

> duvidava existir alguém que julgasse aceitável utilizar uma banheira em cuja água fossem despejadas umas poucas xícaras de esgoto – mesmo que uma respeitadíssima comissão técnica assegurasse que, até o momento, não havia sido encontrada evidência de que isso resultasse em doença [...][122].

É interessante observar que meia dúzia de xícaras de esgoto despejadas em uma banheira cheia de água resultam em diluição da ordem de 1:300, que nada mais é do que o valor adotado em alguns projetos de emissários oceânicos.

Atualmente, a agricultura usa cerca de 70% da água doce para irrigação, em sua maior parte com muito desperdício. Além disso, a água usada na agricultura não é reutilizável por efeito da evapotranspiração (40% a 90%). A quantidade de água requerida para produzir um quilo de bife equivale a 13.500 litros. Cada metro cúbico de água usado pela indústria e pelo setor de serviços gera pelo menos duzentas vezes mais riqueza do que um metro cúbico usado para a agricultura. Com a grande escassez de água prevista principalmente nas regiões áridas e semiáridas do planeta, os recursos hídricos automaticamente serão direcionados para as áreas urbanas. Consequentemente, a tendência no futuro deveria ser e terá que ser: água doce para as cidades e águas residuais tratadas para a agricultura.

---

122. LIMA, Antônio Figueiredo. Lançamento de esgotos em áreas litorâneas. In: MENDONÇA, Sérgio Rolim et al. *Projeto e construção de redes de esgotos*. Rio de Janeiro: ABES, 1986. p. 412.

Meu projeto de lagoas de estabilização no bairro da Mangabeira, em João Pessoa (três módulos em paralelo) – Paraíba, 1981. Foto: Dirceu Tortorello.

Meu projeto de lagoas de estabilização em Jequié (dois módulos em paralelo) – Bahia, 1992.

Segundo estudos realizados pela Organização Pan-Americana da Saúde (Opas/OMS), 40% das mortes na América Latina, na sua maioria de crianças e idosos, são causadas por doenças parasitárias. Em palavras mais simples, essas mortes são causadas pela contaminação por vermes e parasitas, e não pelas bactérias de origem fecal. Uma lombriga fêmea (*Ascaris lumbricoides*), o maior dos nematoides, chega a produzir 200 mil ovos por dia. Nossos esgotos, principalmente nas regiões mais pobres, chegam a conter mil ovos de helmintos por litro. Qualquer pessoa, por mais forte que seja, se ingerir apenas um ovo de helminto, será infectada de imediato.

Os sistemas de lagoas de estabilização são a tecnologia preferida para proporcionar efluentes que podem ser usados na agricultura e na aquicultura, principalmente em climas tropicais. Os sistemas de lagoas são o único sistema natural que pode produzir efluentes em consonância com as diretrizes da OMS, tanto para a qualidade bacteriológica como para a eliminação dos ovos de helmintos. Essas lagoas devem ser construídas longe dos centros urbanos, nas áreas periurbanas ou ainda mais afastadas da cidade. Se necessitarmos construir emissários mais longos, qual é o problema? As demais vantagens serão enormes. A norma 91/271/EEC da Comunidade Europeia considera, no caso de comparação de efluentes finais de lagoas de estabilização com efluentes de sistemas de lodos ativados (o mais sofisticado e custoso tratamento de esgotos), que os efluentes dessas lagoas devem ser filtrados para que as algas que existem nesses despejos não sejam consideradas, por aumentarem o valor da matéria orgânica, prejudicando em consequência essa comparação. Além disso, os efluentes dos sistemas de lodos ativados não eliminam os ovos de helmintos, mesmo que esses despejos sejam tratados com produtos químicos como o cloro ou mesmo por radiação ultravioleta. Portanto, o reúso dos esgotos domésticos tratados na agricultura é e será muito importante para nossa região. A título de exemplo, a aplicação de 20 mil $m^3$/ha/ano de águas residuais tratadas pode fornecer para a agricultura, em média, 300 kg/ha de nitrogênio e 60 kg/ha de fósforo. É notória a grande economia de adubos e fertilizantes químicos com o reúso dessas águas.

O sistema de lagoas, além de tender a descarga zero nos corpos receptores, poderá utilizar áreas mais distantes e mais baratas para sua construção, além de uma gestão mais responsável e eficiente na respectiva bacia hidrográfica. Em relação ao uso agrícola, haverá, com certeza, economia na qualidade sanitária do efluente em função de cada cultura a ser irrigada (cada cultivo suporta um valor diferente para a quantidade de bactérias do grupo dos coliformes fecais), a matéria orgânica e os nutrientes naturais existentes nos esgotos serão aproveitados, o entorno ecológico urbano poderá ser melhorado por meio de reflorestamento e aumentará a oferta de emprego e de alimentos seguros.

No Chile, há mais de trinta cidades que utilizam emissários submarinos para o tratamento de esgotos domésticos. Temos de convir que tal solução foi adotada devido à forma peculiar desse país, com solo muito acidentado e com poucas áreas disponíveis para a construção de estações de tratamento de esgotos – o que não é o caso do Nordeste brasileiro. Por isso, é muito importante que se defina com cuidado e por meio de estudo criterioso a solução definitiva para o tratamento dos esgotos da capital potiguar.

# Terremotos e a escala Richter
*Sérgio Rolim Mendonça*[123]

No início de setembro de 2014, realizamos uma viagem ao Chile, quando pudemos visitar a capital, Santiago, e passar três dias em Puerto Montt, onde estão localizados os lagos andinos. Era um grupo de três casais: Lucinha e eu, minha irmã Selda e meu cunhado Horácio Neves, e meu amigo de longa data, o gaúcho Paulo Otton, e sua esposa Marilene.

Durante um dos passeios, estivemos em Valdívia. Foi nessa cidade, situada na costa central do Chile, que ocorreu o maior terremoto dos últimos cem anos, no dia 22 de maio de 1960. Está localizada a aproximadamente 200 km de Puerto Montt e Puerto Varas, área dos grandes lagos chilenos. Esse grande tremor de terra ficou conhecido como o Grande Terremoto, uma vez que foi o abalo de maior intensidade já registrado na história, com 9,5 graus na escala Richter. Esse fenômeno gerou um grande *tsunami* com ondas de até 10 m de altura e erupções vulcânicas, atingindo o litoral da América do Sul, chegando a 10 km no Havaí, apagando do mapa cidades inteiras da costa chilena e atingindo fortemente, ainda, Santiago e Concepción nesse país andino. Cerca de 5 mil pessoas morreram e 2 milhões ficaram desabrigadas.

Meu amigo Paulo Otton, conversando sobre essa tragédia, me deu a ideia de escrever um pouco sobre o assunto, sabendo que eu havia trabalhado durante cinco anos como assessor em saúde e ambiente da Opas/OMS, na Colômbia, e tido oportunidade de participar, em janeiro de 1998, de uma missão de ajuda técnica na cidade de Armênia após a ocorrência de um grande terremoto na área de abastecimento e tratamento de água, esgotos sanitários e resíduos sólidos. Além disso, no nosso país, por não sofrer esse tipo de desastre natural, pouco se sabe sobre esse tema. Eu também estivera nessa cidade anteriormente, durante dois dias, junto do representante da Opas/OMS na Colômbia, dr. Hernán

---

123. Artigo escrito em 23 de setembro de 2014.

Málaga, de nacionalidade peruana, e do médico nicaraguense dr. Humberto Montiel, para receber a comenda dada à organização pelos relevantes trabalhos realizados no país na área de saúde ambiental, da qual eu era o coordenador. Essa láurea foi outorgada à organização pela Associação Colombiana de Engenharia Sanitária e Ambiental (Acodal). Por coincidência, durante aquele terremoto, o hotel onde havíamos nos hospedado alguns meses antes foi destruído totalmente, falecendo todas as pessoas que estavam no edifício, inclusive uma equipe argentina completa de futebol.

## Conceitos

Inicialmente é importante que conheçamos algumas definições referentes ao tema, apresentadas a seguir, para entendermos melhor o assunto.
- Terremoto: liberação súbita e brusca de energia acumulada pela deformação lenta da superfície da Terra, que se propaga em forma de onda sísmica.
- Hipocentro: ponto onde se inicia o terremoto.
- Epicentro: ponto da superfície situado na vertical do foco ou hipocentro.
- Réplicas: terremotos menores que ocorrem depois do terremoto principal.
- Magnitude: parâmetro idealizado por Richter que indica o tamanho e a energia liberada pelo terremoto em forma de onda sísmica.
- Intensidade: parâmetro que indica o efeito das sacudidas em um lugar afetado pelo terremoto.

## Algumas orientações de saneamento e de sobrevivência após um terremoto

Os registros epidemiológicos indicam que depois de um terremoto é muito comum um aumento de infecções respiratórias e diarreicas. Muitas dessas infecções são resultado da acumulação de resíduos domésticos e matéria orgânica putrescível, que impactam negativamente na saúde da população, já afetada por traumas de diversas índoles. Lodos, escombros, restos de demolição e a grande quantidade de cinza produzem infecções respiratórias e de pele. Os resíduos potencialmente perigosos, como os gerados em estabelecimentos de saúde, e os produtos químicos tóxicos também potencializam muito o risco se não receberem um adequado tratamento ou disposição final.

Durante os primeiros dias da fase emergencial, a quantidade mínima de água requerida para sobrevivência, de acordo com a OMS, é de 5 litros por pessoa por dia. No próximo estágio da fase de emergência, a quantidade de água disponível deve ser aumentada rapidamente para de 15 a 20 litros por pessoa diariamente.

Os esgotos devem ser evacuados por infiltração no solo em valas sempre que possível.

Se você estiver em sua cama durante a noite e acontecer um terremoto, simplesmente saia da cama e se deite no piso ao seu lado. Sempre existirá um vazio ao redor da cama. Os hotéis teriam maior quantidade de sobreviventes se colocassem detrás das portas um aviso que dissesse expressamente que, em caso de terremoto, as pessoas deveriam se deitar no piso ao lado da cama.

## A escala Richter

A escala Richter é um sistema criado há setenta anos por dois cientistas americanos para medir os movimentos sísmicos na Califórnia. Nascido nos Estados Unidos em 1905 e falecido em 1985, Charles Richter pôs em prática, em 1935, junto com o colega Beno Gutenberg, do California Institute of Technology, a escala de medida sismográfica que leva seu nome. Entretanto, a história não conservou o nome de Beno Gutenberg. No princípio, a escala estava destinada a medir unicamente os tremores que aconteciam na Califórnia (oeste dos Estados Unidos). A escala Richter mede a magnitude, ou seja, a potência do tremor em um determinado lugar e os danos que provoca.

Tecnicamente, a escala Richter corresponde ao logaritmo da amplitude das ondas a 100 km do epicentro. A escala utiliza um valor de referência definido localmente como a amplitude máxima teórica. Na origem, a escala Richter estava graduada de 1 a 9, já que terremotos mais fortes pareciam impossíveis na Califórnia. Mas não existe limite teórico a essa medida no que se refere a outras regiões do mundo, e por isso agora se fala de "escala aberta" de Richter.

Um terremoto de menos de 3,5 graus é apenas registrado pelos sismógrafos. Entre 3,5 e 5,4, já pode produzir danos. Entre 5,5 e 6, provoca danos menores em edifícios bem construídos, mas pode causar maiores danos em outros. Já um terremoto entre 6,1 e 6,9 na escala Richter pode ser devastador numa zona de 100 km. Entre 7 e 7,9, pode causar sérios danos numa grande superfície. Os terremotos acima de 8 podem provocar grandes danos em regiões localizadas a várias centenas de quilômetros do epicentro.

# Equação de Richter

A amplitude máxima de um terremoto pode ser calculada pela equação de Richter:

$$M = \log \frac{A}{A_0}$$

em que:
M = magnitude do terremoto;
A = amplitude máxima do terremoto;
$A_0$ = amplitude de referência.

**Exemplo:** o terremoto que produziu ondas gigantescas (*tsunamis*) que causaram a morte de mais de 23 mil pessoas na Ásia, em dezembro de 2004, alcançou o nível 9 na escala Richter. Em 1999, houve um terremoto na Grécia que alcançou o valor de 6 nessa mesma escala. Quantas vezes o terremoto da Ásia foi mais forte que o terremoto da Grécia?

Em função da equação de Richter, poderemos escrever:

$$M_1 - M_2 = \log \frac{A_1}{A_0} - \log \frac{A_2}{A_0} = \log \left( \frac{A_1}{A_0} x \frac{A_0}{A_2} \right) = \log \frac{A_1}{A_2} \therefore$$

$$9{,}0 - 6{,}0 = 3{,}0 = \log 10^3 = \log \frac{A_1}{A_2} \therefore 1.000 = \frac{A_1}{A_2} \therefore A_1 = 1.000 A_2$$

O terremoto da Ásia foi mil vezes mais forte que o terremoto da Grécia.

# Energia liberada em um terremoto

A energia liberada em um terremoto é estimada pela seguinte equação:

$$I = \frac{2}{3} \log \left( \frac{E}{E_0} \right)$$

em que:
I = amplitude máxima do terremoto na escala Richter;
E = energia liberada em um terremoto, em kWh;
$E_0$ = energia padrão de referência, igual a $7 \times 10^{-3}$ kWh.

**Exemplo:** qual a energia liberada no terremoto do Chile, em 1960, com intensidade 9,5 na escala Richter?

Utilizando a equação para a estimativa da energia liberada em um terremoto, podemos escrever:

$$\frac{3}{2}I = 1,5I = log\frac{E}{E_0} = log10^{1,5I} \therefore \frac{E}{E_0} = 10^{1,5I} \therefore E = E_0 x 10^{1,5I} \therefore$$

$$E = 7x10^{-3}x10^{1,5x9,5} = 1,24480x10^{12} = 1.244.800.000.000 \text{ kW/h}$$

Portanto, a energia liberada no terremoto do Chile correspondeu a aproximadamente 1.244.800.000.000 (um quatrilhão, duzentos e quarenta e quatro trilhões e oitocentos bilhões) kWh. Considerando que o consumo de energia de meu apartamento, no mês de agosto de 2004, foi de 348 kWh, a energia liberada por esse terremoto seria suficiente para energizá-lo durante 3.577.011.494 (três bilhões, quinhentos e setenta e sete milhões, onze mil quatrocentos e noventa e quatro) meses.

Diploma que recebi da Opas/OMS, assinado pelo diretor,
sir George Alleyne, após a missão realizada em Armênia, na Colômbia –
Washington, DC, Estados Unidos, 15 de março de 1999.

# A origem do número π
*Sérgio Rolim Mendonça*[124]

---

O número π representa a relação entre o comprimento da circunferência e seu diâmetro, ou seja: $\pi = L/d$. Como o diâmetro de uma circunferência é igual ao dobro do comprimento do raio, essa relação também pode ser expressa por: $\pi = L/2r$. É um número irracional, ou seja, nunca será um número exato.

A primeira tentativa para se fazer uma medição precisa do número π foi feita por Arquimedes, no século III a.C. Ele notou que, para medir π com precisão, primeiro tinha que medir, também de forma precisa, o comprimento de uma circunferência. Porém, esta tarefa era muito difícil, porque as circunferências são formadas por linhas curvas, e não retas. O grande avanço de Arquimedes foi resolver o problema da medição das curvas, aproximando-se à forma de uma circunferência por meio de linhas retas.

Para que seja possível o entendimento da estimativa do valor do número π, no nosso caso, é necessário que se conheça previamente o teorema de Pitágoras, ou seja, "em qualquer triângulo retângulo, a soma do quadrado da hipotenusa é igual à soma dos quadrados dos catetos"[125].

Consideremos uma circunferência com um diâmetro $d$ igual a uma unidade. Sabemos que o comprimento do círculo é dado por $L = \pi d$, o que significa, neste caso, que esta circunferência tem um comprimento $L = \pi$.

Para tentar resolver este problema, Arquimedes desenhou duas figuras (Figura 1), a primeira com uma circunferência dentro de um quadrado e a segunda, com um quadrado dentro da circunferência, ambas com $d$ igual a 1[126].

Naturalmente, o comprimento da circunferência real deve ser menor que o perímetro do quadrado grande e maior que o perímetro do quadrado pequeno.

---

124. Artigo escrito em 2015 para incentivar meus netos Gustavo e Caio Mendonça Campos ao estudo da matemática.
125. MARQUES, Sofia Cardoso; Sociedade Brasileira de História da Matemática. *A descoberta do teorema de Pitágoras – história da matemática para professores*. São Paulo: LF Editorial, 2011.
126. Adaptado de: SINGH, Simon. *Los Simpsons y las matemáticas*. Barcelona: Ariel, 2013. Singh é o autor do enigma de Fermat.

Assim que medirmos os perímetros dos quadrados, podemos obter os limites superior e inferior do comprimento dessa circunferência.

O perímetro do quadrado grande é muito fácil de medir, ou seja, $P = 4d$, ou igual a 4 unidades. O perímetro do quadrado pequeno é um pouco mais difícil de medir. Porém, usando o teorema de Pitágoras, pode-se calcular o comprimento de cada lado do quadrado.

A diagonal do quadrado pequeno e dois dos seus lados formam um triângulo retângulo. A hipotenusa do triângulo é igual ao diâmetro $d$ da circunferência, que, por sua vez, é igual a 1.

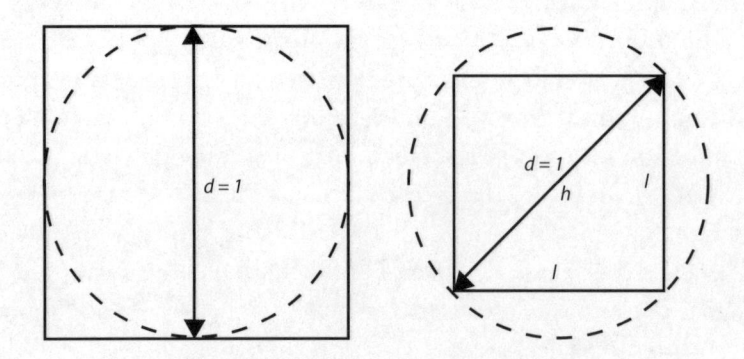

Figura 1. Desenhadas por Arquimedes, a figura da esquerda mostra uma circunferência dentro de um quadrado, e a da direita, um quadrado dentro da circunferência. Em ambas, $d$ é igual a 1.

De acordo com o teorema de Pitágoras, sabemos que o quadrado da hipotenusa é igual à soma dos quadrados dos catetos. Portanto, $h^2 = l^2 + l^2 = d^2 = 1$. Se $d$ é igual a 1, os outros dois lados do triângulo devem ter um comprimento igual a $\frac{1}{\sqrt{2}}$ cada um, pois sabemos que $(\frac{1}{\sqrt{2}})^2 + (\frac{1}{\sqrt{2}})^2 = 1$ .

Deduzimos, então, que o perímetro do quadrado pequeno é igual a:

$$p = 4x\frac{1}{\sqrt{2}} = 4x\frac{\sqrt{2}}{2} = 2\sqrt{2} = 2x1,414 = 2,828 \text{ unidades}$$

Em função dos resultados obtidos, podemos ter certeza absoluta de que o comprimento da circunferência deverá estar compreendido entre 2,828 e 4 unidades, porque esse comprimento deve ser menor que o perímetro do quadrado grande e maior que o perímetro do quadrado pequeno.

Anteriormente, havíamos estabelecido que uma circunferência com diâmetro $d$ igual a 1 unidade tem um comprimento igual a $\pi$. Portanto, o valor de $\pi$ deve estar compreendido entre 2,828 e 4.

A grande descoberta de Arquimedes foi que esse cálculo poderia ser aprimorado cada vez mais, sendo possível obter um valor de $\pi$ muito próximo do seu valor real. O passo seguinte foi a introdução de um hexágono grande e de outro pequeno na circunferência com diâmetro $d$ (Figura 2).

$$P = 6l = 6x\frac{d}{2} = 3d = 3 \text{ unidades}$$

No caso do hexágono inscrito na circunferência, seu perímetro será:
Quando a circunferência estiver inscrita no hexágono, teremos, pelo teorema de Pitágoras (Figura 2):

$$l_1^2 = (\tfrac{l_1}{2})^2 + (\tfrac{d}{2})^2 \therefore l_1^2 - \tfrac{l_1^2}{4} = \tfrac{d^2}{4} = 3\tfrac{l_1^2}{4} \therefore l_1^2 = \tfrac{d^2}{3} \therefore l_1 = \tfrac{d}{\sqrt{3}} = d\tfrac{\sqrt{3}}{3} = \tfrac{\sqrt{3}}{3}$$

O perímetro desse hexágono será igual a:

$$P_1 = 6l_1 = 6\frac{\sqrt{3}}{3} = 2\sqrt{3} = 2x1{,}732 = 3{,}464$$

Portanto, o número $\pi$ deverá estar compreendido entre 3 e 3,464 unidades.

O hexágono tem mais lados que o quadrado e, por isso, aproxima-se mais da circunferência. Essa é a razão pela qual os limites dos intervalos do número $\pi$ são mais aproximados. Arquimedes continuou sua pesquisa, repetindo o seu método com polígonos com mais lados, usando formas próximas da circunferência.

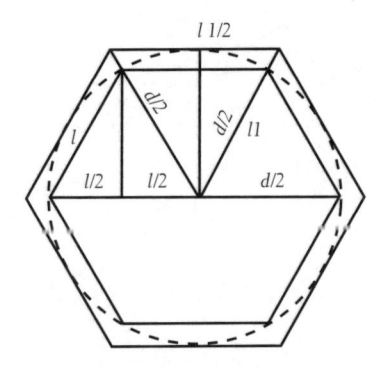

Figura 2. Circunferência inscrita no hexágono.

Mesmo assim, ainda existia grande margem de erro. Arquimedes resolveu, então, repetir seu método, a cada vez, com polígonos que tivessem mais lados, utilizando formas mais próximas da circunferência. Com essas experiências sucessivas, Arquimedes efetuou cálculos até chegar a polígonos com 96 lados, calculando os perímetros com ambas as formas. Isso foi façanha impressionante, sobretudo sabendo-se que Arquimedes desconhecia a notação algébrica moderna, não tinha conhecimento de números decimais e tinha que fazer todos os cálculos à mão. Com todo esse esforço, Arquimedes conseguiu fixar os limites do número $\pi$ entre 3,141 e 3,143.

Somente no século V, oitocentos anos depois, o matemático chinês Zu Chongzhi daria um passo mais avançado que Arquimedes. Usou dois polígonos de 12.188 lados cada um para provar que o número $\pi$ se encontrava entre 3,1415926 e 3,1415927.

A utilização de polígonos para a determinação do número $\pi$ chegou ao ápice no século XVII, quando o holandês Ludolph van Ceulen empregou polígonos com mais de 4 trilhões de lados para calcular até 35 casas decimais de $\pi$. Após a sua morte, em 1610, foi gravado na lápide de sua tumba que $\pi$ era maior que 3,14159265358979323846264338327950288 e menor que 3,14159265358979 323846264338327950289. Como vimos, $\pi$ é um número irracional, isto é, nunca será um número exato.

Felizmente, para efeitos práticos, é suficiente adotar 3,1416 para o valor de $\pi$.

## Resumo da biografia de Arquimedes[127]

Arquimedes (287-212 a.C.) foi um físico, matemático e inventor grego. A "Espiral de Arquimedes" e a "Alavanca" são algumas de suas invenções.

Nasceu na colônia grega de Siracusa, na Sicília. Era filho de Fídias, um astrônomo grego que costumava reunir em sua casa a elite de filósofos e homens da ciência. Estudou em Alexandria, que na época era o centro intelectual do mundo, e teve contato com o que havia de mais avançado na ciência do seu tempo, convivendo com grandes matemáticos e astrônomos, entre os quais Eratóstenes de Cirene, o matemático que fez o primeiro cálculo da circunferência da Terra.

Arquimedes é considerado o maior matemático da Antiguidade, a quem Plutarco creditou uma inteligência bem acima do normal. Contam-se muitas

---

127. Adaptado de: Arquimedes. Disponível em: <www.e-biografias.net/arquimedes> e <www.infoescola.com/biografias/arquimedes>. Acessos em: 29 ago. 2015.

lendas sobre ele. Uma das mais conhecidas e divulgadas é a que se refere ao método que utilizou para comprovar se teria havido fraude na confecção de uma coroa de ouro pedida por Hierão II, tirano de Siracusa e protetor de Arquimedes. Ao tomar banho, Arquimedes percebeu que a água transbordava da banheira à medida que mergulhava nela. Essa observação lhe permitiu resolver a questão que lhe havia sido proposta pelo tirano. Arquimedes precisava determinar a densidade da coroa e compará-la com a do ouro. Mergulhando a coroa em água, ele pôde calcular o volume de água deslocado e chegar à sua densidade. Conta-se que, ao descobrir como detectar se a coroa era ou não de ouro, tomado de muita alegria, partiu correndo nu pelas ruas de Siracusa em direção à casa de Hierão, gritando "Eureka! Eureka!", ou seja, "Descobri! Descobri!". Graças a ele, se chegou à ideia da gravidade específica, denominada "princípio de Arquimedes", no qual afirmou: "Qualquer corpo mais denso que um fluido, ao ser mergulhado neste, perderá peso correspondente ao volume de fluido deslocado". Passou, então, a comparar o peso do volume dos materiais com o peso correspondente de água.

Inventou um dispositivo em espiral para elevar água, o "Parafuso de Arquimedes", o qual consiste numa espécie de mola espiral ajustada dentro de um cilindro que, ao girar, faz a água subir por ele. Esse tipo de bomba é muito usado atualmente para recalcar esgotos domésticos quando existem pequenos desníveis geométricos nesses sistemas. Arquimedes desenvolveu também as fórmulas da área da superfície e do volume da esfera, além de fórmulas adequadas a melhor ajustar a esfera aos cilindros. Voltou-se à criação de engenhos de guerra, havendo desenvolvido a alavanca, que permite mover pesadas cargas. Seu conhecimento de alavancas veio a ser usado em catapultas. Declarou: "Deem-me um ponto de apoio e uma alavanca e moverei a Terra". Criou enormes espelhos destinados a dirigir os raios solares para as velas dos navios inimigos, ateando-lhes fogo. Projetou também grandes gruas para agarrar e virar as embarcações inimigas. A eficiência dos engenhos bélicos criados por Arquimedes resistiu por três anos durante as invasões de Siracusa pelas tropas do general romano Marco Cláudio Marcelo. No ano 212 a.C., mesmo recebendo ordens para que a vida de Arquimedes fosse poupada, um soldado, com golpe de espada, matou o grande inventor.

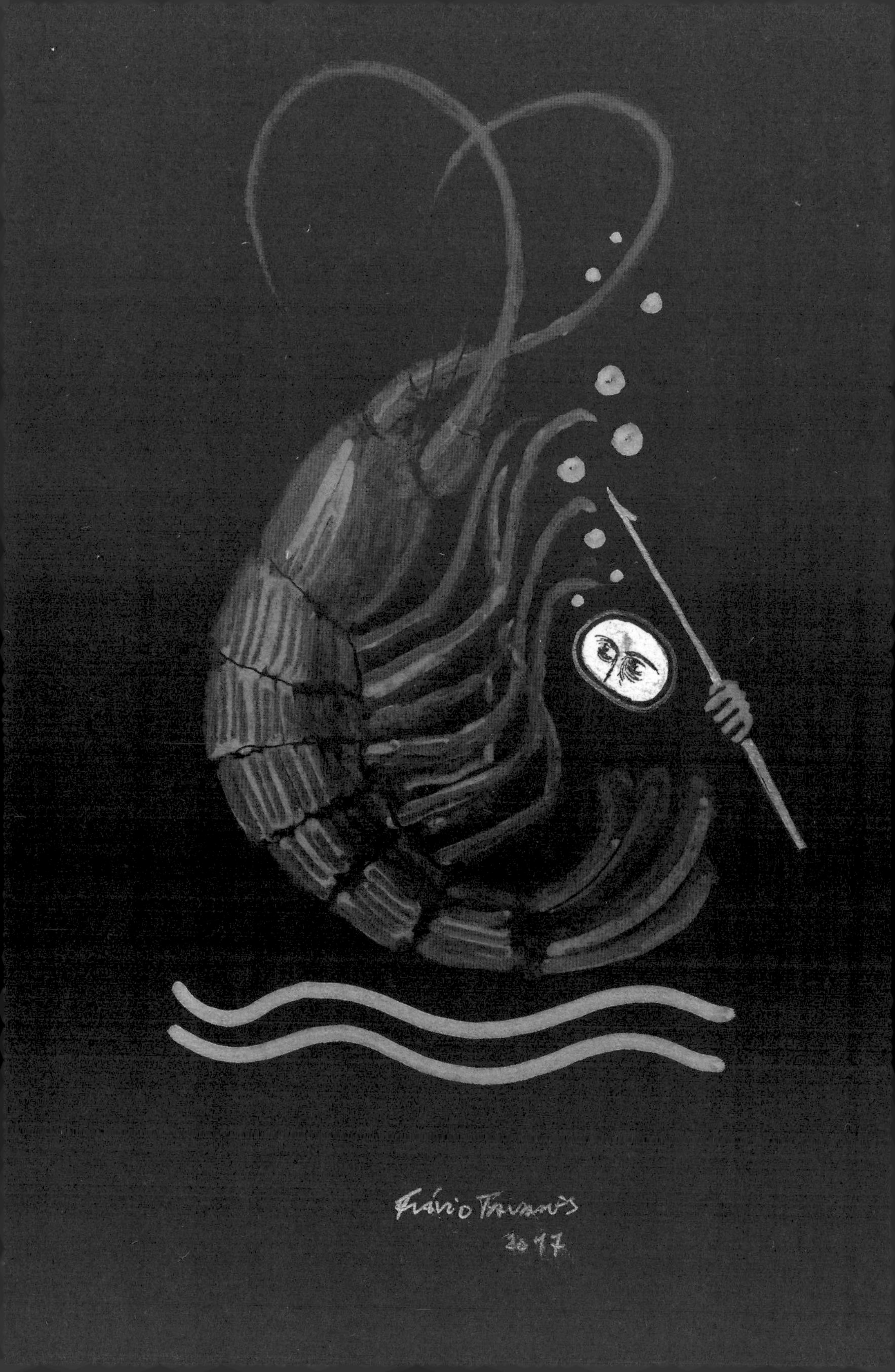

# O caçador de lagostas
### Sérgio Rolim Mendonça

## Introdução

Lagosta é nome comumente dado a uma grande diversidade de espécies de crustáceos decápodes marinhos da subordem *Palinura*. Os palinurídeos caracterizam-se por terem as antenas do segundo par bastante alongadas e os urópodes, em formato de leque. Em zoologia, chamam-se urópodes os dois pares de apêndices do último segmento abdominal de muitos crustáceos, tais como camarões e lagostas. Têm a forma de lâminas móveis e podem servir para auxiliar na natação.

As lagostas podem atingir grande tamanho e peso acima de 2 kg. Têm grande importância econômica, pois são consideradas alimentos de luxo. O nome comum tem apenas base morfológica, razão pela qual não tem significado taxonômico preciso para além do nível de subordem. Habitam, de preferência, o alto-mar, ainda que muitas venham se abrigar nas pedras em locais mais rasos. Existem mais de dez tipos de lagostas. O tipo aqui apresentado é o que predomina no oceano Atlântico, e o estampado na capa é o que predomina no Pacífico.

## O mundo silencioso

No ano de 1943, com ajuda do engenheiro Émile Gagnan, o oceanógrafo Jacques Yves Cousteau construiu o primeiro aparelho de respiração subaquática, o "scuba", princípio do escafandro autônomo, a que deu o nome de Aqua Lung ("pulmão aquático", em português). Publicou, em 1948, seu primeiro livro, *Par dix-huit mètres de fond* ("Aos 18 metros de profundidade", em tradução livre). Lord Guinness, um patrocinador britânico, comprou-lhe um velho navio caça-minas inglês em 1950 para que pudesse utilizar em suas explorações. Com o Aqua Lung, o mundo que existia debaixo da superfície oceânica, em grande parte totalmente inexplorado, foi aberto como nunca. Ele desenvolveu câmeras e fotografia subaquáticas que foram, inclusive, utilizadas pela Marinha da França para explorar navios naufragados. Em seu tempo livre, Cousteau explorou restos de navios antigos e estudou a vida suboceânica[128].

O capitão Cousteau converteu o barco patrocinado por Guinness em um navio oceanográfico, batizando-o de Calypso. Em 1953, publicou O mundo silencioso, em inglês, embora fosse francês e oficial da Marinha. Quando jovem, cursou uma escola nos Estados Unidos, por onde viajou muito. Seus dois companheiros de equipe eram Philippe Tailliez e Frédéric Dumas – este último, coautor do livro. Ante o sucesso da publicação, iniciou o trabalho de uma versão cinematográfica, cuja realização foi efetivada pelo diretor Louis Malle. Três anos mais tarde, O mundo silencioso, o filme, estrearia com aclamação mundial. A produção, que revelou ao público o universo oculto de peixes tropicais, baleias e morsas, conquistou o Oscar de melhor documentário e a Palma de Ouro no Festival Cinematográfico de Cannes.

No começo de suas experiências, Cousteau tinha muito medo de tubarões. Quando ele e sua equipe puderam visitar o Institut Français d'Afrique Noire, em Dacar, na África, mostraram-lhe fotografias oficiais de objetos encontrados em estômagos de tubarões, entre eles um tambor de madeira e os restos de um pé humano. Por isso, o invento de uma gaiola contra tubarões, dentro da qual descia o mergulhador. Seu companheiro de trabalho, Frédéric Dumas, seria o primeiro a utilizar tal aparato, confessando haver se sentido ridículo dentro da gaiola. A ideia, contudo, era a de fornecer aos mergulhadores um refúgio rápido sob as águas. Posteriormente, vieram a se convencer de que o perigo com os tubarões não era tão grande como supunham[129].

## O início da pesca submarina na Paraíba

Adquiri, em 1957, quando contava 13 anos de idade, exemplar de O mundo silencioso. Fiquei fascinado. Três anos depois, a passeio pelo Rio de Janeiro, li uma das obras-primas de Ernest Hemingway (1899-1961), The Old Man and the Sea[130], tida por William Faulkner como sua melhor obra. Hemingway obteve o Prêmio Pulitzer em 1953 e no ano seguinte foi laureado com o Prêmio Nobel de Literatura.

---

128. Hoje na História: 1953 – Oceanógrafo Jacques Cousteau publica "O mundo silencioso". Disponível em: <http://operamundi.uol.com.br/conteudo/historia/26921/hoje+na+historia+1953+-+oceanografo+jacques+cousteau+publica+o+mundo+silencioso.shtml>. Acesso em: 24 dez. 2017.
129. COUSTEAU, Jacques Yves; DUMAS, Frédéric. O mundo silencioso. [S. l.], Mérito, 1955.
130. HEMINGWAY, Ernest. The Old Man and the Sea. London: Jonathan Cape, 1958.

Àquela altura, alguns paraibanos começavam a se interessar pela pesca submarina, dentre eles Arael Menezes da Costa, Rubem Rangel, Jair Miranda, Renato Hortêncio da Silva, Wilson da Silva Veloso (Velosão), Walter Delgado, Gualberto Costa (Noca), Moacyr Rolim, Rubens Carneiro Leão (Rubão) e sua esposa Betty, filha de um dos grandes amigos do meu avô, Epitácio de Brito. Em minha modesta opinião, o mais destacado pescador entre os reportados foi, sem dúvida, Wilson Veloso. Era um grande atleta, tinha fôlego impressionante, chegava a passar cinco minutos sem respirar embaixo d'água.

Da minha geração merecem destaque três companheiros e amigos: Roberto Jardim, meu colega de voleibol juvenil da equipe do Colégio Marista Pio X, campeã dos I Jogos Ginásio-Colegiais, em 1959; Roberto Neves (Bodó), grande atleta em várias modalidades, irmão do meu cunhado Horácio Ribeiro Neves; e, ainda, George Cunha, também colega do Colégio Marista, engenheiro civil dedicado à engenharia sanitária e, nos dias atuais, meu confrade na Academia Paraibana de Engenharia. Foi ele, George Cunha, quem se dedicou por mais tempo à pesca submarina. Com o passar do tempo, se tornaria, também, historiador, com estudos sobre as embarcações naufragadas em nosso litoral, tendo, inclusive, em 27 de julho de 2017, ministrado palestra na Academia Paraibana de Medicina sobre o tema "Naufrágios e vestígios arqueológicos no litoral da Paraíba". Naquela ocasião, apresentou também uma exposição de vários objetos recuperados nos mergulhos que fez, tais como louças, âncoras e garrafas. Registre-se que, em 17 de dezembro de 2017, o jornal *Correio da Paraíba* publicou reportagem que abordava suas pesquisas sobre despojos de navios.

## Minha vida como pescador de lagostas

Recebi como presente do meu pai, no Natal de 1957, uma máscara para mergulho, um par de pés de pato e um *snorkel*. *Snorkel* é aquele canudinho que permite ao mergulhador respirar durante o mergulho; é usado em diversos tipos de mergulho, e vários são os modelos. A maioria dos *snorkels* permite que a pessoa mergulhe por cerca de dois minutos antes de ter de voltar à superfície para respirar. Atualmente já existe no mercado um tipo de *snorkel* que permite mergulhar por mais de dez minutos.

A partir de 1920, foram construídos vários currais para aprisionamento de peixes na Praia do Poço. Segundo Borges[131], havia seis currais nessa praia. Bem em frente ao pavilhão, próximo à Capela de Nossa Senhora da Conceição,

---

131. BORGES, Haroldo Escorel. *Retalhos da vida*. João Pessoa: Paraibana, 2004.

subordinada à Paróquia de Cabedelo, estava um curral pertencente a Raul Carvalho (um dos maiores proprietários de imóveis da Praia do Poço). O curral da Praia de Ponta de Campina pertencia a Marinheiro, passado depois a Adalício Alverga. Na Boca da Barreta, o dono era Álvaro Jorge. Havia mais currais ao Norte (dois ou três), na direção de Camboinha. É interessante salientar que, na capela da Praia do Poço, foi celebrado o casamento dos médicos Vanildo Guedes Pessoa e Maria Lourdes de Brito (Lourdinha), filha de Epitácio de Brito.

Esses currais eram construídos de mourões muito grossos e longos fincados na areia. Entretanto, nenhum ficava à beira-mar. Não sei a razão, mas na época em que comecei a pescar, havia várias linhas de tocos dessas estacas, já bastante danificadas, com incrustações marinhas na sua superfície, indo todas da beira-mar em direção ao mar. Mesmo com a maré cheia, era possível visualizar os tocos que restavam desses mourões. Vários deles, já apodrecidos, se rompiam com o vaivém das ondas, alojando-se no fundo da água. Com o passar do tempo, os sargaços e restos de vegetação marinha se misturavam a esses tocos, formando o *habitat* ideal para a vivenda de lagostas e moreias.

Iniciei a minha vida de pescador mergulhando ao lado desses tocos, a profundidade muito baixa (a última estaca deteriorada marcava posição que não ultrapassava a profundidade de 2,5 m). Encontravam-se ali, com facilidade, muitas lagostas. Vez por outra, enquanto enfiava meu tridente de Netuno entre as algas e os restos de madeira, via surgir, com alguma frequência, moreias, a maioria de cor verde, que me metiam muito medo. Netuno, denominação da mitologia romana, era uma das divindades do mar. Na mitologia grega, era conhecido como Poseidon. Deus das águas subterrâneas e submarinas, carregava invariavelmente o tridente ou arpão de três pontas para, com tal instrumento, capturar as almas de seus inimigos.

Com a facilidade que tinha em virtude das embarcações do meu avô Romualdo, sempre havia algum barco disponível para pescar. O filho de um dos seus pescadores, Batista Modesto, costumava me acompanhar, manejando a jangada para pescarmos nas pedras, junto aos corais que separam o alto-mar da praia. A mãe de Batista, dona Blandina, havia sido uma das amas de Coriolano de Medeiros e da minha bisavó Neném. Confesso que sempre fui muito preguiçoso para a prática de esportes náuticos. Tanto é assim, que jamais aprendi a manejar qualquer tipo de embarcação. O que gostava mesmo de fazer era mergulhar a baixas profundidades e ficar observando toda a beleza do fundo do mar. Além do mais, sempre fui muito medroso; quando fazia pesca submarina, ficava sempre boiando e mergulhando em sequência. Como a máscara usada

Lagosta sobre corais. Foto: Peter Southwood/Wikimedia Commons.

não possui retrovisor, como saber se haveria algum tubarão nas imediações? Devido à facilidade de encontrar muitas lagostas na praia, e também de haver passado mais de quarenta anos na convivência da Praia do Poço, dediquei-me a pescá-las durante todo esse tempo. Apresento mais adiante uma foto segurando uma lagosta de dois quilos e, a meu lado, o amigo Noca (Gualberto Costa), com quem jogaria tênis por muitos anos. Tive o privilégio de descobrir essa lagosta escondida nas locas, mas, por ser muito jovem e inexperiente, não tive coragem de arpoá-la. Apontei-a a Noca, que a fisgou com um tiro certeiro da sua espingarda de mola.

O freezer do nosso refrigerador estava sempre abarrotado de lagostas. A lagosta, em minha opinião, é o filé do mar. É o meu prato preferido e também o mais apreciado pela minha querida esposa Lucinha, que a prepara como ninguém, à moda thermidor, capaz de fazer inveja aos melhores *chefs* de hotéis cinco estrelas. Quando a maré baixava, eu ia inúmeras vezes, na companhia de Batista e um auxiliar seu, pescar lagosta nas pedras. Levávamos sacos vazios de farinha, capazes de suportar cerca de 50 kg, para armazenar as lagostas que pescávamos. Na verdade, não se tratava de pesca; era uma caçada, além de ser uma covardia. As lagostas não esboçavam a mínima reação. Batista levava o lampião para incandescer as lagostas que afloravam por cima das pedras. E o ajudante, para segurar o saco que servia de samburá. A minha tarefa era visualizar a lagosta por cima das pedras e fisgá-la com o arpão. Uma espécie de príncipe da Inglaterra com seus súditos! Certa vez, cheguei a "caçar", com a minha equipe, 156 lagostas. Posso, pois, me considerar o "Caçador de Lagostas".

Lagosta de grande tamanho, que vive em alto-mar.
Foto: Florida Fish and Wildlife Conservation Commission/Flickr.

Equipe amadora de pesca submarina na Praia do Tambaú: Arael Menezes da Costa, Rubem Rangel, Jair Miranda, Hortêncio da Silva, Wilson Veloso e Walter Delgado – João Pessoa, Paraíba, 19 de novembro de 1955. Foto: acervo de Arael M. da Costa.

*Abaixo*, minha primeira pesca submarina, com Gualberto Costa (Noca) e uma lagosta de 2 kg, na Praia do Poço – Cabedelo, Paraíba, janeiro de 1958; *à direita*, George Cunha após pesca e captura de um mero de 210 kg – Naufrágio Queimado, Paraíba, 1975.

Equipe Cabo Branco, vice-campeã do XIX Torneio Pernambucano de Caça Submarina, na Praia de Maragogi: George Cunha, Roberto Jardim e José Roberto Ribeiro Neves – Maragogi, Alagoas, 25 de março de 1975. Foto: acervo de George Cunha.

George Cunha após pesca submarina e captura de um tubarão-azul de 120 kg no Morro do Pico – Fernando de Noronha, Pernambuco, 1975. Foto: acervo de George Cunha.

## Duas receitas de lagosta à thermidor[132]

Segundo o *chef* Paulinho Pecora[133], a expressão "à thermidor" significa que o prato em que é servida a lagosta é umedecido. Na confecção original, as lagostas eram cozidas em uma caixa de vapor, conhecida como "thermidor", termo que também dá nome à caixa em que se umedecem charutos.

### Início do preparo

Pegue a lagosta crua, dê um corte transversal entre a cabeça e o corpo e outro na nadadeira do meio, no fim da cauda. Segure a carapaça e a torça de um lado para o outro, puxando devagar, e com cuidado, o intestino (tripa), que está situado ao longo da cauda, segurando na nadadeira do meio[134]. Corte as antenas e depois lave a lagosta em água corrente. Coloque-a num caldeirão grande com água fervente e sal, deixando-a cozinhar por quinze a vinte minutos, até que a carapaça esteja vermelha. Após fazê-lo, uma a uma, com todas as lagostas, retire-as do cozimento e deixe-as esfriar. Guarde algumas carapaças com cabeça para enfeitar o prato.

### Lagosta à thermidor (receita 1)

**Ingredientes**
1 colher de sopa (bem cheia) de manteiga
1 cebola branca grande, picada
300 g de cauda de lagosta cozida, cortada em rodelas
1 dose de conhaque Fundador para flambar
½ copo (125 mL) de *ketchup*
2 copos (500 mL) de molho branco
½ copo (125 mL) de creme de leite

---

132. Receitas de Maria Lúcia Coêlho Mendonça (Lucinha).
133. O Mago das Panelas. Disponível em: <www.magodaspanelas.com.br/2009/10/lagosta-thermidor-caldo-de-lagosta.html>. Acesso em: 12 mar. 2018.
134. Atualmente existe no comércio um aparato que é usado para facilitar a retirada das tripas da lagosta. Chama-se *lobster intestinal remover tool*.

1 colher de sopa de mostarda
Sal a gosto (cuidado: as lagostas já foram cozidas com sal)

**Modo de fazer**
Coloque a manteiga para derreter, em uma frigideira grande, no fogo. Acrescente a cebola picada e deixe murchar um pouco para depois colocar as lagostas cozidas, cortadas em rodelas. Deixe refogar por aproximadamente cinco minutos, para que seque a água que porventura esteja nas lagostas. Retire a frigideira do fogo e adicione uma dose de conhaque. Leve a frigideira de volta ao fogo e risque um fósforo para flambar as lagostas. Dê uma ligeira mexida na frigideira e acrescente os demais ingredientes, cozinhando por mais três minutos. Desligue o fogo em seguida. Acompanhamentos: arroz branco, batata *sauté* e, para beber, de preferência, vinho branco seco.

―― ··· ――

### Lagosta à thermidor (receita 2)

**Ingredientes**
1 colher de sopa (bem cheia) de manteiga
1 cebola branca grande, picada
300 g de cauda de lagosta cozida, cortada em rodelas
2 colheres de sopa de *ketchup*
4 colheres de sopa de molho branco
2 colheres de sopa de creme de leite
4 colheres de sopa de molho de tomate
Sal e pimenta-do-reino a gosto (cuidado: as lagostas já foram cozidas com sal)

**Modo de fazer**
Idêntico ao anterior. A única exceção é que o prato não é flambado no conhaque.

—— ... ——

## Molho branco (serve para as duas receitas)

**Ingredientes**
½ litro de leite
2 colheres de sopa de maisena
2 colheres de sopa de manteiga
2 colheres de sopa de queijo parmesão ralado
1 tablete (quadradinho) de caldo de carne Knorr
3 colheres de sopa de creme de leite

**Modo de fazer**
Leve todos os ingredientes ao fogo numa caçarola, exceto o creme de leite, mexendo sempre até engrossar. Retire do fogo e adicione o creme de leite, mexendo até que fique homogêneo.

—— ... ——

## A carapaça da lagosta
*Luís Pellegrini*[135]

A lagosta vive tranquilamente no fundo do mar, protegida por sua carapaça dura e resistente. Contudo, dentro da carapaça a lagosta continua a crescer. Ao final de um ano, sua casa fica pequena, e ela se vê obrigada a enfrentar grande dilema: permanece dentro da carapaça e morre sufocada ou arrisca-se a sair de lá, abandonando-a, até que seu organismo crie uma nova carapaça de proteção, de tamanho maior, que lhe servirá de couraça por mais um ano.

Vagando pelo mar, sem carapaça, a lagosta está vulnerável a seus predadores, que dela se alimentam. Mesmo assim, ela sempre prefere arriscar e sair para não morrer sufocada. De fato, dentro da carapaça, que se transmudou em prisão, não tem qualquer chance de sobreviver. Fora, sim.

Também nós, muitas vezes, ao longo da vida, ficamos prisioneiros de várias carapaças: hábitos repetitivos, condicionamentos alienantes, situações às quais por vezes nos acomodamos, mas que, exauridas e desgastadas, nada nos

---

135. Disponível em: <www.luispellegrini.com.br/a-carapaca-da-lagosta>. Acesso em: 12 mar. 2018.

têm mais a oferecer. Acabamos, então, por falta da coragem de mudar, nos acostumando ao tédio de uma vida monótona que, fatalmente, como a velha carapaça da lagosta, irá nos sufocar.

É preciso ter a coragem da lagosta, trocar a velha e apertada carapaça por uma nova, que permita respirar. Mesmo sabendo que, por algum tempo, ao enfrentar uma situação nova, ficaremos desprotegidos. Largar o velho e abraçar o novo é, muitas vezes, a única possibilidade de sobreviver. Até que, em crescendo mais, tenhamos de mudar a carapaça.

# Comentários sobre alguns livros do autor

•─────•••─────•

### Manual do reparador de medidores de água, Cetesb, São Paulo, 1975

"Antes de qualquer coisa quero lhe parabenizar pela recente publicação, à qual cabe o grande e indiscutível mérito de ser a única no assunto no Brasil. Chefiando presentemente o setor de hidrômetros da recém-criada Cedae, foi com grato prazer que li o seu livro, tendo-o posteriormente oferecido ao meu encarregado geral de oficina, que, com seus 25 anos de lides ininterruptas com hidrômetros, achou o seu livro uma síntese fiel de todo o trabalho por ele já realizado."

ENG. OSCAR NESS / Chefe do serviço de manutenção de medidores<br>da Companhia Estadual de Águas e Esgotos do Rio de Janeiro (Cedae)

"Creio ser o maior divulgador do seu livro, pois tive o prazer, em minhas andanças pelo Brasil, de oferecê-lo a todos os Departamentos de Hidrometria. Agora tive a oportunidade de levá-lo pessoalmente à Bolívia (La Paz, Cochabamba e Santa Cruz de la Sierra), ao Chile, Argentina, Paraguai e Uruguai."

ATTILA LOPES DA ROCHA / Gerente de marketing do<br>Liceu de Artes e Ofícios de São Paulo

"A fim de obter informações com maior nível de detalhes, recomenda-se a utilização de bibliografia específica, tal como Manual do reparador de medidores de água de Sérgio Rolim Mendonça."

Programa de assistência técnica para o desenvolvimento institucional<br>das empresas estaduais de saneamento (Satecia) / Convênio BNH/Opas – Sistema<br>Comercial, Oficina de Hidrômetros, Modelo Geral – Rio de Janeiro, 1977

## Tópicos avançados em sistemas de esgotos sanitários, Abes, Rio de Janeiro, 1987

"A edição do referido documento contribui para a literatura técnica brasileira sobre o tema, a qual é necessária dentro do desenvolvimento de todos os programas de saúde ambiental das Américas."

ENG. DIEGO DAZA SIERRA / Consultor da Organização Pan-Americana
da Saúde (Opas), Brasília, Distrito Federal

"O seu livro tem muito de prática e observação resultante da sua conhecida curiosidade técnica, interesse e participação. Nele pude verificar citações sobre parâmetros e processos, normalmente não encontrados em publicações do gênero, que facilitam bastante o seu entendimento e consequente aplicação."

ENG. PAULO CÉZAR PINTO / Presidente da Associação
Interamericana de Engenharia Sanitária e Ambiental (Aidis)

"Parabenizo o colega pelo censo de oportunidade ao preencher a falta que havia em diversos aspectos de projetos de sistemas de esgotos sanitários, bem como pela qualidade do trabalho que enriqueceu a engenharia sanitária do Brasil."

ENG. MÁRIO LAVIGNE / Coordenador Técnico da Secretaria de Estado do
Desenvolvimento Urbano e do Meio Ambiente de Santa Catarina

―― ... ――

## Projeto e construção de redes de esgotos sanitários, Abes, Rio de Janeiro, 1987

"A recente publicação do seu livro complementando a edição anterior dos *Tópicos avançados em sistemas de esgotos sanitários* é uma iniciativa muito oportuna e que merece reconhecimento e cumprimento por todos nós que lutamos pelo enriquecimento da literatura técnica nacional. É com alegria que venho acompanhando os esforços da equipe paraibana, com o valoroso apoio da Cagepa e da Universidade Federal da Paraíba."

JOSÉ MARTINIANO DE AZEVEDO NETTO / Professor titular da Universidade de São Paulo (USP)
e membro do corpo de especialistas da Organização das Nações Unidas (ONU)

"É gratificante para mim lhe felicitar por essa importante obra, profundamente didática, e conhecer mais um ponto de consulta e pesquisa essenciais no setor de saneamento básico."

ENG. ALOYSIO VILLELA DE O. MARCONDES / Chefe do serviço de operação
e manutenção de esgotos da Companhia Estadual de Águas e Esgotos do Rio de Janeiro (Cedae)

*"Quero parabenizá-lo pelo excelente trabalho realizado na edição de seu livro, pois ele fornece uma extensa apresentação da tecnologia dos sistemas de esgotos. A ênfase dada à teoria e à prática o faz particularmente interessante para uso em universidades, companhias de saneamento, programas de saúde pública etc."*
                **PROF. JOSÉ FELICIANO ALBUQUERQUE** / Prefeito da Cidade
                    Universitária de Santa Maria, Rio Grande do Sul

―――•••―――

## *Lagoas de estabilização e aeradas mecanicamente: novos conceitos*, UFPB, 1990

*"Sérgio Rolim Mendonça, com essa difícil simplicidade que lhe é característica, coloca ao alcance dos profissionais do ramo os fundamentos teóricos e as ferramentas práticas que nos permitirão selecionar, projetar e oferecer soluções tecnológicas de tratamento de águas residuais compatíveis com os níveis de desenvolvimento e recursos existentes em nossos países."*
           **ENG. JOSÉ PEREZ M.** / Especialista em tratamento de água da Opas, Cuenca, Equador

―――•••―――

## *Sistemas de lagunas de estabilización: cómo utilizar aguas residuales tratadas em sistemas de regadío*, McGraw-Hill, 2000

*"Yes, I think your book is one of the best I have encountered in Latin America and I recommend it to everyone. We bought 30 copies in Honduras through Usaid to give to the universities and key government regulators."*
           **STEWART OAKLEY** / Professor of Environmental Engineering, California State
                  University, Califórnia, Estados Unidos

*"Recebi hoje as três cópias do seu espetacular livro. Ficou realmente muito bom, até a capa e o formato. Creio que terá um bom mercado nas Américas e no Brasil. Poderemos estudar uma maneira de divulgá-lo e de deixar à disposição algumas cópias para venda aqui na Escola Politécnica da USP."*
           **IVANILDO HESPANHOL** / Professor titular da USP e consultor aposentado
                 da Organização Mundial da Saúde (OMS), Genebra, Suíça

*"Congratulations on the book! Tell me how I can get a copy when it is available. In Spanish is OK for me. This is a very important topic now in the United States regarding the use of lagoons for swine waste."*
           **JON BROADWAY** / International Corps on the Environment,
                Auburn University at Montgomery, Estados Unidos

"Como director de la Escuela de Ingeniería en Construcción de la Universidad Católica de Valparaíso y profesor del área de tecnologías del medio ambiente, es un agrado observar que esta obra será indudablemente un aporte al área de ingeniería y puedo asegurar que a la brevedad será incorporada a la catedra como a la consulta en las bibliotecas de ingeniería de nuestra universidad."
  PROF. MARCEL SZANTÓ NAREA / Pontificia Universidad Católica de Valparaíso, Chile


*I am extremely interested in your book in English. However, I cannot tell you now, how many copies I could use for dissemination. Anyway congratulations with your achievement. Will keep you posted."*
  ENG. ADRIANUS VLUGMAN / Assessor de Saúde Ambiental, Opas, Suriname


"Primeramente felicitarle por su trascendental obra en bien de la humanidad a través de las diversas contribuciones que realiza."
  ENGª. MARÍA DEL CONSUELO SALAS GARCÍA / Universidad Autónoma de Zacatecas, México

— ••• —

### *Sistemas sustentáveis de esgotos: orientações técnicas para projeto e dimensionamento de redes coletoras, emissários, canais, estações elevatórias, tratamento e reúso na agricultura,* Blucher, São Paulo, 2016

"Em primeiro lugar, parabéns por mais essa obra, em coautoria com a Luciana. Você é uma referência no saneamento neste país tão carente na área. Parabéns a ela também e duplamente para você. Certamente, a contribuição de vocês será referência para os cursos de Engenharia Ambiental do Brasil."
  PROF. EUGENIO FORESTI / Membro da Academia Brasileira de Ciências, Rio de Janeiro


"Venho por este meio expressar o meu sincero parabéns e agradecimento pela oferta do seu excelente livro Sistemas sustentáveis de esgotos de que irei fazer uso nas minhas aulas. O meu agradecimento é estendido à senhora sua filha Luciana."
  PROF. JOSÉ ALFEU ALMEIDA DE SÁ MARQUES / Coordenador do Laboratório de Hidráulica, Recursos Hídricos e Ambiente, Universidade de Coimbra, Portugal


"Estou me deliciando lendo seu livro Sistemas sustentáveis de esgotos. Gosto do seu estilo de escrever e desenvolver assuntos técnicos. Parabéns para a família."
  ENG. MANOEL HENRIQUE CAMPOS BOTELHO / Autor de *Concreto armado eu te amo; Águas de chuva; Manual de primeiros socorros do engenheiro e do arquiteto,* entre outros, pela editora Blucher, São Paulo

*"Meus sinceros cumprimentos ao prof. Sérgio Rolim e sua filha, dra. Luciana Mendonça, pelo livro bem elaborado e com cunho altamente didático, com vários exemplos de aplicação dos conceitos. Com certeza, aproveitarei o livro já no segundo semestre de 2016, na disciplina Saneamento Ambiental II, em que é abordado o conteúdo a respeito de sistemas de esgotos sanitários. Será mais uma referência que mostrarei aos alunos do curso de Engenharia Civil da UFPR."*
    **PROF. ROBERTO FENDRICH /** Universidade Federal do Paraná (UFPR), Curitiba


*"Envio as minhas felicitações por este projecto que, juntamente com os precedentes, constitui um acervo muito relevante para a nossa bibliografia técnica na área da engenharia sanitária. Sei que só se conseguem estes resultados com muito (e bom) trabalho. Mas também sei que o fazes sempre com o prazer de deixar legado às novas gerações que se dedicarem a esta área tecnológica. Por tudo isso, desejo-te as maiores felicidades, aguardando por novas publicações pedagógicas da estirpe destas a que nos vais habituando!"*
    **PROF. JOSÉ MANUEL PEREIRA VIEIRA /** Chefe da Divisão de Hidráulica,
    Universidade do Minho, Braga, Portugal


*"Isso é que é autor bom pra danado! Um dia também vou escrever um livro assim... Parabéns, Sérgio, eu comprei seu livro na Abes, e ele está realmente muito bom."*
**EDUARDO PACHECO JORDÃO /** Professor titular da Universidade Federal do Rio de Janeiro (UFRJ)

# Sobre o autor

**SÉRGIO ROLIM MENDONÇA**, natural de João Pessoa (PB), é engenheiro civil pela Universidade Federal da Paraíba (UFPB), engenheiro sanitarista pela Universidade de São Paulo (USP) e *Master of Science* em Controle da Poluição Ambiental (Environmental Pollution Control) pela University of Leeds, Inglaterra. Efetuou treinamento teórico-prático na área de Controle de Poluição das Águas e Preparação e Avaliação de Projetos de Desenvolvimento Local nos Estados Unidos, na Holanda, no Japão, no Peru e no Chile. Lecionou na UFPB, onde é atualmente professor emérito, foi engenheiro e diretor de Operação e Manutenção da Companhia de Água e Esgotos da Paraíba (Cagepa), diretor nacional da Associação Brasileira de Engenharia Sanitária e Ambiental (Abes), no Rio de Janeiro, assessor em saúde e ambiente da Opas/OMS na Colômbia e no México, assessor em sistemas de águas residuais para a América Latina e o Caribe do Cepis/Opas/OMS, com sede em Lima, Peru, e fundador da Academia Paraibana de Engenharia. Trabalhou como consultor de curto prazo para a Opas/OMS em vários países latinos, para várias empresas brasileiras, para a Deutsche Beratungsgesellschaft für Hygiene und Medizin mbH (Saniplan), em Frankfurt, Alemanha, para a Belize Water Services Limited, em Belmopan, Belize, e para a empresa Roche, em Québec, Canadá, na área de Engenharia Sanitária. Convidado por *notório saber*, participou da banca examinadora de uma tese de doutorado na Escola de Engenharia de São Carlos da USP e de dezesseis dissertações de mestrado na UFPB, em João Pessoa e em Campina Grande. Ministrou mais de 2.400 horas de aula em cursos de capacitação nas áreas de abastecimento de água, saneamento e despejos industriais em 21 estados brasileiros, incluindo Brasília (DF), e em 12 países da América Latina. É autor de mais de sessenta projetos e tem mais de setenta trabalhos publicados no Brasil e no exterior, incluindo oito livros na área de tecnologia de água e esgotos, destacando-se os livros *Sistemas de lagunas de estabilización*, publicado pela McGraw-Hill, com cerca de 8 mil exemplares vendidos na Espanha e na América Latina hispânica, e *Sistemas sustentáveis de esgotos*, em parceria com sua filha Luciana Coêlho Mendonça, pela editora Blucher, de São Paulo.

Publicado em 2016, esse livro já está em sua segunda edição, revista e ampliada. Foi laureado com vários prêmios, destacando-se a medalha ao mérito outorgada em reconhecimento pela sua contribuição técnica e científica à Universidad Nacional Santiago Antúnez de Mayolo, em Huaraz, Ancash, Peru; o Diploma pelos Relevantes Trabalhos Prestados à Causa do Saneamento Ambiental no Brasil, recebido da Associação Brasileira de Engenharia Sanitária e Ambiental (Abes); o Troféu Personalidade da Construção Civil, entregue pelo Sindicato da Construção Civil de João Pessoa (Sinduscon/JP) em 2016; e a Medalha do Mérito 2016, honraria outorgada pelo Conselho Federal de Engenharia e Agronomia (Confea) a importantes nomes da engenharia brasileira. Atualmente, é presidente da Academia Paraibana de Engenharia e trabalha como consultor particular.

Este livro foi composto em Electra LT Std 11pt e impresso pela gráfica Paym em papel Pólen Bold 90 g/m².